JN066361

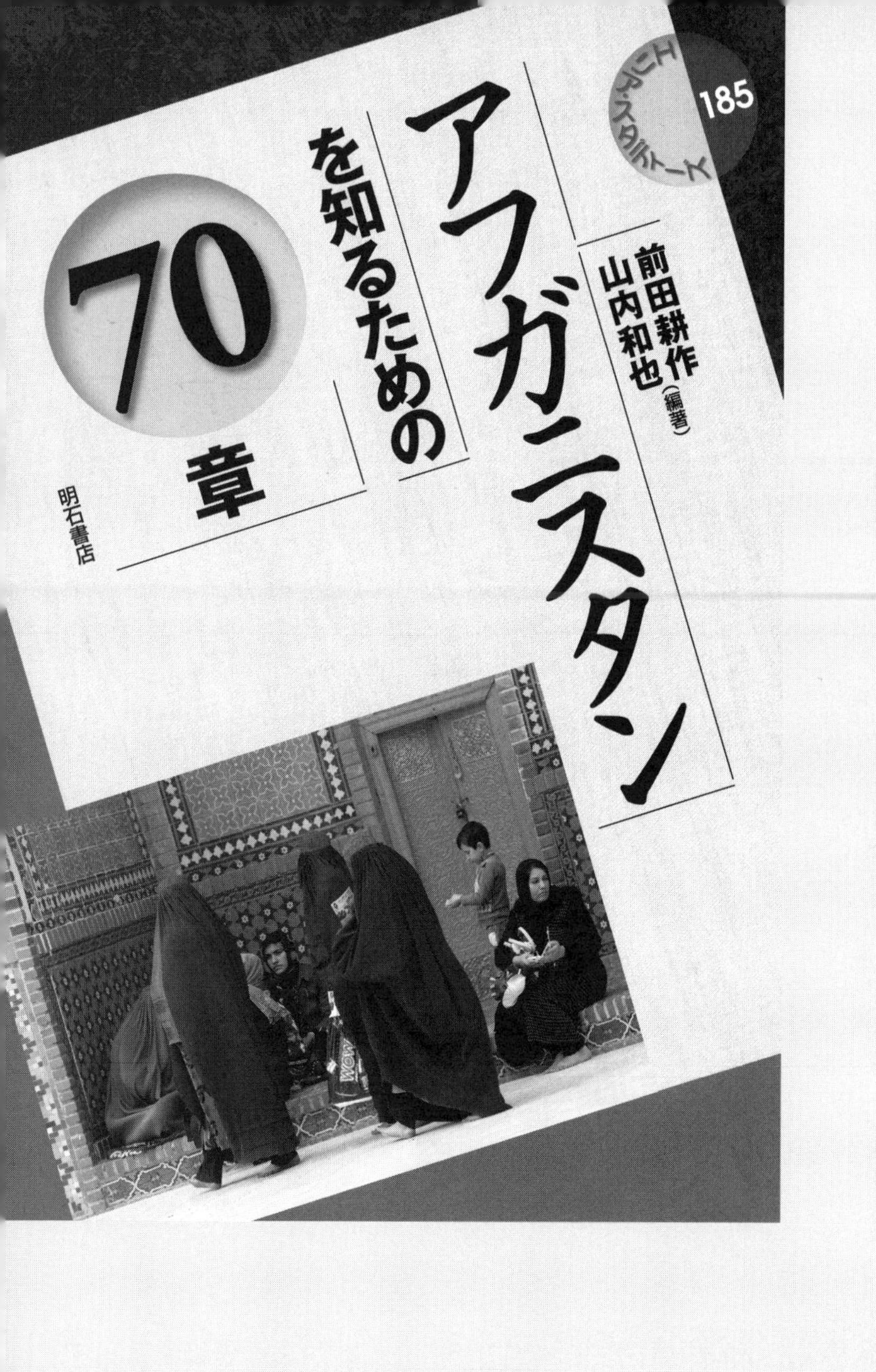
エリア・スタディーズ
185
アフガニスタンを知るための70章
前田耕作
山内和也
（編著）
明石書店

はじめに――アフガニスタンとはなにか

自国を愛するのは自然の理であるが、他国を愛するのにはさまざまな動機、常ならぬ心のざわめき、ふと魂揺さぶる誘因があるはずである。アフガニスタンを訪れたことのある人は誰もがもう一度訪ねたいといい、訪れたことのない人は一度は行ってみたいと口にする。決して豊かではなく、寒暖の差厳しく、国土の大半が峨々たる岩の山稜に占められ、名だたる乾燥する褐色の大地に人びとはなにゆえかくも惹き付けられるのであろうか。

それはひとえにこの国の大地が長く深く紡いできた歴史と文化の壮大さと多彩さにあった。現在は長い戦火の果てに生まれた敬虔なイスラム共和国であるが、それでも8世紀以来、千数百年の転変めまぐるしい歴史の営みがある。それ以前、北のオクソス河と南のヘルマンド川、両河畔に花開いた文化も視野に留めれば、優に数千年の歴史の営みがあったといえよう。

アマヌラ・ハーンが近代アフガニスタンの建国を宣するに当たって、国礎を考古学が確証し得る範囲に広げて据え直そうとしたのは卓見であった。現代アフガニスタンが敬虔なイスラム国でありながら、異文化の豊かな歴史・文化を排除することなく抱き続けているからこそ、それらが奏でる深い風韻に人びとは魂を揺さぶられ続けてきたのであり、今も心揺らされているのである。

もはや純朴の世界などどこにも存在しないが、アフガニスタンの人びとの多くにはなおその残り香をほのかに感じさせる風情がある。1945年の敗戦の日本に心寄せた国はアフガニスタンただ一国であったことも忘れがたい。困窮の敗戦国に救援物資を届けてくれたわけではない。変わらぬ連帯の微風を届け続けてくれたのである。

戦後の経済成長で、わが国は欧米と競い合いながら国際的な地位の向上をめざして発展し続けたが、アフガニスタンへの敬意を忘れることはなかった。その象徴はわが国の皇室とアフガニスタンの王家との交流である。アマヌラ・ハーンがわが国の皇室への親書を田鍋安之助に託した1925（大正14）年以来、1971年の皇太子・皇太子妃（現在の上皇・上皇后）のご訪問の実現まで、互いに敬意が交わされてきたのである。両殿下がバーミヤンとアム・ダリア河畔を訪れ、仏教とヘレニズムの遺跡をご覧になったことは、今もアフガニスタンで語りつがれるすがすがしい逸話である。

日本の学術調査団がアフガニスタンのさまざまな領域で活動を始めたのは1950年代になってからのことであり、そこから発せられる種々の情報が世界にシルクロード・ブームを捲き起こすきっかけとなった。アフガニスタンの南北を走るアスファルトのハイウェイがアジアとヨーロッパを再び繋ぎ合わせ、さまざまな国のあらゆる年齢、あらゆる階層の人びとがアフガニスタンで出会い、語り合い、アフガニスタンへの愛を確かめもち帰った。

今日のように、当時のアフガニスタンには外国の軍隊もいなければ、タリバンのテロもアルカイダの暴虐もなかった。貧富の差はあったが、行き交う人びとの顔は皆親しげで温和であった。

21世紀は何を失ったのであろうか。戦争と疫病が人類から今なお平穏な日常を奪っている。アフガニスタンの過去と現在、苦悩と転変、その有為と無為を、私たちの生きる世界を映し出す鏡の一つとして捉え、本書を編んだ。

2021年8月

編者　前田耕作

アフガニスタンを知るための70章

I アフガニスタンの国の輪郭

II 国の歩み

Ⅲ　生活の基盤

Ⅳ 多声的な文化

Ⅴ 文明の十字路

Ⅵ アフガニスタンの旅

Ⅶ　日本とアフガニスタン

Ⅷ　戦後復興

IX　アフガニスタンはどこへ向かうのか

注記

○地名・人名などの固有名詞のカナ表記の方針は、読者にとっての読みやすさ、記憶しやすさを優先した。各章執筆者の意向により、必ずしも完全に統一されていない用語もある。

○本文中の写真のうち、特記なきものは原則として各章執筆者が撮影したものである。

○本書の情報は、一部を除き2021年8月に発生したアフガニスタンの政変（タリバンの政権掌握）以前のものである。

タジキスタン
タシュクルガン
フルム・バラヒッサール
キシュトテペ
シルハーン
カラ・イ・ザール城址
クンドゥズ
ハナバード
タリカーン
バラヒサル監氏城
ドゥルマン・テペ
チャカラクテペ
アリアバド遺跡
タハール
サマンガン
ハイバク佛跡
バグラーン
フロル・クッシュテペ
ラバタク碑文
スルフコタル
バグラン
プレ・ホムリ
ラギ・ビビ遺跡
ドーシ
アンダラーブ川
サマンガン
ショルトガイ
コナ・カラ
アイ・ハヌム
コクチア川
キシム
バダフシャーン
ファイザーバード
ホログ
シワ湖
ダルマラフ（達磨悉鉄帝国？）
ダルマダール
イシュカシム城址
イシュカシム
パンジ川
ゼバク
ジュルム川
ラピスラズリ
ワルドジ川
ムンジャン峠
ドラ峠
チトラル
シャロン・ムンジャン
アンジュマン峠
ハワク峠
山
脈
ヒンズークシュ
スルフ・ルード
ヒンジャン
サラン峠
バーザラク
パンジシール
ヌーリスタン
パールン
カームディシュ
クナル
ナマ峠
アサダバード
チャリカール
ネジラオ
カピサ
ベグラム
パルワーン
シバル峠
ゴルバンド川
ハジガク峠
ウナイ峠
カーブル
シワキ・ストゥパ
ソロビ
カーブル川
ラグマーン
メタル・ラーム
ジャラララバード
中村哲医師 開鑿水路
ハッダ
タパショトール
クワ峠
カーブル川
グルダラ・バクトリア語碑文
メスアイナク遺跡群
マイダンシャール
ワルダク
バーミヤン
ローガル
ナンガルハル
バラキ
ペシャーワル
ハイバル峠
パラチナール
パクティヤー
ガズニ
マスード3世のミナレット
バハラムシャーのミナレット
テペサルダール
ガルデズ
ホースト
ホースト
パキスタン
シャラン
ダシュテナワール巨石碑文
パクティカ
エスターダ湖
ゾルクル湖
シャウル峠
コンゴルド
パミール川
ワハン川
カライパンジャ
ハンドゥド
サルハド
雲堡
ボロギル峠
ダルコット峠
ババタンギ
ルンコ・イ・ドサール
ウルゲント
カティンザ峠
ノシャック
アクサン峠
ティリチミール
クナル川
コーラボルト峠
イルシャド峠
チャプルサン谷
チャクマクティン湖
アンデミシン峠
ワクジル峠
中国
バルフ川・扇状地遺跡群
1 ダシュリ・テパ群
2 アルテインデイリョル・テパ（アオルノス）
3 トプラク・テパ
4 デイルベルジン・テパ
5 アラジン・テパ
6 アルテイン10
バーミヤン遺跡
7 カクラク谷佛跡群
8 フォラデイ谷佛跡群
9 西大仏跡
10 東大仏跡
カンダハル遺跡
11 シタデルの佛塔
12 40階段
13 オールドシティのアショカ碑文
ベグラム周辺遺跡
14 ショトラック寺院址
15 パレス址
16 トープダラ仏塔
17 パイタバ寺院址
18 フォンドキスタン寺院址
19 ハムザルガール寺院址
N
アフガニスタン 概略全図
0 100 200 300 400 km
作図：松田 徳太郎 2021・July 改訂
湖沼
河川
主な道路
山脈
峠
主な遺跡

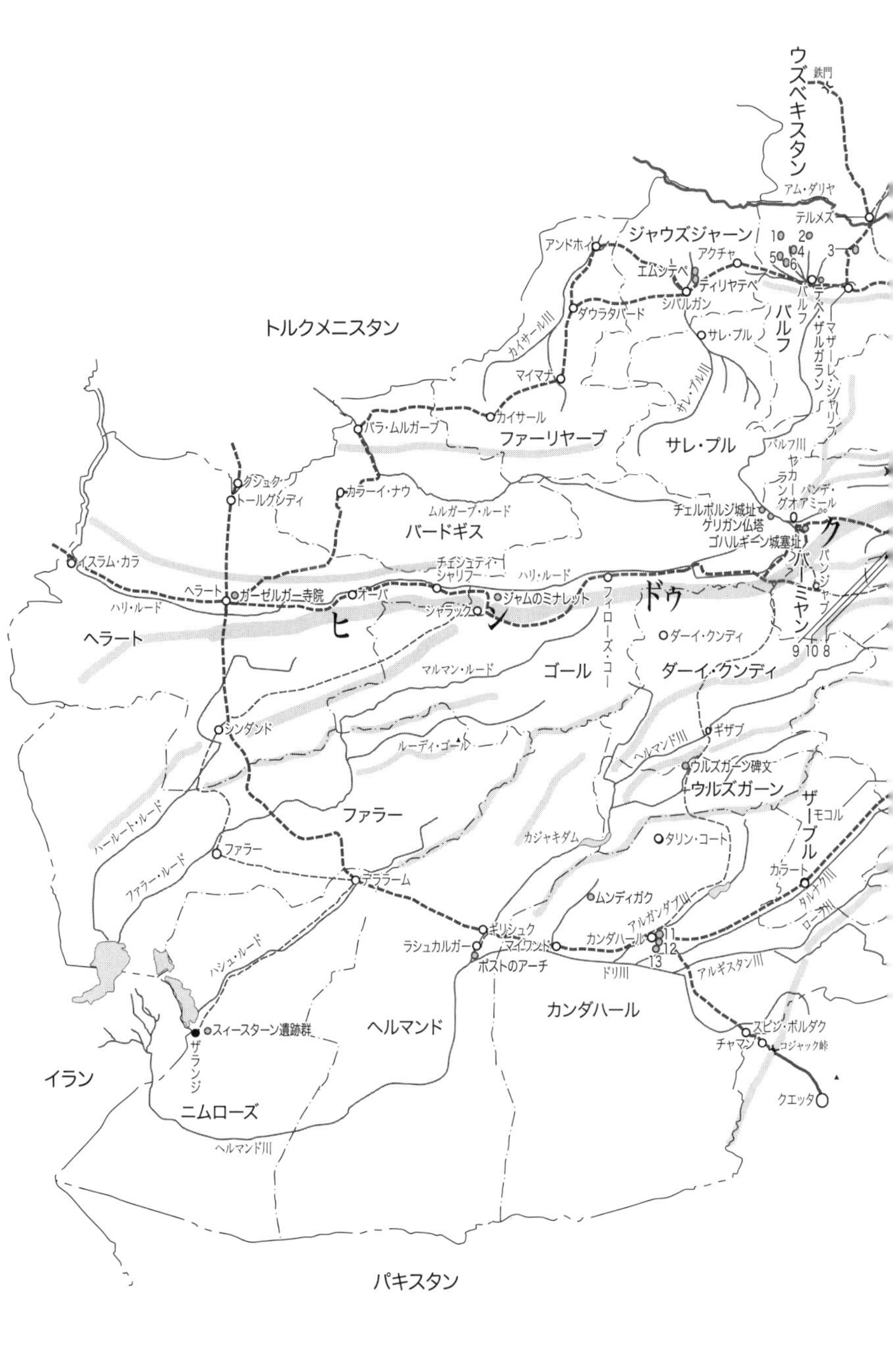

ウズベキスタン
鉄門
アム・ダリヤ
テルメズ
ジャウズジャーン
アンドホイ
アクチャ
エムシテペ
ティリヤテペ
シバルガン
ダウラタバード
トルクメニスタン
カイサール川
サレ・プル
バルフ
マザーレ・シャリフ
テペ・ザルガラン
マイマナ
サレ・プル川
カイサール
バラ・ムルガーブ
ファーリヤーブ
サレ・プル
バルフ川
ヤカラング
バンデ・アミール
グシュク
トールグンディ
カラーイ・ナウ
ムルガーブ・ルード
バードギス
チェルボルジ城址
ケリガン仏塔
ゴハルギーン城塞址
イスラム・カラ
チェシュティ・シャリフ
ハリ・ルード
ヘラート
ガーゼルガー寺院
オーバ
ジャムのミナレット
フィローズ・コー
パンジャブ
バーミヤン
ヒンドゥ
クシュ
シャラック
ヘラート
ダーイ・クンディ
マルマン・ルード
ゴール
ダーイ・クンディ
シンダンド
ギザブ
ルーディ・ゴール
ヘルマンド川
ウルズガーン碑文
ウルズガーン
ザーブル
モコル
ハールート・ルード
ファラー
ファラー
カジャキダム
タリン・コート
ファラー・ルード
デララーム
カラート
ムンディガク
アルガンダブ川
タルナク川
ギリシュク
ローラ川
ラシュカルガー
マイワンド
カンダハール
ポストのアーチ
ドリ川
アルギスタン川
ハシュ・ルード
カンダハール
スピン・ボルダク
チャマン
コジャック峠
スィースターン遺跡群
ヘルマンド
ザランジ
イラン
クエッタ
ニムローズ
ヘルマンド川
パキスタン
1 2 3 4 5 6 8 9 10 11 12 13

I

アフガニスタンの国の輪郭

1

国の形と統治機構

★国民国家アフガニスタンの相貌★

私たちが日常アフガニスタンと呼んでいる国の正式の名称(国号)は、アフガニスタン・イスラム共和国である。この名称が示す通り、現在地球上に存在する四つのイスラム共和国のうちの一つである。もっとも、アフガニスタンがイスラム共和国を正式に称するようになったのは、2004年1月にロヤ・ジルガ(大国民会議)で採択された現行憲法(2004年1月4日にロヤ・ジルガ採択、以後単に憲法)の第1条に「アフガニスタンはイスラム共和国」であることが明記されたときからである。1996年にアフガニスタンを実効支配するに至ったタリバン政権が「イスラム首長国」を、1996年に成立した北部同盟が自らの政権の特徴を示す言葉として「イスラム」を用いることはあったが、イスラム共和国であることを謳った前例はない。

現在のアフガニスタンがイスラムを前面に押し出していることは、イスラムが国教であることを定めた憲法第2条からも明らかであるが、加えて同国の国旗に関する規定を定めた第19条からもそのことは確認される。同条の規定には次のようにある。「アフガニスタンの国旗は、黒色、赤色、緑色の三色からなり、左から右に並行して配置され、各色の縦幅は国旗の横幅の半分とし、中央にアフガニスタンの国民章が配される。アフガニスタンの国民章は、白色のミフラーブとミンバルからなり、その両脇にはそれぞれ1本の旗、中央上部には、〈アッラー以外に神はなく、ムハンマドはアッラーの使徒なり〉という聖句と昇る太陽の光輝、また中央下部には（アフガニスタン太陽暦1298年とアフガニスタンの文字が記され、そしてこれらを小麦の束が囲むものとし、国旗と国民章の使用は法が定めるものとする」。本条項にあるミフラーブとは、礼拝の方向を示す壁龕（へきがん）のことであり、ミンバルとは金曜日の集団礼拝がおこなわれるモスクに配置される説教壇のことである。そして、アフガニスタン太陽暦1298年は第三次アフガン戦争の結果としてイギリスから完全独立を達成した年である。ちなみに、黒色は、アフガニスタンが経験した歴史的苦難を、赤色は独立のために流された血の色を、緑色はイスラムの色、そして未来への希望の色を表しているといわれる。

さて、アフガニスタン（ダリー語ではアフガーニスターン）とは、アフガーン（アフガン人の意）とイスターン（〜の国、土地を意味するダリー語、つまりペルシア語の接尾辞）から成る複合語であるが、そもそもアフガーンとは誰のことかを改めて考えてみると、この国の複雑な成り立ちが自ずと浮かび上がってくる。

アフガニスタンの憲法第4条では、主権が国民にあることを謳った上で、アフガニスタン国民は、パシュトゥン、タジク、ハザラ、ウズベク、トルクメン、バローチ、パシャーイー、ヌーリスターニー、アイマク、アラブ、キルギス、キジルバシ、グジャル、ブラーフイなどの諸民族から構成されるとある。そして最後に、アフガニスタン国民であるすべての個人はアフガーンであることが強調されている。

しかし、この用法は今日のアフガニスタンに住まう多種多様な民族（カウム）集団を国民（ミラト）という新しい枠組みで一括りとして、その一体性を主張する極めて政治的な用法である。事実、巷間でアフガーンといえば、それはペルシア語系諸言語の話者（タジク、アイマク、ハザラなど）、より一般的には非パシュトー語話者がパシュトゥン人を指し示す呼称なのである。

一般的には、1747年、アブダリ部族連合をまとめたアフマド・ハーンがカンダハールに樹立したドゥラニ朝（アブダリ改めドゥラニ）の誕生は、現在の国家としてのアフガニスタンの嚆矢と位置づけられている。ところが、ドゥラニ朝が体現していた国家の呼び名、つまり国号はその後も約1世紀間にわたって、「アフガニスタン」と称されることはなく、代わりに「ホラサン」と称された。ホラサンという地名は、現在はイランの東部にある三つの州の名前に残るのみであるが、歴史的には、北はアム・ダリアから南はルート塩漠からシースタン、東はバーミヤンから西はイランのゴルガーン地方にいたる広大な地域の名称であり、一つの文化圏を構成していた。これを歴史家たちは大ホラサン、あるいは歴史的ホラサンと呼ぶが、ドゥラニ朝の歴代君主も、そうした歴史的地域概念を国号として用いていた。しかし、19世紀の少なくとも30年代以降は、次第に、自らの出自（民族出自）であるアフガーンを国家の名称として用いるようになったと考えられる。しかし、それが自称として始まったのか、それとも他称として始まり、後に自称としても使用されるようになったのかは、判然としない。

現在のアフガニスタンは、憲法のもと、平等権（国民が主権をもち［第4条］、国民はすべて、宗旨、民族の別なく法のもとに平等［第22条］）、自由権（表現の自由［第34条］、結社の自由［第35条］、集会の自由［第36条］、移動の自由［第39条］、生命・身体の自由［第29～31条］）、社会権（教育を受ける権利［第43条］、勤労の権利［第

48条〕、医療サービスを受ける権利〔第52条〕、生存権〔第54条〕）、参政権（選挙権と被選挙権〔第33条〕）、請求権（賠償を求める権利〔第51条〕）などの基本的人権が保障された、少なくとも制度上はれっきとした国民国家である。

統治機構においては、三権分立の基本原則が堅持され、国家元首であり、比較的強大な権限を有する行政府の長である大統領は、国民の直接投票により選出され、任期は5年である（第61条）。立法府は、下院（ウォレスィー・ジルガ、国民院）と上院（メシラーノー・ジルガ、元老院）から構成され、前者は国民による直接秘密投票で選出され、任期は5年、議席数は最大で250とされ、各州（ウィラーヤト、全部で34州）から少なくとも2名の女性議員が選出されねばならないとされている（第83条）。一方、議席数102の元老院は、各州議会議員のなかから、任期4年の議員1名、各州議会議員のなかから、任期3年の議員1名、残りの3分の1の議員を、専門家や有識者のなかから大統領が指名する。そのなかには身体障害者2名と遊牧民2名を含めること、および大統領が指名する議員の半数は女性であることが条件とされている（第84条）。なお、アフガニスタン国民の最高の意思表明機関であり、国家の独立・主権・領土保全およびその最高権益をめぐる問題の場合に限って招集される大ロヤ・ジルガ（第110条）は、国民議会議員、州議会議員、県議会議員から構成される（第111条）。

司法府は、最高裁判所、控訴裁判所、初審裁判所の三審制をとっており（第117条）、最高裁判所の9名の判事は、国民院の承認を得て、大統領が任命する（第118条）。なお、イスラム共和国であるアフガニスタンでは、憲法やほかの法律に規定がない場合は、スンナ派ハナフィー法学派の解釈を参考とし（第130条）、シーア派信徒が関わる場合はシーア派の規定によるとされる（第132条）。ちなみに、アフガニスタンは19世紀の末に、国王アブドゥル・ラフマーンがカーフィリスタンと呼ばれた山岳地帯に居住する多神教徒たちを攻め、イスラムに改宗させて以来、一握りのシーク教徒やユダヤ教徒、それに仏教徒を除けば、大部分の住民はイスラム教徒となり、しかもその80％以上はスンナ派である。

全体としては国民統合を強力に打ち出し、中央集権体制の推進に比重を置いているアフガニスタンは、その一方で、地方行政当局にも一定程度の権限を委譲することを謳い、地方行政に住民が参加することを促し（第１３７条）、その機会を保証する州議会、県議会、村落議会の議員を当該地域の住民による無記名直接投票によって選出することを定めている（第１３８条）。また、多民族国家アフガニスタンの公用語はパシュトー語とダリー語の二言語であるが、国内で話されているほかのすべての言語による出版やラジオ・テレビの放送は自由であるとするなど、少数民族への配慮（第16条）も重要な眼目となっている。

最後に、現在のアフガニスタンの国境線成立の経緯に触れておこう。19世紀に入るとイギリス・ロシアの角逐（グレート・ゲーム）は激しさを増し、特に半ばを過ぎると、中央アジア、具体的にはアフガニスタンをめぐる両国の覇権争いは頂点に達する。現在のアフガニスタン・イスラム共和国の国境線（総延長約５６００キロメートル）は、直接的であるか、間接的であるかは別とすれば、まさにこのグレート・ゲームの経緯のなかで成立したのである。

アフガニスタンと現在のトルクメニスタン、ウズベキスタン、タジキスタン三国（旧ソビエト）との国境線（２１５０キロメートル）は、１８７３年（アム・ダリアを国境とする中央部分）、１８８５年（アム・

ダリア以西からイラン国境までの部分）、１８９５年（ワハン回廊部分）の三度にわたる協定締結により画定された。アフガニスタンの東部へ突出した奇妙な形状のワハン回廊は、イギリス・ロシア角逐の緩衝地帯としての役割を如実に物語っている。また、ロシアに脅威を感じ警戒し始めたイギリスは大ホラサン地域の政治情勢にも介入の方針を固め、ガージャール朝イランとも直接衝突することとなり、結果締結された１８５７年のパリ条約により９４５キロメートルに及ぶ現在のアフガニスタンとイランとの国境の原形が形成された。そして１８９３年には２４３０キロメートルに及ぶデュアランド・ラインが設定された。これは、イギリスが、植民地インドと対ロシアの緩衝地帯として位置づけようとした保護国アフガニスタンとの間の境界線策定を画した、グレート・ゲームにおける対ロシア戦略の一環であった。１９４７年にイギリス領インド帝国から分離独立したパキスタンは、デュアランド・ライン条約を継承したが、アフガニスタンとの国境線に関する公的合意は今も存在しない。なお、中国との国境線はわずかに76キロメートルであるが、タリム盆地側とアム・ダリア流域を分ける分水嶺を境とする両国国境線の画定が最終決着を見たのは１９６５年のことであった。

（八尾師誠）

2

アフガニスタンの風土

★多様な自然環境と景観★

アフガニスタンと聞いて思い浮かべるのは、どのような光景であろうか。乾いた茶色の大地、山頂に雪を湛（たた）えた山脈、あるいは緑のまばらな草地で羊を放牧する遊牧民の姿かもしれない。こうしたイメージはあながち間違いではなく、アフガニスタンは海を持たない内陸国であり、国土の70％以上は山岳地帯である。気候は乾燥して農業に適さず、耕地として利用されているのは国土の20％にも満たない。夏はひどく乾燥してまったく雨は降らず、多くの場所で40度を超える酷暑となる。冬から春にかけては雨と雪が降り、マイナス10度を下回る寒さとなる。山岳地帯の内奥（ないおう）に至ってはマイナス30度を下回る場合もあり、多量の雪が降って交通路は閉ざされる。このような過酷な自然環境は、確かに冒頭のようなイメージを喚起するに十分であろう。しかしながら、アフガニスタンの歴史と人びとの多様な生活文化の根幹にあるのも、やはりこの自然環境なのである。

　アフガニスタンの国土を象徴するのは、北東部から中央部にかけて走る巨大なヒンドゥクシュ山脈である。山脈の北東部はタジキスタン、中国、パキスタンとの国境に当たり、パミール、カラコルム山脈、そしてヒマラヤ山脈に接続する。この付近はバダフシャンと呼ばれ、標高7千メートルを超える山々がそびえており、アフガニスタン最高峰のノシャック岳（7492メートル）もここに含まれる。こうした峨々たる山並みの谷間を縫って走る道は、古来よりユーラシアの東西を結ぶ重要な交通路となっており、ワハン回廊の名前で知られている。山脈は南西に向かって徐々に高度を下げ、中央部の支脈であるコーヒ・バーバ山脈においては5千メートルほどになる。コーヒ・バーバの北側の盆地にあるのがバーミヤン地域で、標高は2500メートルほどである。この一連の山脈は、現在も造山活動を続けていて、カラコルム断層やヘラート断層といった活断層が分布するため、しばしば地震を引き起こしている。

この巨大な山脈は、アフガニスタンの主要な河川の水源ともなっている。春になって雪解けが始まるとその水量は増大し、下流において洪水の原因となることもあるが、これらの河川がアフガニスタンの国土を潤し、人びとの生活を支えているのである。アフガニスタン研究の泰斗、ルイ・デュプリーの区分に従うと、次の四つの主要な水系がアフガニスタンの国土を形成している。一つ目が、北部に向かって流れ、西流するアム・ダリアに合流するアム・ダリア水系。このアム・ダリアが、タジキスタン、ウズベキスタン、トルクメニスタンとの国境になっている。北部の主要都市であるマザーレ・シャリフやクンドゥズがこの水系に含まれる。二つ目は、西へ流れて途中で北に転じ、イランとの国境を画しつつトルクメニスタン方面に向かうハリ・ルード水系。西部の主要都市ヘラートがここに含まれる。三つ目は、南および南西方面に流れ、イラン・パキスタンとの国境付近で沼沢地へ消えるヘルマンド・アルガンダーブ水系。南部の主要都市カンダハールがここに含まれる。四つ目は、南東に流れてパキスタンに入り、インダス河に合流するカーブル水系。首都カーブルやジャララバードがここに含まれる。

これらの主要都市周辺は、年間降水量がいずれも150〜300ミリメートル程度であるが、主要な河川を活用して古くから灌漑用水路が整備され、小麦・大麦を中心とする農耕がおこなわれてきた。現在は、地域によってトウモロコシやコメ、綿花のほか、各種のナッツや果実も栽培されており、アフガニスタンの耕地のほとんどがこれらの地域に集中している。こうした場所は、作物によって緑色が豊富となり、用水路沿いにはプラタナスやポプラ、クワなどの樹木が木陰を作る穏やかな景観が広がっている。日干煉瓦で造られた茶色い建物と緑のコントラストは、アフガニスタン農村の原風景といえるかもしれない。なお、これらの用水路には「カナート」あるいは「カレーズ」と呼ばれる地下水路網も含まれており、古くからアフガニスタンの農業を支えてきた。しかし、地下水路は定期的な整備が必要であり、その維持と新規開発は現代においても重要な課題となっている。

灌漑網が及ばない地域に目を転ずると、それぞれの景観や植生には大きな違いがある。北部の低地はステップ性の気候で、黄土地帯が広がるが、標高の高い山麓は優れた牧草地となる。東部の山岳地帯であるヌーリスタン地方ではさらに緑が濃くなり、現在も森林が残されているが、冬季の積雪は3メートル以上に達する場合もある。南東部のジャララバード周辺は冬季も比較的温暖で氷点下になることが少ないため、亜熱帯性の植生が広がっており、花をつける顕花植物や低木の林も認められる。一方で、南西部・西部はとりわけ降水量が少なく、ダシュトと呼ばれる岩石砂漠や、より砂がちな砂漠が広がっており、しばしばラクダ草と呼ばれるトゲの多い草がまばらに生えるだけの荒涼とした景観となる。また、アフガニスタンの多くの地域では、春から夏にかけて強い風が吹いて砂ぼこりを舞い上げ、しばしば砂嵐となる。

このような耕地に適さない多くの土地も、人びとは古くから活用してきた。その方法の一つが牧畜である。アフガニスタンでは、農耕と合わせて、羊・山羊・牛・鶏などの家畜を飼養する牧畜が重要な生活基盤となってきた。特に羊は、その乳製品・肉・毛皮などが、さまざまな形で人びとの生活を支えている。つまり牧畜は、灌漑がおこなわれていない土地に自生する各種の植物を家畜の飼料とすることで、その場所を間接的に利用し、人類にとって有益な土地へと転換することを可能にするのである。耕地に向かない土地を最大限に活用するという点で、牧畜はアフガニスタンの風土に適した生業といえるだろう。なかでも、夏季には冷涼な牧草地（夏営地）に、冬季は比較的温暖で雪の少ない居住地（冬営地）に季節的な移動をしながら牧畜をおこなう「遊牧」は、アフガニスタンの歴史や文化、そして政治にも大きな影響を及ぼしてきた重要な営みである。しかしながら現在は、伝統的な方法で遊牧をおこなう人びとは急激に減少している。

灌漑農耕がおこなわれている農村の景観（バーミヤン）（東京文化財研究所提供）

以上の通り、アフガニスタンの自然環境は非常に多様であり、それに適応してきたこの国の歴史と人びとの生活も、おのずから豊かな多様性を持つに至った。現在のアフガニスタンは重大な変革の時代を迎えているが、これから訪れるさまざまな変容も、この国の風土と密接に関連しながら進展していくことになるだろう。

（岩井俊平）

3

多民族が織りなす社会

★言語・宗教・文化の交流と共存★

アフガニスタンのある地域は古代ギリシア人によって「アリアナ」と呼ばれ、ササン朝以降は「ホラサン」として、現在のアフガニスタンの南東部からパキスタンの一部を指していた。ヒンドゥクシュ山脈以北はトルキスタンと呼ばれ、テュルク系の諸民族が割拠していた。アフガニスタンという名前は「アフガン人（アフガーン）の国（スターン）」という意味だが、アフガン人とは、ペルシア語でパシュトゥン人のことを指しており、18世紀のアフガニスタンとは、現在のアフガニスタン全体を示してはいなかった。この「パシュトゥン」はインドでは「パターン」と呼ばれている。

ドゥラニ朝成立後、1806年に当時の王シャー・シュジャーと直接面会したイギリス東インド会社の使節エルフィンストンが、シャーの領地を「カーブルの王国」とし、「アフガニスタン」という語については、地理的制限を加えつつも、現地の人びとがこの名称を用いていないことを記述している。1855年にイギリス東インド会社とアフガニスタンの間で交わされたペシャワル条約の序文においても、「イギリス政府と、現在カーブルとアフガニスタンに属する諸国を領有する統治者ドスト・ムハンマド・ハーン」との表現があり、アフガニスタンという地域は存在するものの、それが小国の集合体の名称のような扱いとなっている。「アフガン人」という呼び名は、長らくパシュトゥン人を意味するものであって、タジク人、ウズベク人、ハザラ人などほかの民族をもアフガン人と総称することはほとんどなかった。事実、「アフガン人」が、アフガニスタンに居住するすべての人を指すと規定したのは2004年公布の新憲法であって、それまでは「アフガン人」と呼ばれることに対して、パシュトゥン人以外の民族が抵抗感を持っていたこともあった。このことは、アフガニスタンが複雑な民族構成となり、その多民族をまとめ、いかに制定するかが国家の維持に関わるという課題を抱えていることを示している。アフガニスタンの民族構成を知ることは、この国の成り立ちを知る上で不可欠なのである。

山岳国アフガニスタンは、現在、東でパキスタン、北東の山岳部で中国、北部でタジキスタン、ウズベキスタン、トルクメニスタン、西と南でイランと国境を接している。北東部から中部に至ってアフガニスタンを南北に二分するように聳(そび)えるヒンドゥクシュ山脈は、4千メートルから6千メートル級の山系で、その支脈を含むと、国土の4分の3がこの山々に覆われている。この高い山の峰から南北に河川が流れ出し、その河川に沿って集落が形成されている。このような地形は、アフガニスタン国内の交流はもとより、周辺地域との接触を密にしてきた。ヒンドゥクシュ山脈の北側ではタジク人やウズベク人、トルクメン人との交流が活発となり、南側はイラン人やインド人による往来が盛んとなっていた。この周辺地域との交流は、アフガニスタン国内の民族分布にも影響し、東部や南部にはパシュトゥー語を話すパシュトゥン人、北部にはダリー語を話すタジク人やウズベク語を話すウズベク人、西部にはトルクメン語を話すトルクメン人が主に居住する状況を形成していった。また、ヒンドゥクシュ山脈に囲まれた中央山岳部には、ダリー語の方言を話すモンゴル系のハザラ人が居住している。このハザラ人を含む少数派がイスラムのシーア派に属し、残りはほとんどがスンナ派となっている。

パシュトー語はインド・ヨーロッパ語族イラン語派の東語群に属し、ダリー語はイラン語派のうち西語群に属する。ダリーという名称は１９６４年にアフガニスタン政府が定めた言語名で、これはペルシア語である。ダリー語とペルシア語は母音の発音や語彙が若干異なるが、タジキスタンではタジク語と呼ばれ、公用語となっている。ウズベク語はアルタイ諸語のテュルク諸語の南東語群に属し、ウズベキスタンの公用語である。トルクメン語はテュルク諸語の南西語群に属し、トルクメニスタンの公用語となっている。アフガニスタンの憲法第16条ではパシュトー、ダリー、ウズベク、トルクメンのほか、バローチー、パシャーイー、ヌーリスターニー、パミールおよびその他の言語が話されているなかで、パシュトー語とダリー語を公用語と定めている。

２０１９年現在のアフガニスタンの総人口は３７００万人で、パシュトゥン人がその42％、タジク人が27％、ハザラ人が9～12％、ウズベク人が9％を構成し、そのほかにアイマク人、トルクメン人、バローチ人、ヌーリスターニー人、アラブ人、ブラーフィ人、グジャル人などが数％程度となっている。これは各言語の話者人口の構成とほぼ比例している。民族構成の割合は19世紀の頃も大きく変化していない。

前３３０年から前３２７年まで東方遠征をおこなったアレクサンドロス大王が、アフガニスタンのヘラートやカンダハール、ガズニ、カピサなどに滞在した。アレクサンドロスの死後この地域はセレウコス朝の統治下に入ったが、前305年にインドのマウリヤ朝の支配下に入った。アフガニスタンの地は、この後数世紀にわたってセレウコス朝やササン朝ペルシア、ギリシアなどの影響を受けていたが、前135年ごろ成立したクシャン朝の時代になるとシルクロードの拠点としてさらに発展し、東西の文化交流がこの地で育まれ、ガンダーラ美術が開花した。アフガニスタンでは、仏教、ゾロアスター教、ヒンドゥー教のほか、ヘレニズムの神々の文化が交錯し、豊かな文化が形成されたのである。その後、7世紀にムスリムが進出すると、アフガニスタンの一部はアラブ系の支配下となった。その後はテュルク系のガズニ朝や、アフガン系のグール朝、テュルク系ティムール朝、ムガル朝、ペルシア系のサファビー朝などのムスリム諸勢力がこの地域を影響下に置いた。16世紀の時点でアフガニスタンはサファビー朝、ウズベク人、ムガル朝の緩衝地帯となっていたが、この緩衝地帯となった部分が、ロシアとイギリスのグレート・ゲームの果てにアフガニスタンの輪郭の原型となっている。中央アジア、西アジア、南アジアを結ぶ交通の要衝として、アフガニスタンの地は常に周辺地域の人びとや宗教を含む文化の交流を育んできたのである。

（山根 聡）

4

アフガニスタンにおける「民族」対立の構造

★パシュトゥンによる国民統合の歴史からみる分断★

アフガニスタンの国民統合において最も深刻な問題が、いわゆる「民族対立」と呼称されるエスニシティ間の対立である。20世紀後半の政治的混乱と戦乱状態により高揚した各エスニシティ集団の対立は継続しているが、そのなかでも特に深刻な対立がパシュトゥンと非パシュトゥン間での対立である。これは近代以降、一時期を除きパシュトゥンが一貫して権力構造の頂点を占めるとともに、国民統合における社会の「パシュトゥン化」を進めてきたことにその遠因がある。そこで、本章では、アフガニスタンの国民統合において推進されたパシュトゥンを頂点とする国家形成の過程について振り返りつつ、その問題の根源について考察する。

アフガニスタンにおける多数派エスニシティとされているパシュトゥンは、国土の南部から東部地域を中心に分布しており、首都の位置するカーブル州においても人口の4割強を占めると推測される。国立統計局の統計によると、2020年現在のアフガニスタンの推計人口は3200〜3300万人であるが、その4割強をパシュトゥンが占めていると推測される。1747年に現在のアフガニスタンの原形と認識されている王朝であるドゥラニ朝（1747〜1973年）を建国したパシュトゥンのアフマド・シャーは、南部カンダハールを拠点に現在のイラン、パキスタン、インドにまで勢力範囲を拡大した。このドゥラニ朝成立を近代国家としてのアフガニスタン建国と同一視する認識は一般に広く共有されている。

また、同王朝成立時にパシュトゥンの村落社会に広くみられる「ジルガ」と呼ばれる集会・寄合の場を発展的に解釈した「ロヤ・ジルガ」（パシュトー語で「大ジルガ」の意）が開催されたとされている。この「ロヤ・ジルガ」を通じた合意形成にもとづきアフマド・シャーが王位に推戴され即位したとする認識もまた、広くアフガニスタン国民の間で「歴史的事実」として認識されている。実際、現行憲法においても、「ロヤ・ジルガ」は国民の意思を体現する最高機関と位置付けられている。このように、パシュトゥンの王朝成立を国家の原形と捉える歴史認識、およびパシュトゥンの社会制度を国家の統治機構に組み込むことに典型的にみられるように、国民統合を進める過程でパシュトゥンのさまざまな制度が国家統治機構のなかに導入されることとなった。

さらに、1930年代以降は本格的な国民国家形成のため、国家による「パシュトゥン化」政策が強力に推進された。典型的な「パシュトゥン化」政策として、それまで文語・文化用語としての高い地位と有用性を保持してきたペルシア語に代わり、パシュトゥンの言語であるパシュトー語を唯一の国家公用語とする言語政策が挙げられる。それまでは、口語としてアフガニスタン南部から東部にかけての地域で広く用いられながら、文語としての伝統が希薄であったパシュトー語を公用語化するため、パシュトー・アカデミーが設立され主導的役割を担うこととなった。同機関を通じてパシュトー語の新たな語彙作成や辞書編纂、文法書作成、さらには口承文芸や詩集の出版など幅広い調査・研究成果が発表された。

このような一連の「パシュトゥン化」政策により、パシュトゥンの言語、文化、社会に関するさまざまな調査・研究成果が発表されたが、しかし、非パシュトゥンたちの同化はまったく進展しなかった。国家によるパシュトー語言語政策にもかかわらず、ペルシア語が多様なエスニシティ集団間での共通語、あるいは文語としての機能を維持し続けた。そのため、1964年憲法第3条においてパシュトー語とダリー語（アフガニスタンのペルシア語）の両言語が公用語と規定された。その一方で、同憲法第35条において、パシュトー語を国家語とした上で、その発展・強化のため効果的なプログラムの準備・実施することを国の責務と規定した。これにより、幅広いパシュトー語教育実施に加え、非パシュトゥン官吏に対する勤務時間外でのパシュトー語研修受講の強要などを含む、徹底した言語教育が実施された。このように、1960年代に至るまでは、王政期において基本的にパシュトゥンが社会的上層部に位置するという構造に大きな変化は生じなかった。

しかし、ザーヒル・シャー（在位1933～1973年）統治下で制定された同1964年憲法は、同時に比較的自由な政治活動を保障する内容を含んでいた。これにより、それまで制約されていた政治的活動や発言の自由化が一挙に進み、特に知識人や若者たちの活動拠点であるカーブル大学を中心に、共産主義、イスラム主義など多種多様な思想にもとづく政治活動が一定程度許容されることとなった。ただ、政治的自由化は、結果的に地域や社会階層間の対立を深刻化させる結果をもたらした。この状況は、19世紀後半からの国民統合過程において深まっていたエスニシティ集団ごとの分断を決定的なものとした。

この分断は１９７０年代以降の世界情勢と国内政治の混乱を受けて顕在化し、エスニシティ集団ごとに形成された政治集団が相争う結果を招いた。１９７９年末のソビエト軍侵攻後はエスニシティ集団ごとの政治集団が武装化した上で、パキスタン経由でアメリカなど西側諸国による支援を受けつつソビエト軍と戦った。その後のソビエト軍撤退とソビエト自体の崩壊に伴い１９９２年の共産主義政権崩壊後は、特にパシュトゥンのヘクマチアルが率いるイスラム党、タジクのラバニが率いるイスラム協会、ウズベクのドスタムが率いるイスラム運動党、ハザラのイスラム統一党などが、各エスニシティ集団が大多数を占める地域をそれぞれ分割統治しつつ、互いに争う状況が生まれた。そのようななかから、パシュトゥンを中心とした地域社会秩序を全土に広げようとする運動として勃興した勢力がタリバンであると考えられる。

首都をカーブルに定めたティムール・シャーの廟

現在もエスニシティ間の分断と対立は、政治的・社会的不安定要因であり、アフガニスタンが直面する最も解決困難な課題である。この分断をどのように乗り越えていくのかの道筋はまだ見えていない。

（登利谷正人）

Ⅱ

国の歩み

5

アフガニスタンの曙

★旧石器時代〜鉄器時代★

アフガニスタンの先史時代に関しては、今もなお不明な点が多く、遺跡の調査も非常に限られている。確実に前期旧石器時代に属する遺跡は発見されていないが、石器自体はガズニのダシュテ・ナーワルで採集されている。さらに、隣接するタジキスタンやイラン、パキスタンにおいては明確な人類活動の痕跡が見つかっていることから、アフガニスタンにもこの時代に人類が進出していたことは確かであろう。中期〜後期旧石器時代になると、北東部のバダフシャンに位置するダライ・クール遺跡や北部のハイバク北方にあるカラ・カマル遺跡などでまとまった石器の出土があり、いずれも3万年以上前に遡ると考えられている。バルフ南方にあるアク・クプルク遺跡では1万年前に遡る後期旧石器時代から、前6千年頃の新石器時代にもその活動が続いていて、土器も出土している。ただし、これらは岩陰遺跡であり、現在のところ新石器時代の前8千〜前4千年頃に属する野外の居住址は発見されていない。

前4千年頃になると、アフガニスタンでも金属器が使用されるようになり、前3千年前後からは本格的な青銅器時代となる。この段階の代表的な遺跡が、カンダハールの北西にあるムンディガク遺跡である。前4千年頃からの継続的な居住が確認可能であるが、前2千年頃に急速に衰退したことが知られている。さまざまな銅製品や、人物・動物を象った彫像、そしてラピス・ラズリなどの出土品は、南方のインダス河流域および北西のイラン高原からメソポタミアにかけての地域と文化交流があったことを明示する。また、前2500年頃の層位では、望楼を伴う防壁が新たに築かれ、「都市」と呼べる様相を示すようになった。関連する周辺の遺跡も含めて「ヘルマンド文明」と呼ばれることもある。

一方で、インダス文明とより強い関連性を持つ遺跡が、アフガニスタンの北東部、アム・ダリアとコクチャ川の合流点付近で発見された。これがショルトガイ遺跡で、出土した土器や煉瓦のサイズに至るまで、インダス文明の諸遺跡と酷似しており、インダス文明を担った人びとのラピス・ラズリ採掘基地とも考えられている。ショルトガイが造営された前3千年紀の後期〜末期以降は、文化的繁栄の中心がアフガニスタン南部から北部へと移っており、これはラピス・ラズリなどの交易ルートの変遷と関係する可能性が考えられる。実際にこの時代以降、アフガニスタンの北部では、多様な金製容器が出土したテペ・フロールや、複数の大型建物が出土したダシュトリー遺跡など、インダス文明およびメソポタミア文明と共通した文化を持つ遺跡が複数知られている。この文化は、トルクメニスタン南部に所在するゴヌル・デペなどの諸遺跡との共通性から「バクトリア＝マルギアナ文化複合」と名付けられており、しばしば「オクソス文明」とも呼ばれる。いずれにしろ青銅器時代を通じて、アフガニスタンの各地がインダス河流域やイラン、メソポタミア、そして中央アジアの各地と密接な関係を保ちながら、徐々に文化的発展を遂げたのであった。

バクトリア＝マルギアナ文化複合に属する遺跡は、前1500年以降に徐々に衰退し、代わって登場した新しい集落からは鉄器が出土する場合があるため、前1500年頃から前1000年頃の間に、アフガニスタンは初期鉄器時代に入ったといえるだろう。さらに、前6〜前5世紀頃には、アフガニスタンの多くの地域がアケメネス朝ペルシアの版図に組み入れられることとなった。実際に、アフガニスタン北部（バクトリア）、南部のカンダハールを中心とした地域（アラコシア）、西部のヘラートを中心とした地域（アレイア）、南東部のカーブルからパキスタン北西部にかけての地域（ガンダーラ）などが、ダレイオス1世に帰属する地域としてビーソトゥーン碑文や粘土板文書に登場する。

そのなかでも、ラピス・ラズリや金といった資源を産出するバクトリアは、重要な行政区の一つだった。バルフのバラ・ヒサル遺跡や、その北西に位置するディルベルジン遺跡は、アケメネス朝期に建造された大規模な城塞であり、堅固な防壁を伴っていた。一方、クンドゥズのバラ・ヒサル遺跡やアイ・ハヌム平原のコフナ・カラ遺跡などには、アケメネス朝の支配に先立ってすでに城塞が築かれていた可能性が指摘される。こうした拠点的な城砦の周辺には多くの居住址が存在し、灌漑システムが整えられていったことも考古学的な調査で明らかとなっている。さらに、この時代の高い工芸技術を示す貴重な遺品が、現在は大英博物館に所蔵されている「オクソス遺宝」である。タジキスタン南部で発見された大量の金製・銀製装飾品やコインなどの一括資料で、そのなかには、帝国内で製作されたと考えられるもののほか、北方の遊牧民文化に由来するモチーフや、ゾロアスター教の儀礼に関連する可能性が指摘される製品などが含まれており、当時のバクトリア地域にこうした帝国内外からの多様な文化が流入していたことを示している。

また、カンダハール南西に位置する古カンダハール遺跡も、当時のアフガニスタンを代表する遺跡の一つである。アケメネス朝期になって防壁を再建したことが明らかになっているほか、出土したアラム語の粘土板文書の内容から、この場所にアラコシアの行政府が置かれていたことも判明している。一方で、出土した土器は、ムンディガク遺跡から継続する在地の長い伝統を保っており、アケメネス朝の支配が地元の生活文化を急激に変化させるようなものではなかったことを示している。

このように、アケメネス朝ペルシアの時代に至って、アフガニスタンの多くの地域に拠点的な城砦都市が誕生し、灌漑農耕が発達することによって人口が増大していくこととなった。これに加えて興味深いのは、ヘロドトスの『歴史』をはじめとするさまざまな文献資料によって、遊牧民であるサカ人（スキタイ人）たちが、バクトリアやガンダーラ方面に居住していた可能性が指摘できる点である。すなわち、遅くともこの時代までには、定住民と遊牧民が共生するというアフガニスタンの一つの特徴が形成されていたことになる。

こうした発展の背景には、当然のことながら、ユーラシアを広く支配したアケメネス朝の堅固な行政システムと交通網の発達があった。人びとの広範な移動による交易と文化交流が、帝国の辺境に当たるアフガニスタンの各地にも発展をもたらしたのである。この過程においては、共通語として用いられたアラム語の導入も大いに役立ったに違いない。この言語を表記するためのアラム文字は、この後にアフガニスタンや中央アジアで使用されるさまざまな文字に影響を与えているのである。

（岩井俊平）

6

アレクサンドロスの東方への夢

★バクトリアとソグディアナ★

トラキアの西北の山岳地帯にあったマケドニアが、ギリシアの連合軍をカイロネイアの戦いで打ち破り、やがてアッティカとペロポネソスを支配して、さらに東方へと征服のまなざしを転ずるまでに要した年月は、わずか4年であった。前334年の晩春、アレクサンドロスはヘレスポントスの海峡を渡り、伝説の母方の先祖アキレウスが眠るトロイアに詣で、グラニコス河畔での初戦を制し、イッソスの会戦でダレイオス3世とあいまみえて勝利し、エジプトを無血征服し、ガウガメラの会戦で決定的勝利を収めた。都を棄てたダレイオスは側近のバクトリアの藩主ベッソスに伴われて落ち延びる途上、カスピの門と呼ばれる隘路(あいろ)でベッソスによって殺害される。アレクサンドロスが駆け付けたとき、ダレイオスは既にみまかっていたが、アレクサンドロスは緋色の上衣を脱ぎ、それで遺体を覆ってやったという。ヘロドトスが『歴史』で活写した二度に渉るペルシア戦争への攻守を換えた結末なら、ここよりさらなる東方への追撃は必要なかったはずである。

ときにアレクサンドロス26歳、彼はこれより改めてアケメネス朝の後継を名乗り、アルタクセルクセス4世の名で直立の王冠を戴くベッソス討伐の軍をさらに東方へと進める。

アレクサンドロスのこれよりのさらなる東征は、さまざまな不協和音をマケドニア軍のなかに捲き起こしながらも押し進められた。現在のアフガニスタンは、この進軍の軌跡をことごとく包摂しているが、国情の起伏があって、その考古学的な裏付けはいまだ十分な成果をえていない。アレクサンドロスがアフガニスタンに入って最初に攻めたのは、アレイア（現在のヘラート）であった。この地を征服し、マケドニアの軍事植民市となし「アレイアのアレクサンドリア」と名付け、さらに南下してドランギアナの首邑フラダを落とし「ドランギアナのアレクサンドリア」と命名し、東進してヘルマンド川の流域の古都アラコシア（現在のカンダハール）を制し「アラコシアのアレクサンドリア」となし、北上して高嶺パロパミサダエ（現在のヒンドゥクシュ山脈）の麓（現在のカピシ・ベグラム）に「パロパミサダエの麓なるアレクサンドリア」を建設した。ここで冬営（前330年）したのち、翌年（前329年）の春おそくに険峻な山を越えて、遂にベッソスが支配するバクトリアの地に攻め入った。ヒンドゥクシュ山脈の北方、オクソス河（現在のアム・ダリア）の中流域の南北がバクトリアの地であった。古くよりバクトリアがキュロス大王の支配を受け、ペルシアの属領の一つであったことが、クセノポンの言及（『キュロスの教育』第1巻・第1章・4）によっても判る。また、ダレイオス大王の有名なビーソトゥーン碑文にハライワ（アレイア）、ズランカ（ドランギアナ）、ハラウワティ（アラコシア）と並んでバークトリの名が刻まれていることもよく知られている。ヘロドトス（『歴史』第3巻・92）によれば、バクトリアはダレイオスが制定した20の徴税区のうちの第12徴税区に当たり、ペルシア帝国に財政的に寄与しただけではなく、バクトリアからもたらされた金がペルセポリスの造営で大きな役割を果たしたことがダレイオスのスーサ碑文からも裏付けられる。さらに、クセルクセスのギリシア侵攻（前480〜前479年）の際には「バクトリア人はメディア風のものに最も近い被り物を頭につけ、彼ら独特の蘆（あし）の弓と短槍を持って進軍した」（第7巻・64）とヘロドトスは伝えている。アレクサンドロスが王を僭称するベッソスを追ってバクトリアへ進軍したのは、それからおよそ1世紀半後のことであった。

アレクサンドロスのバクトリアへの進軍は、アッリアノスの『アレクサンドリ・アナバシス』（アレクサンドロス大王東征記）によると、豪雪の山越えの後、バクトリア地方で最初に到達したのはドラプサカであったという。ドラプサカとはストラボンが『地理誌』（第15巻・C725）にいう「バクトリアネ地方の市アドラプサ」で、現在のアンダラブという説もクンドゥズとする説もある。アレクサンドロスはここで将兵に休息を与えたのち、さらに軍をバクトリア地方最大の城塞であるアオルノスとバクトラに向けて軍を進めた。アオルノスは現在のタシュクルガンと考えられている。バクトラはバルフのことで、ここから北方オクソス河の渡河点までほぼ73キロメートルある。追跡するベッソスは既にオクソス河を渡り、渡河に必要な小舟の類はすべて焼き払っていた。露営用の皮製テントを活用して浮き袋を作り、オクソス河を渡河したアレクサンドロスは、さらに北へと逃走するベッソスを追い、ソグディアナ（現在のウズベキスタンのサマルカンドを中心とした地域）へと転戦し、遂にベッソスを捕縛し、エクバタナへ送り殺害させた。ソグディアナでの戦いは、勇将スピタメネスの執拗な抵抗があり苦戦の連続であったが、ヤクサルテス川（現在のシル・ダリア）の南岸に遠征を記念する市、アレクサンドリア・エスカテ（最果てのアレクサンドリア）を設置して帰還した。ちなみにスピタメネスの娘アパメがのちセレウコス1世ニカトルの王妃となるのである。

前327年早春、アレクサンドロスはソグディアナと北バクトリアの要に位置する岩砦を攻め、守将オクシュアルテスを降伏させると、その娘ロフサーナと結婚する。アッリアノスはオクシュアルテスをバクトリア人としている（第4巻・18）。おそらくバクトリアの幕営地バクトラ（バルフ）でも盛大な祝宴がおこなわれたにちがいない。ここで初めてペルシア風の跪拝礼を導入しようとするが、マケドニアの古参の部将たちの拒否にあいあきらめる。「すでに春も終わりに近づいていたのでアレクサンドロスは、このバクトリア人の地にアミュンタスを騎兵三千五百騎、歩兵一万とともに残留させておいて、バクトラから出発した」（アッリアノス第4巻・22）。アレクサンドロスは再びパロパミサダエ（ヒンドゥクシュ山脈）を南下し「十日間で踏破」、パロパミサダエの麓なるアレクサンドリアへと至り、インド進攻の準備をしたと思われる。

ディオニュソスやヘラクレスと同じように東方世界の果てに至り着く、という壮大なアレクサンドロスの夢はついに果たされることはなかったが、アレクサンドロスがペルシアとその帝国の支配下にあった国々や周辺地域の古史に比類のない光を当てただけではなく、ヘレニズム文化の敷衍（ふえん）の原動力になったことは明記されてよい。近代アフガニスタン考古学はその痕跡の探索から始まったといっても過言ではない。

（前田耕作）

7

クシャン朝

★東西交易と花開く仏教文化★

クシャン朝の誕生

大月氏下の五翕侯のひとり、貴霜翕侯の丘就卻（クジュラ・カドピセス）がほかの四翕侯を滅ぼして（中国の『後漢書』西域伝）、クンドゥズを都としたバクトリアを中心にクシャン朝を確立した。最盛期には、北はウズベキスタン南部とタジキスタン西部からアフガニスタン東部、ガンダーラを経てインド北部をも版図におさめ、巨大な帝国を築いた。西にローマ、東に後漢、その狭間に西アジアのパルティアと中央アジアのクシャン朝の領土が広がって情勢が安定していた時代であり、人の往来も、交易も活況を呈した時代であった。

クシャン王はヒンドゥクシュ北麓のバグランとインドのマトゥラーに王朝の神殿（スルフ・コタル遺跡とマート遺跡）を建て、夏にはヒンドゥクシュ山脈南麓のカピサ、春秋はガンダーラ、冬はインドのマトゥラーに移り住んだと伝えられており、帝国内も安定し、広く人びともものも移動していたことが窺える。

ラバタク碑文

1993年3月、サマンガン州のラバタク村にあるカーフィル・カラ遺跡で、村人が建材を得るために遺跡から運び出していた石材の中から、1200字ほどのギリシア文字で書かれたイラン語系バクトリア語碑文が発見された。摩滅が激しく解読不能の部分もあるが、アケメネス朝のダレイオス1世のものと極めて似通った文体で、カニシカ1世が「王権をナナ女神とすべての神々から授けられた」こと、「曾祖父クジュラ・カドピセス王、祖父ウェーマ・タクトゥ王、父ウェーマ・カドピセス王、そしてカニシカ王自身のために」（ニコラス・シムズ＝ウィリアムズによる）神殿を建て、王像を作らせたことが記されていた。これにより、王朝が一統であり、それまでソーテル・メガスという称号でしか知られていなかった王の名がウェーマ・タクトゥであることもわかった。

スルフ・コタルの古跡

クシャン朝の都城のあったクンドゥズの南西、バクトラの南東に位置する町プレ・ホムリの近く、スルフ・コタル（赤い峠）と呼ばれる古道沿いの丘陵で偶然の機会に一つの遺跡が発見された。1951年秋のことである。この丘陵の下を走る道路の工事中にたまたまギリシア文字の銘刻のある石製ブロックが出土したことがきっかけとなり、翌年からダニエル・シュルンベルジェが率いるフランスのアフガニスタン考古学調査団（通称DAFA）によって発掘に着手された。爾来1963年まで、12年間にわたって発掘調査が進められ、その遺跡の全容が明らかとなった。

丘陵の東側（正面）には一層ごとにテラスを設ける四層からなる大階段が作られていて、その大上段の頂上部にある神殿址に至る。現在そこには石灰石の切石の基壇部と壇の四隅にアッティカ式の礎盤を残すのみである。この神殿に祀られたものはなんであったのか、発掘者シュルンベルジェは「ゾロアスター教の影響を蒙る以前の〈火〉を司る王室神殿の拝火壇」と想定しているが、「アナーヒター女神を祀るゾロアスター教の拝火神殿」とする説（ロマン・ギルシュマン）や「王朝の守護神的神格を安置した神殿」とする説（ジェラール・フュスマン）などもある。この神殿をはさむ周壁の南北、下から眺めれば大階段の正面入口の左右に安置されていたと思われる王侯風彫像が三体発見されている。ギリシア文字で刻銘された石碑がいくつか見つかったが、最大のものは方形の石灰石板（1・17×1・32メートル）で「スルフ・コタルの大碑文」と呼ばれるものである。この碑文の解読によってスルフ・コタルの神殿がカニシカ自身のために建立され、ヌクンズクなる領主によって改造されたことが判った。このことは1993年にスルフ・コタルに近いラバタクで偶然発見されたクシャン朝碑文、いわゆるラバタク碑文（31章参照）によっても裏付けられることとなった。ラバタク碑文はさらに、クシャン朝の王侯貴族の建立した神殿や王族が信仰した神々の名も明らかにしたが、しかしそこには、中インドのマトゥラーあたりまで領土を拡大し、それとともにクシャン朝が迎えいれた仏教にかかわる仏の名はまだみえない。故地バクトリアからヒンドゥクシュを南へと越え出たクシャン朝のもとで仏像が生まれたことは明らかであるが、どのような経緯で仏像は生まれ出たのであろうか。

ショトラク寺院址

ショトラクは北から流れ下るパンジシェール川と西方から流れくるゴルバンド川との合流地点にあるクシャン朝の夏の都城カピシより川沿いに少し下ったところにある。ショトラクとは小さなラクダという意味だが、この地点で川が川波を作って流れるさまが、ラクダが群れをなして歩く様子に似ているところから、この名がついたという。発掘は1937年にDAFAのジャック・ムニエルによっておこなわれた。注目すべきは出土した数々の仏像である。一つは釈迦の来世における出現を予言する燃燈仏（ディーパンカラ・像高83センチメートル）の片岩の浮彫像である。玄奘がナンガルハル国で起こった説話とした主題がショトラクで図像化されたのである。もう一つは釈迦の立像の足もとに彫られた兜卒天上の交脚の弥勒菩薩坐像である。さらに、ショトラクに近いパイタバからは供養するクシャン人を左右にし、左手に水瓶を手にする弥勒菩薩立像も出土しており、弥勒信仰の存在を示唆していて特別の関心をひく。カニシカ・コインにも弥勒仏の坐像が刻出されており、未来仏の出現とクシャン朝との深いつながりを感じさせる。

隣接するベグラムの遺跡から出土したコインはゴンドパルネス、クジュラ・カドピセス（『後漢書』のいう丘就卻）、カニシカ、ヴァスデヴァまで、クシャン朝初期のコインが見つかっており、その時代より下るものはなかったことからして、ショトラクは初期クシャン朝の仏教との出会いを示す記念碑的な遺跡であったといえよう。

アフガニスタンはクシャン王朝研究にとって不可欠で中心的な国なのである。

ベグラムの発掘

1937～1940年のジョセフ・アッカン率いるDAFAの発掘により、クシャン朝の交易と流通の実態の一部が明らかにされた。前3世紀のグレコ・バクトリア時代からイスラム時代のゴール朝

に至る、およそ１５００年に及ぶ文化層が明らかになり、新王城東側の宮殿と呼ばれる地区の二つの部屋から、クシャン朝時代に属す贅を極めたいわゆるベグラム遺宝が出土した。

両脚がマカラになったトリトン、マカラの口から飛び出すグリフィンなどギリシアや草原の文化が混ざり合った、家具や椅子を装飾するインドの象牙細工板、ミネルウァやメルクリウスなど神々の頭部を象ったローマ式秤の分銅、ヘレニズム化したエジプトで生まれたセラピス神、ハルポクラテース神の青銅の小像、古代世界七不思議の一つ、アレクサンドリア（エジプト）のパロスの灯台を削り出した器をはじめ、エウローペーの略奪やガニュメデスの略奪といった有名なギリシア神話を題材にエナメル彩で多彩に装飾されたゴブレット、ひし形のカットを施したゴブレット、魚やガレー船形のフラスコなど、ローマ帝国下のアレクサンドリアやシリアからもたらされたガラス器、中国漢代の漆器などが大量に発見された。

エジプトとインド洋沿岸を結ぶ海洋交易は前1世紀前半頃から盛んになりはじめ、インダス河河口の港を介して、ローマ世界から葡萄酒やオリーブオイル、真珠、珊瑚、ローマの金貨・銀貨が輸入されていたことが『エリュトゥラー海案内記』（40～70年頃成立）に記されている。アフガニスタンの内奥でベグラム遺宝が発見されたことで、クシャン朝時代にローマとの海洋交易、領土内の流通がますます盛んであったことが裏付けられた。

クシャン朝のコイン

クシャン朝初代の王クジュラ・カドピセスはローマ皇帝の発行したコインに似せた枝葉冠を戴いた

カニシカ1世金貨（平山郁夫シルクロード美術館）

胸像とX字脚の折り畳み椅子に腰かけた姿を刻印した銅貨を発行しており、当初からローマの影響が強かったことを窺わせる。アレクサンドロス大王の東征によってヘレニズム世界に組み込まれた地域では、アッティカ・ドラクマやインド・ドラクマを採用して銀本位が受けつがれてきたが、第3代の王ウェーマ・カドピセスが金本位に切り替え、クシャン朝末代に至るまで金貨が発行され続けた。その重量（7・8〜8・1グラム）はヘレニズム世界のスタテール金貨の重量（8・5グラム）ではなく、ローマ皇帝ネロが約7・3グラムに改鋳する以前の、とりわけ初代ローマ皇帝アウグストゥスの発行したアウレウス金貨（約8グラム）に等しく、ウェーマ・カドピセスがアウレウス金貨に見合ったものを発行したことは明白である。その目的は当然、アレクサンドリアやシリアといったローマ世界との海上交易に主眼を置いたからであるとしか考えられない。こうして、クシャン朝は内陸のシルクロードと海上交易の結節点となり、莫大な富を手にしたのである。

（前田たつひこ）

8

西方と北方からの侵入者たち

★ササン朝、フン、イスラム★

3世紀前半にクシャン朝が衰退して以降、アフガニスタンの地はイランに拠点を置くササン朝と北方から到来する遊牧集団とが攻防を繰り広げる舞台となった。従来、ササン朝が中央アジアでどれほどの影響力を行使していたのかはほとんどわからなかったが、150点を超えるバクトリア語（アフガニスタンやウズベキスタン南部などで使用されていた中世イラン語の東方言）の文書が発見され、王朝に関する新情報が得られている。

クシャン朝の旧領を支配したのはクシャノ・ササンと呼ばれる勢力であった。「クシャン王」の称号を持った支配者たちはササン朝の王族であったと考えられている。近年、バクトリア語の手紙のなかに、クシャン王・ワラフラーンに言及するものが見つかっている。また、プレ・ホムリ近郊では、シャープール1世（在位241～272年）を表したと思しき巨大な浮き彫りも発見されている。ササン朝の「諸王の王」がこの地まで直接赴いたことを記念して作成されたものであろうか。

一方、4世紀半ば以降の中央アジアには、何らかの要因（気候変動説などがある）によりアルタイ山脈周辺の地を離れアフガニスタン北部に到来した、匈奴／フンの残存勢力に起源を持つ遊牧諸集団が展開した。原住地を離れた後も政治的集団として匈奴／フンというアイデンティティーを保持し続けたこれらの集団のなかで、最初に中央アジアの歴史に登場したのはキオニタエであった。ササン朝のシャープール2世（在位309〜379年）は、自らの領域の東方から侵入してくる諸集団の対処に追われることになるが、最終的にはキオニタエなどと同盟を結び、それらを対ローマ戦役に同行させることに成功する。また、王はヒンドゥクシュ山脈の南側にも勢力を拡大させ、この地で貨幣を発行したようだ。以後、ササン朝はアフガニスタン、特にヒンドゥクシュ山脈の北側で力を持ったらしく、バグラン平原を中心とした地域はカダグスターン「（ササン王）家の土地」と呼ばれるようになり、4世紀後半以降の約100年間はバクトリア語文書で用いられる暦の月名が西イランの中期ペルシア語に変わった。カダグスターンは、ササン朝の文脈を離れた後も、この地域における「中原」の役割を果たした。

やがて、4世紀末頃にはアフガニスタン北部でキダーラが台頭した。キダーラ・フンとも呼ばれ、ササン朝のバフラーム5世（在位421〜439年）やその息子ヤズデギルド2世（在位439〜457年）と戦ったこの集団は、ヒンドゥクシュ山脈を越えて南側に勢力を拡大させるとともに、北のソグドへも進出した。この集団はクシャン朝やササン朝に倣った貨幣を発行しており、そこでは「クシャン王」の称号を用いている。また、近年発見された印章の銘文には、「クシャン王」と「フンの王」が同時に用いられていた。彼らはクシャン（あるいはクシャノ・ササン朝）の後継者を自称していたのだろう。

一方、キダーラとほぼ同じ頃、山脈の南側、おそらくカーブル周辺でアルハンという集団が活動を開始した。アルハンはキダーラと同じく南アジア方面へ進出したとみられるが、両者がどのような関係にあったのかはわかっていない。クンドゥズの東のタラカンに由来する492／493年（あるいは495／496年）のサンスクリット語銅板碑文は、キーンギーラ、トーラマーナ、メーハマ、ジャヴーカという4人のアルハンの王が同時に存在したことを伝える。ここに見えるトーラマーナは、仏教の弾圧者として有名なミヒラクラの父親と同名である。トーラマーナとミヒラクラは西インドや中央インドにまで進出したが、インドの人びとは彼らに率いられた集団をフーナと呼んだ。また、5世紀末以降、カピシ・カーブル地方、およびザーブリスタンでは、「ネーザク王」という称号を持つ集団も独自の貨幣を発行した。インド方面へ展開していたアルハンの一部は、カピシ・カーブル地方へと戻り、このネーザクと混交したとみられる。

5世紀後半になると、山脈の北側ではエフタルが台頭する。この集団がどのようにしてキダーラに取って代わったのかはわからないが、遊牧集団内における支配勢力の交代であったのだろう。おそらく、先に述べたアルハンとネーザク、そしてエフタルはともに、4世紀中頃に北方から到来した遊牧集団に起源をもち、緩やかな政治的連合体を形成していたと思われる。これを示すように4人の支配者による狩猟場面を描いた銀器も存在する。483年のバクトリア語文書には、「エフタルの税」が徴収されていたことが記されているので、この頃にはエフタルの覇権は確立していた。エフタルはソグドやタリム盆地の西側にもその支配を拡大した。イスラム時代の文献などによれば、彼らはササン朝の王位争いにも介入し、ペーローズ1世（在位457?〜484年）の登位を手助けするが、この王はエフタルにたびたび反旗を翻し、最終的に敗死する。

エフタルの支配は6世紀中頃まで続くが、ササン朝にホスロー1世（在位531～579年）が登場すると、彼は突厥と同盟を結びエフタルを瓦解させた。その後、両勢力がアフガニスタンの地をどのように統治したのかはよくわかっていないが、西突厥の最盛期、統葉護可汗（在位?～628年）の頃には多くの地域がその支配下にあった。657年に西突厥が唐に滅ぼされると、パミール以西の地域は唐の支配下に入ったが、これは名目上の支配で、実質的には西突厥やエフタルの残存勢力などがさまざまな地域で統治を継続した。

これより少し前、西方では既にアラブ・ムスリムの東方進出が始まっており、650年頃にはヘラートやシースタンがその影響下に組み込まれていた。その後、ムスリムの征服活動はヒンドゥクシュ山脈南北の二方面で展開した。北側では、トハーラ・ヤブグや、エフタルの流れをくむネーザク・タルハンなどの抵抗に遭いながらも、クタイバ・イブン・ムスリム（669～715／716年）の活躍もあり、8世紀前半には概ね支配を確立させた。一方、山脈の南側では、カーブルとザーブリスタンに拠点を構えたテュルク系ハラジュ族の勢力（テュルク・シャー）に阻まれ、ムスリムの侵攻は思ったように進まなかった。この地域が完全にイスラムの支配圏に入ったのは、9世紀後半、サッファール朝の時代になってからであり、在地住民の多くがイスラムに改宗するのもこの頃とみられる。

（宮本亮一）

諸集団が攻防を繰り広げたバグラン。現在のバグラン州州都プレ・ホムリ（E.Heidtmann, CC BY-SA 3.0）

9

ドゥラニ朝の時代

★アフガニスタン政治史とパシュトゥン人★

パシュトゥン人とは、端的にいえば、パシュトー語を母語とする者のことであり（その多くはダリー語〈アフガニスタン・ペルシア語〉との二言語、あるいは多言語話者）、アフガニスタンの全人口3200～3300万人（2020年推定）のうちの40％ほどを占めているといわれているから、多民族国家アフガニスタンにおける最大の民族集団ということになる。さらに、国境を挟んだパキスタン側にも3千万人を超えると考えられるパシュトゥン人が居住している（アフガニスタンのパシュトゥン人人口よりも多く、パキスタン人口の15％ほどを占める）。パシュトゥン人をほかの周辺諸民族と分かつ根拠としてよく挙げられるのは、言語のほかに、彼ら独特の部族構成やパシュトゥンワリーと称される行動規範などの社会的・文化的特徴がある。

パシュトゥンとは彼らの自称であり、別に、パフトゥーンあるいはパターン（インド化した呼称）としても知られる。もっとも、周辺の諸民族、特にアフガニスタンのペルシア語系諸語の話者や非パシュトー語の話者は、往々にして、彼らのことをアフガーン（アフガン人）と呼ぶ。とりわけ、ペルシア語で著された歴史史料のなかでアフガーンといえば、パシュトゥン人のこ

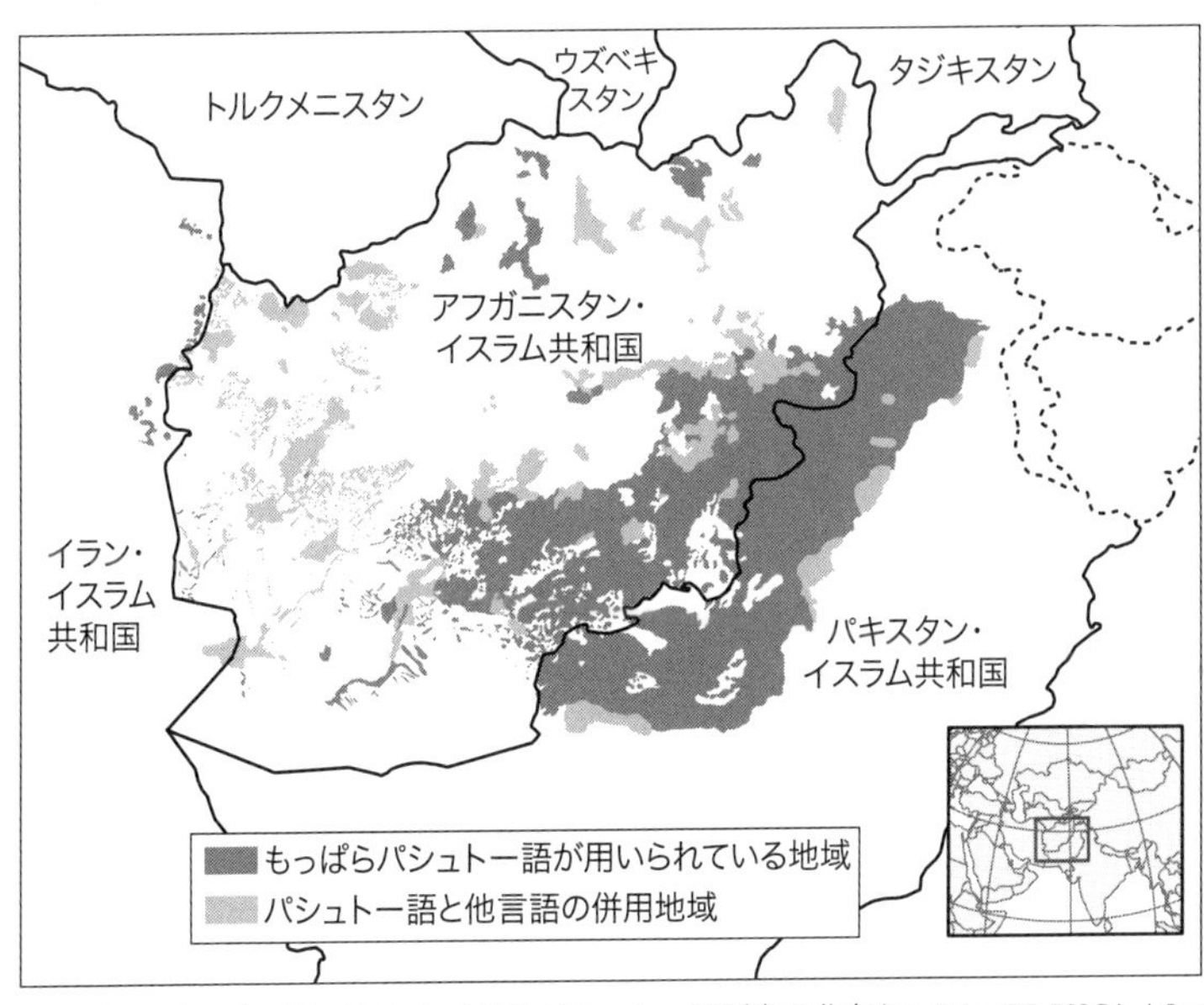

アフガニスタンとパキスタンにおけるパシュトー語話者の分布（Uanfala, CC BY-SA 4.0の図を基に筆者加筆）

とであった。ところが、アフガーンという言葉自体の語源はいまだ明らかになっておらず、したがって、アフガーン、つまりパシュトゥン人の起源に関しても諸説あり判然としない。とはいえ、イスラム教徒が残した史料（そのほとんどはペルシア語史料）にはかなり古くからアフガーンに関する言及がみられる。10世紀に著された著者不明のペルシア語の地理書『世界の境域』では、スレイマン山脈地域に住まう小集団としてアフガーンの名前が登場し、アル＝ウトビー著の『ヤミーニーの歴史』（もともとは11世紀にアラビア語で著され、後にペルシア語に翻訳）には、アフガーンがガズニ朝の軍隊の一部を構成していたことが記されている。また、ジョウズジャーニーが13世紀に著した『タバカーテ・ナーセリー』には、インドに侵攻したウルグ・ハーンの傭兵のなかにアフガーンが居たとの指摘があり、有名なイブン・バットゥータの旅行記でも、スレイマン山脈に居住し追いはぎを生業とするアフガーンの一団にカーブルで出くわすくだりがある。14世紀に書かれたセイフィー・ハラヴィー著『ヘラート史記』にはアフガーンの地を意味する「アフガーニスターン」の語も見出せる。すなわち、西はシースタン、北はグールおよびザミーンダワールとザーブリスタン、南はマクラーン、東はスィンドおよびヒンドゥスタンに囲まれ、中心を現在のクエッタとする地域を「アフガーニスターン」としているが、これはほぼ現在のパシュトゥン人、つまりアフガーン（アフガン人）の居住圏に相当する。

さて、アフガニスタンの歴史を振り返ってみると見えてくるが、パシュトゥン人全体が一つの民族として、一丸となって何らかの政治的主張や行動を起こした事例はない。その最大の理由は、彼らの社会が350とも400ともいわれる部族集団（上位集団、下位集団を併せて）から構成されている分節社会であり、各単位集団への帰属意識が、歴史上はいうに及ばず、現在に至るも色濃く残っているからにほかならない。

パシュトゥン人とは、彼らの社会構成からすると、伝説上の名祖を同じくするとされるサルバニー、ベッタニー、ガルガシュティー、カルラニー（傍系）の四つの疑似的大部族連合を併せた集合体の総称ということになる。ところが、アフガニスタンの歴史にみられるパシュトゥン人集団は、往々にして、これら四つの疑似的大部族連合の下位部族集団の名称で登場する。例えば、デリー・スルタン朝の最後の王朝であるロディ朝はベッタニー系のロディ部族に起源を有し、16世紀に一時北インドを支配したスール朝の始祖シェール・シャー・スーリーもベッタニー系スール部族に出自を持つ。170

9年、当時アフガニスタンを支配していたサファビー朝に反旗を翻して、カンダハールとその周辺の支配権を掌握したホタキ朝（1709〜1738年）を創建したミール・ワイス・ホタキを族長とするホタキ部族は、パシュトゥン人のベッタニー系ギルザイ部族連合に属する一部族であった。このホタキ政権は1738年、最後の君主ホセインのときに、イランのナーデル・シャー軍の包囲・攻撃の前に崩壊するが、このナーデル・シャー軍には、後にドゥラニ朝を打ち立てるアフマド・ハーン麾下の4千名から成るアブダリ部族（パシュトゥン人のサルバニー系）の部隊が含まれていた。

1747年にアフシャール朝のナーデル・シャーが暗殺されると、それぞれ五つの部族から構成されるパンジュパイ部族連合とズィーラク部族連合の集合体であるアブダリ部族連合は、カンダハールにおいて9日間にわたるロヤ・ジルガ（長老会議）を開催し、ズィーラク部族連合に属するポパルザイ部族のなかの一支族サドザイ族出身のアフマド・ハーンを全体の指導者として選出した。部族連合の名前をアブダリからドゥラニ（真珠のなかの真珠の意）に改め、伝統的な君主号であるシャーを名乗った彼は、四方に遠征を繰り返し、18世紀の半ばにはこの地域ではオスマン朝に次ぐ広大な版図を手中に収めるまでになっていた。こうして同輩中の第一人者として君臨したアフマド・シャーは、アフガニスタンの歴史においては国父（バーバー）の尊称で記憶されることとなった。

彼の死去（1772年）とほぼ時を同じくして、首都はカンダハールから、ドゥラニ系の族長たちから距離を置けるカーブルに移され、王国の政治の中心もそれに伴い東に移動し、テイムール・シャー、ザマーン・シャー、シャー・マフムード、シャー・シュジャーと、約50年にわたってサドザイ系の君主による統治が続いたが、1818年には内訌のため、カーブル、カンダハール、ペシャワルを拠点とする三勢力の分立状態が生まれた。この分裂状態に終止符を打ったのは、同じドゥラニ部族連合を構成するズィーラク部族連合に属してはいるものの、ポパルザイ部族ではないバラクザイ部族の一支族であるムハンマドザイ部族出身のドスト・ムハンマド・ハーンであった。彼はサドザイ系の歴代君主と違い、シャーを称せず、アミール（正確にはアミール・アル＝ムーミニーン、つまり信徒の長）を称したが、この称号は以後、シェール・アリー、アブドゥル・ラフマーン、ハビブラ・ハーン、ナスルラ・ハーンと継承された。

１９１９年に即位したムハンマドザイ部族出身のアマヌラ・ハーンは、アフガニスタンのイギリスからの完全独立を実現し（１９１９年）、アフガニスタン史上初の憲法の制定（１９２３年）など、近代化に向けた政策を推し進めるなか、イスラムとの距離を置くために、君主号もアミールからパーデシャーに改めた。しかし、１９２９年に反乱により君主位を追われた。その後の政治的混乱を制して即位したナーデル・シャーはムハンマドザイ系王家の傍系（ムサヒバン家）出身であり、その後をついだ広義のドゥラニ朝最後の君主ザーヒル・シャーもまた、この家系に属していた。のみならず、１９７３年の軍事クーデタを敢行し、君主制を廃して自ら大統領に就任したムハンマド・ダウドもムサヒバン王家の出身であった。

以後、30年近くにわたりアフガニスタンは政治的混乱と激動の時代に突入する。１９７８年のクーデタで政権を掌握したアフガニスタン人民民主党ハルグ派のタラキー、ついで権力の座に就いたハーフィズラ・アミン、続く同党パルチャム派のバブラク・カルマル、さらにはムハンマド・ナジブラもパシュトゥン人ギルザイ部族の出身であった。１９９２年に、15年ほど続いた左翼政権に終止符を打った反政府勢力（ムジャヒディン）が新たに政権を掌握するが、内訌が絶えず、事実上の内戦状態が続いた。そうした状況のなかからにわかに台頭したタリバン勢力を率い、1994年から1996年にかけてアフガニスタンを実効支配したイスラム首長国の指導者であったムハンマド・オマルもまた、おそらくはカンダハール近在の村の生まれと思われるので、パシュトゥン人であることはほぼ間違いない。そして、2001年の暫定行政機構立ち上げからイスラム共和国にかけて政権をになったハーミド・カルザイ元大統領は、ドゥラニ部族連合のポパルザイ部族のなかの名門カルザイ部族の出身、次のアシュラフ・ガニ大統領もまた、パシュトゥン人であり、ギルザイ部族連合のなかの主要部族アフマドザイ部族の出身である。

以上見てきたように、少なくとも現在のアフガニスタンに直接繋がる18世紀中葉のドゥラニ朝の創建以来現在に至るまで、1929年にアマヌラ・ハーンに対してジハードを宣言してカーブルを占拠、自らアミールを宣して9ヶ月間ほど君臨したタジク人のハビブラ・カラカーニー（バッチャイ・サカウ）を除けば、その政治的姿勢やイデオロギーに関わりなく、政権担当者のほぼすべてがパシュトゥン人であった（ある）という事実は、アフガニスタン政治の本質を見極める際に、落としてはならない要件となるであろう。

（八尾師誠）

10

「グレート・ゲーム」の時代におけるアフガニスタン

★19世紀から20世紀初頭の政治動態★

アフガニスタンは19世紀以降、内陸アジアをゲームの盤面に見立てたイギリスとロシアによる勢力圏抗争「グレート・ゲーム」の舞台となり、ヨーロッパ列強間の国際関係に基づく影響を多大に受けることとなった。本章では、19世紀から1919年のイギリス保護国からの独立に至る期間におけるアフガニスタンの状況を当時の国際関係を踏まえつつ概観する。

現在のアフガニスタンの原形と捉えられているドゥラニ朝（1747〜1973年）は、19世紀に入ると統治者が短期間で交代するなど、国内が非常に混乱する状態に陥っていた。また、この当時アフガニスタンを取り巻く国際環境は大きく変化しつつあった。北側からはロシア帝国が中央アジアを経由して勢力圏の拡大を続け、他方南側ではインド亜大陸に進出したイギリス東インド会社がインドの地方勢力を圧倒しつつあった。また、ヨーロッパでも1789年のフランス革命後にナポレオン率いるフランスによるヨーロッパ大陸での覇権と、海を挟んでフランスと唯一対抗することとなったイギリスが対峙する状況が発生した。イギリスはフランスのインド侵攻についての懸念を抱き、その侵攻ルートとなるアフガニスタンにフランスの影響力が及ぶことを回避する必要性に迫られた。このため、イギリス東インド会社の使節としてエルフィンストンが派遣され、当時の統治者であったシャー・シュジャーと夏の離宮であったペシャワルで面会し会談をおこなった。これがヨーロッパとアフガニスタンが本格的交渉を持った初の機会であった。使節として派遣されたエルフィンストンが滞在中に見聞した内容についての記録『カーブル王国紀行』は、その後のアフガニスタン認識に多大な影響を及ぼした。その後、イギリスは第一次アフガン戦争（1838～1842年）を通じて、アフガニスタンに傀儡政権を設立し、実効支配することを目論んだ。ただ、その後の国内状況の混乱を収拾することができず、多大な犠牲を払ってアフガニスタンから撤退した。戦争後、アフガニスタン・イギリス間の国交回復のため1855年に締結されたペシャワル条約において、カーブルにイギリスの「代理人」が駐在することになったが、この「代理人」は非ヨーロッパ人のインド・ムスリムに限定すると規定された。これは、明らかにアフガニスタン側の強い警戒感を示したものであったといえよう。

ナポレオン失脚後のイギリスの脅威となったのは、北部から勢力圏を拡大していたロシアであった。この動きには、ロシアがクリミア戦争での敗北後アジア方面への進出をさらに強化したことも影響している。特に、1867年タシュケントにトルキスタン総督府が設立されると、直後からロシアとアフガニスタンの統治者であったシェール・アリーとの間で相互の交流が頻繁におこなわれることとなった。アフガニスタンの国内事情については不干渉の姿勢を貫いていたイギリスに対し、シェール・アリーは自らを積極的に支持していないとして不信感を募らせていた。この間隙をついて、中央アジアへの進出をさらに本格化しつつあったロシアは、軍事同盟を含めた連携を秘密裏に呼びかけることとなる。イギリス側機密文書資料によると、シェール・アリーはロシアの提案を受諾した上で、将来的にロシアがイギリス統治下のインドに侵攻した際には、ロシア軍への協力と引き換えに、かつてドゥラニ朝統治下にあったインド諸地域の割譲を受けることを約束されていたという。この同盟関係はイギリス側にとっての現実的脅威となり、イギリス側がアフガニスタンに侵攻する形で第二次アフガン戦争（1878～1881年）が始まった。戦争が始まると、イギリス側は破竹の進撃を続け、シェール・アリーは首都から北部に逃れ同盟にもとづく支援をロシアに要求し続けた。しかし、ロシア側はこれを黙殺し、シェール・アリーは直後に逃亡先で死去した。シェール・アリーの長男で後継のムハンマド・ヤァクーブ・ハーンとイギリスとの間でガンダマク条約が締結され、これによりアフガニスタンはイギリスの保護国となった。イギリスはその後、アフガニスタンの分割統治を構想し実行に移したものの、抵抗と混乱により断念し、サマルカンドに亡命していたアブドゥル・ラフマーン・ハーン（在位1880～1901年）を「北部アフガニスタンの統治者」として選定した上で、軍をインドへと撤退させた。

アブドゥル・ラフマーンは、イギリスからの補助金や軍事支援を得て国内を平定しつつ領域を拡大し、結果的にアフガニスタン全土を掌握することとなった。さらに、イギリス主導下で周辺国との間の国境画定が実施され、この時期に概ね現在のアフガニスタンの領域が形成されるに至った。その一環として、1893年にアフガニスタンのアブドゥル・ラフマーンとイギリス領インド外相デュアランドとの間で交わされた両国間の境界設定のための取り決めが、いわゆるデュアランド・ライン合意であった。同合意にもとづき設定されたデュアランド・ラインは現在のアフガニスタンとパキスタンの国境線となっているが、アフガニスタン側はこのラインを国境線とは認めていない。国境をめぐる問題は両国の主要対立軸となっており、地域の政治的不安定の源泉ともいえる。

20世紀に入り、ハビブラ・ハーン（在位1901〜1919年）の治世に入ると、1905年に締結された両国間条約にもとづき、イギリスとの関係を維持しつつ、それ以前から進められていた官営工場や発電所の建設、新聞発行などさらに中央集権的近代国家建設事業が進展した。ただ、イギリスのインド支配に抵抗する亡命政権インド臨時政府のカーブルにおける設立、ロシア革命を経て成立したソビエト連邦からの共産主義流入と交流の出先機関としての役割を果たすなど、アフガニスタンは激変する世界と地域動向の影響を強く受けた。しかし、ハビブラは1914年から始まった第一次世界大戦においては、イギリスとの関係を重視する観点から中立を貫いた。

1919年のハビブラ暗殺と親族内の権力闘争を経て即位したアマヌラ・ハーンは、世界大戦で疲弊したイギリスの間隙をついてインドに侵攻し第三次アフガン戦争が勃発した。この戦いの後、アフガニスタンはイギリスの保護国下から脱して独立を果たした。独立した8月19日は独立記念日として現在も最も重要な祝日となっている。

以降のアフガニスタン政治史を振り返ると、かつてのグレート・ゲームの時代と非常に似通った状況が継続していることに気がつく。米ソ冷戦下、冷戦終結後、そしてタリバンの時代から現在に至るまで、アフガニスタンは常にその時代ごとの世界と地域の事情を反映した上で、各国の勢力争いの場となっているのである。

（登利谷正人）

カーブル中心部のアブドゥル・ラフマーン廟

11

王政の廃止、ソビエト軍の侵攻、内戦、タリバン政権

★国際情勢の荒波にもまれて★

1933年にナーディル・ハーンが暗殺され、19歳の息子ザーヒル・シャーが国王に即位するとアフガニスタンは中立を維持して経済発展をめざした。だが第二次世界大戦後、アフガニスタンは冷戦に翻弄され続けることになる。

1953年にザーヒル・シャーのいとこムハンマド・ダウド・ハーンが首相に就任すると、国境線に関し対立していたパキスタンのパシュトゥン人独立運動「パシュトゥニスターン運動」を加速させ、両国は1955年と1961年から1963年まで国交を断絶した。

パキスタンとの関係悪化後ソビエトがアフガニスタンに接近、1955年に軍事同盟を結んだ。ソビエトはパシュトゥニスターン運動支援のほか1億ドル借款供与、ベグラム空軍基地建設、中央アジアからカーブルへの道路整備を支援した。ソビエトの支援はアメリカを刺激したがダウドはアメリカ・ソビエト双方の支援を受けて近代化を進めていった。1961年にパキスタンがアフガニスタンとの道路を封鎖すると山岳国アフガニスタンの交易路が断たれてダウドの支持は急落、1963年3月、ダウドが辞任して官僚出身のムハンマド・ユースフが首

相となり、パキスタンとの国交は正常化した。

1964年10月に新憲法が施行され、立憲君主国として国王は象徴的存在となった。二院制のもと1965年には初の女性参加による総選挙も実施された。だがカーブル大学生の大規模デモでユースフ首相は辞任し、首相には外交官のムハンマド・ハーシム・マイワンドワルが就任した。マイワンドワルがさまざまな政党の存在を許すと、社会主義を掲げたヌール・ムハンマド・タラキーが中心となって1965年1月に発足したアフガニスタン人民民主党（PDPA）が政治力を増していった。タラキーは1966年に機関紙『人民（ハルク）』を創刊してプロレタリア革命を掲げたが政府は同紙を発禁処分とした。ハルク派にはハーフィズラ・アミンも参加した。急進的でパシュトゥン民族主義を掲げたハルク派に対し、穏健な社会改革を主張したバブラク・カルマルらは『旗（パルチャム）』を創刊、「パルチャム派」と呼ばれた。

ダウドに抑圧された伝統的なマドラサの教育者は後景化し、現代的文脈でイスラム復興を唱える新興知識層がアフガニスタンのイスラム運動を牽引した。1952年頃スィブガトゥッラー・ムジャディディはエジプトのアズハル大学でイスラム法学を修めてカーブル大学で教鞭を執った。当時のエジプトはサイイド・クトゥブの指導下でムスリム同胞団による急進的な動きが高揚していた。1957年、カーブル大学イスラム法学部教員グラム・ムハンマド・ニヤジらは「イスラム研究会」を立ち上げ、イスラム法にもとづいた政治体制確立を追求する急進的な動きへ傾倒し、世俗化をもとにした西洋化や神の存在を否定する共産主義に反対した。研究会には1963年にイスラム学部教員となったブルハヌッディン・ラバニや同学部生アブドゥル・ラスル・サイヤフ（1946年〜）、工学部生グルブッディン・ヘクマチアル（1949年〜）らの姿もあった。

1973年7月、ザーヒル・シャーが目の手術のためにイタリアに渡航したときにダウドが無血クーデタを起こし、ザーヒルは翌月に退位した。ダウドは国名を「アフガニスタン共和国」に変え、1977年には新憲法を発布、男女平等や18歳以上の選挙権獲得、一院制、宗派間差別の禁止、経済と社会の改革などを謳い、初代大統領兼首相となった。クーデタに貢献したパルチャム派が入閣を果たし、ハルク派とパルチャム派は一時対立したが、のちに両派は反政府運動を展開した。

ダウドは1973年から1978年までに600人ものイスラム運動家を殺害した。ラバニやヘクマチアル、アフマド・シャー・マスード司令官、ムジャディディやナビー・ムハンマディらは逮捕を逃れてパキスタンへ移動した。

ダウドは1977年に共和国憲法を発布して民主化を掲げたが、大統領の権限を強めて政権から人民民主党を外してソビエトとの関係が悪化した。1978年4月に人民民主党系の軍人のクーデタ「サウル革命」でダウドらが処刑されて人民民主党の政権が発足した。国名も「アフガニスタン民主共和国」へと変更され、ソビエトと友好親善20年条約が締結された。

人民民主党のタラキーは農地改革や王族の市民権剝奪、識字率向上、婦人解放、宗教からの解放などの改革路線を掲げた。農地改革は地主と小作人の搾取と被搾取の関係を断つことが掲げられ、小作人に土地が分配された。だがアフガニスタンでは地主と小作人の相互依存が一般的であったため小作人は改革に反対した。

1979年3月、タラキー政権はムハンマド・アミン外相に首相を兼務させ反政府デモを弾圧させた。7月にはアミンが革命評議会議長に就任したが、ハルク派とパルチャム派の内部抗争が激化した。9月にタラキーは死亡、パシュトゥニスターン運動を掲げる「民族共産主義者」アミンが大統領を兼任した。

1979年に起こったイラン・イスラム革命で、アメリカはイランとアフガニスタンに隣接するパキスタンを重視していた。12月27日、ソビエトはアミンの政治腐敗とムスリム勢力による反政府運動鎮圧を理由に軍事侵攻に踏み切った。アミン大統領はほどなく暗殺され、カルマルが大統領となった。

1980年1月、アメリカのカーター大統領が「カーター・ドクトリン」でソビエトの軍事介入を強く非難、その年のモスクワ・オリンピック不参加を表明した。西側諸国のみならず中国やルーマニアなど東側諸国もソビエトを非難した。この年アメリカではカーターに代わって対ソビエト強硬派のロナルド・レーガンが大統領となり、対ソビエト戦争への積極的関与が始まった。アフガニスタンの反政府ムスリム勢力はラバニやマスードのイスラム協会、ヘクマチアルのイスラム党ヘクマチアル派、ユーヌス・ハーリスのイスラム党ハーリス派、ムジャディディのアフガニスタン民族解放戦線のほか、ナビー・ムハンマディのアフガニスタン・イスラム革命運動、サイイド・アフマド・ガイラニのイスラム革命民族戦線などが活動していた。彼らは自らを、神の存在を否定する異教徒すなわちソビエトに聖戦（ジハード）を挑む「聖戦士（ムジャヒディン）」と称した。

1980年に「アフガニスタン解放イスラム擁護連盟（IALA）」が結成されたが、各党の民族的特徴や地域性、あるいは宗派の違いや党首の政治的方向性、そして党首同士の個人的な確執のために、ムジャヒディンは統一されなかった。シーア派は1979年に「イスラム統一革命評議会」を設立、その後9団体が設立されたが、1990年に「イスラム統一党」として結集、イランの支援を受けた。戦闘は膠着化した。1984年、パキスタンのズィヤーウル・ハク大統領は、ムジャヒディン各派の代表をパキスタンに招き、団結するよう説得、「アフガニスタン・ムジャヒディン・イスラム統一同盟（IUAM）」を結成させた。だが統一同盟内の各派が団結することはなかった。1984年から1985年にかけてのパンジシェール渓谷での大規模な戦闘でマスード将軍率いるムジャヒディンがもちこたえたとき、ソビエトではゴルバチョフ体制が発足、ソビエト軍撤退へと路線が変わりつつあった。

1986年にカルマル議長が辞任、秘密警察（KhAD）局長ナジブラが書記長に就任した。1987年、アメリカからスティンガー・ミサイルが供与されるとムジャヒディンの戦力は飛躍的に増した。1988年1月にアメリカとソビエトの代表がアフガニスタンやパキスタンを訪問してソビエト軍撤退の時期などについて会談した。4月にアフガニスタン、アメリカ、ソビエト、パキスタンの間でジュネーブ和平合意が成立すると、ソビエト軍撤退や300万人を超えるパキスタンやイランへのアフガニスタン難民の自主帰還などが確認された。1989年2月にソビエト軍は完全撤退した。戦争でのソビエト軍の死者数は1万5千人、アフガニスタン側はその数倍といわれる。戦争は幕を閉じたが、ムジャヒディンたちによる政治的主導権を巡る争いから内戦が発生した。

4月28日、ムジャヒディディ大統領のもと、ムジャヒディン政権による「アフガニスタン・イスラム国」が成立したが、2ヵ月後ラバニが大統領に就任するとヘクマチアルはこれを不服としてカーブルへの攻撃を始め、内戦が始まった。1993年2月、パキスタンの仲介で停戦を決めるペシャワル合意が、3月にラバニ大統領の任期を1年半延長させ、ヘクマチアルが首相に就任するイスラマバード合意が結ばれた。だがヘクマチアルはマスードの国防相就任を拒否した。5月のジャララバード合意で国軍をラバニ派の「国防委員会」が、内務省をヘクマチアル派の「公安委員会」が管轄することで軍事力の分割がおこなわれた。1994年1月1日、ナジブラ側からムジャヒディンに転向したウズベク人アブドゥッラシード・ドスタム将軍とヘクマチアルは、北部マザーレ・シャリフ市を拠点としてカーブルへの総攻撃をかけた。内戦は激化し、カーブルは廃墟と化した。内戦で政治と経済が麻痺すると、ムジャヒディンのなかには「軍閥」として地域を支配する者も出た。

治安が悪化していた1994年、元戦士ムハンマド・オマルらはアフガニスタン南部で自警団を結成、のちにタリバンと呼ばれるようになった。タリバンの制圧地域は急速に広がり、その規模は最高時には5万人に達した。

1996年9月、タリバンはカーブルを制圧し、ナジブラを殺害して遺体を晒した。タリバンは暫定政権樹立を宣言、国名を「アフガニスタン・イスラム首長国」に改名してオマルをカリフに推戴した。ラバニとヘクマチアル、ドスタムらは「北部同盟」を結成し、タリバンとの新たな内戦が展開された。1997年にはラバニが北部同盟政権の大統領に就任した。

オマルが率いるタリバンは政権を樹立したが、彼らは男性が顎鬚（あごひげ）を蓄える命令を出したり、歌舞音曲の禁止や女性の外出を禁止するなど「イスラム化」による社会秩序の維持に努めたが行政経験はなかった。内戦に辟易していた市民のなかにはタリバンを歓迎する者もあったが、北部同盟との内戦が長期化すると、徐々にタリバンは支持を失った。そこでタリバンとの協力関係をもったのがオサマ・

ビンラディンであった。

オサマ・ビンラディンは1980年代からムジャヒディン支援のための経済的支援や義勇兵派遣を組織的に展開していたが、1991年に湾岸戦争を経て、アフガニスタンでともに戦ったアメリカを宿敵とみなした。

オサマ・ビンラディンはタリバンの庇護下のもと、1996年8月末に反米ジハードを掲げた声明を発表した。アメリカはタリバンにオサマ・ビンラディン引き渡しを求めたが、タリバンは拒否した。アメリカは国連にタリバンに対する経済制裁を発動させて圧力をかけたが、身柄引き渡しは実現せず、タリバンはイスラム化を強調してバーミヤンの大仏を破壊、オサマ・ビンラディン率いるアルカイダは死者3千人に達する9・11米国同時多発テロを引き起こした。

（山根 聡）

12

アフマド・シャー・マスード

★国民的英雄の素顔★

マスードとは

侵攻してきたソビエト軍を幾度も打ち破り、遂には撤退に追い込んだイスラム戦士の中心人物がアフマド・シャー・マスードだった。ソビエトとカーブルを結ぶ幹線道路サラング・ハイウェイを盛んに攻撃するマスードたちに手を焼いたソビエト軍はパンジシール渓谷に幾度も大攻勢をかける。5回目の攻勢では政府軍と合わせ3万人の兵士が動員されたが、マスードの智略の前に敗れ去る。国民的な英雄となった彼のもとには全国から戦士志願者が集まり、訓練を受けては戻って行った。

1992年にはナジブラ親ソ政権を崩壊に導き、イスラム勢力9派による暫定政権を誕生させ、首都カーブルに入城。新政権の国防相に就いたが、各派の対立と勢力争いは収まらず、政権は国民の支持を失った。その混乱のなかで勢力を伸ばしたのが隣国パキスタンの軍統合情報部が育て上げた原理主義武装集団タリバンだった。メンバーの多くは戦災孤児で、マドラサと呼ばれるイスラム寺小屋で寝食の場を与えられ、同時に過激なイスラム思想を学んだ。そして、パキスタン軍の訓練を受けると、アフガン南部に進攻した。

タリバンは1995年、1996年と首都に攻勢をかける。市内への無差別砲撃が続き、「これ以上戦えば、首都が壊滅的破壊を受ける」とマスードは首都撤退を決意、カーブルの北、故郷パンジシール渓谷に籠ってタリバンに抵抗を続けた。が、アメリカでの同時多発テロの2日前の2001年9月9日、テレビジャーナリストと偽ったアラブ人のインタビュー中、テレビカメラと体に仕掛けた爆弾が炸裂し、マスードは亡くなった。

出会い

アフガニスタンのチェ・ゲバラとも称され、世界のメディアでも取り上げられたマスードのもとを私が訪れたのは1983年の春。保守的な国で、大勢の人びとを率いる若者がいることに驚きを覚えた。どんな人物で、何を思い、どう生きようとしているのか。同世代の彼の生き方や苦悩を捉えることができれば、きっと日本の若者にも感じてもらえるものがあるはずだ……。パキスタンからイスラム戦士と国境を越え、10日間の旅を経てやっとマスードに会うことができた。汗と埃まみれで、身元も確かではない日本の若者を彼は受け入れてくれた。

彼の生活は多忙を極めていた。戦士への軍事訓練、司令官との作戦会議、その合間を縫って五つのオフィスをめぐり、住民の相談に応じた。日没には実家で簡単な夕食を終えると、側近たちと会議。皆が寝静まってからは自室でひとり戦略を練った。朝4時には起き出し、仲間を起こし礼拝を始める。超人的なエネルギーに圧倒された。ソビエト軍に100万ドルの賞金をかけられ、対立するゲリラ勢力に命を狙われているのに護衛はわずかふたり、身の保全に汲々としない姿にも惹かれた。

人びとと人間性にも魅了された。渓谷をジープで移動中、相談ごとがある老人が道端で手を挙げるとかならず車を止めた。ときには、「事務所まで送り届けろ」と命じて席を譲り歩き出すこともあった。政府軍捕虜への対応にも驚いた。捕虜は道路工事や建物の建設に従事すれば1年で解放され、その間、家族との面会が許された。一度、ソビエト軍捕虜がマスードの家に連れてこられたことがあったが、手錠もされずに、私たちと同じものを食べ一つの部屋で一緒に眠った。私は心中穏やかではなかったが、マスードは気にする風もなかった。彼ニコライはのちにイスラム戦士となり、マスードの護衛を務めるようになった。

アフマド・シャー・マスード

戦いのなかでも、マスードはできるだけ人を傷つけまいとした。戦士志願の少年が来ると、「戦士は足りている。勉強することの方が大切だ。学校に行きなさい」と送り帰した。「対立勢力に殺された夫の仇を取るための銃をくれ」と懇願する母子には「復讐は際限がない。それよりもこの子を学校で学ばせなさい」と説得した。

アフガニスタンには多くの民族が存在し、それぞれのゲリラ勢力が対立を繰り返してきた。そうした状況を打破しようとマスードは近隣地域を訪れては対立を乗り越えた統一戦線の必要を訴えた。かつて大英帝国の侵略を受け、近年はアメリカ・ソビエト両大国の角逐の場となり、1979年にはソビエト軍が侵攻、その後もパキスタンやイランなど近隣諸国の介入が続いたアフガニスタン。国のことは自分たちで決めたい――。それがマスードが一貫してもち続けた思いだった。

マスードの夢

それまでエルサルバドルやレバノンなどの紛争地を取材し、死を間近に見るたびに死にたくないと思った。彼に「死は怖くないか」と尋ねると、「私も人間です。怖いと思うことはあります。しかし、死を決めるのは神です。私が死ぬとき、それが神の意思だろう。その時までも燃焼させるように生きたい」と答えた。「好きな人はいるのか。結婚は考えているのか」と訊いたときには、戸惑いの表情を浮かべたものの「今は愛する時間がありません。でも、結婚は自然な成りゆきです。私も平和になれば結婚します」とはにかみながら答えてくれた。

「戦争が終われば大学に戻って勉強したい」と将来の夢を語ってくれたこともある。政権打倒をめざして武装闘争を始めた1975年、彼はカーブル大学の建築学科の学生だった。ソビエトの共産主義思想が浸透することに危機感を覚え、イスラム共和国樹立をめざし、50人の仲間たちとパンジシールとカーブルで同時蜂起を試みたが、失敗。人びとの助けもなく山中をパキスタンに逃れた。その時、人びとの支持の大切さを学んだ。1988年のインタビューでは「大学に戻る夢は諦めていないが、貿易の仕事がしたいなぁ。人びとが喜ぶようなものを輸入したいんだ」と話していた。

彼の夢はかなわなかったが、救いとなっていたのは読書だった。イスラム関連本、各国指導者の人

アフマド・シャー・マスード

物伝、建築関連本、なかには恋愛小説もあった。とりわけ彼が愛したのはペルシアの詩人ハーフェズの詩だった。「いつか図書館を造りたい」とも話し、１９９６年の首都撤退の際には1日しかなかったのに、３千冊の本を持ち帰った。教育にも力を入れ、今まで４００以上の小中学校を造り、死の1年前には五つの大学を造る計画を進めていた。

17年にわたる取材でともに過ごした日数は５００日。最後のインタビューで、「貴方にとっての勝利とは」と尋ねたとき、マスードは「すべての勢力が戦いでは物事が解決しないということを知り、武器を置き、話し合いをし、選挙で国民の声をきけるようになること。それが私のとっての最大の勝利です」と答えた。アフガニスタンはいまだ政治的混乱のなかにあるが、「いつかマスードの志をつぐ者が現れる」と私は信じている。多くのアフガニスタン国民がそう願っているように。

（長倉洋海）

コラム1

アフガニスタンの教育システムと教科書からみる学校教育

登利谷正人

長期に及ぶ戦乱や政治・社会の混乱を経たアフガニスタンにおいて、教育が極めて重要であることは言を俟たない。アフガニスタンにおける教育は就学前教育を除くと、7歳から始まる初等教育学校で6年間、前期中等学校で3年間、後期中等学校で3年間の合計12年学ぶ制度設計となっている。このうち、義務教育期間は第1学年から第9学年までの前期中等学校修了までとなっている。アフガニスタンにおける教育は、首都カーブルの教育省がカリキュラムの管理、教員養成、識字教育などを所管しているが、後期中等教育後の大学などの高等教育機関については高等教育省の管轄となる。教育省はアフガニスタンの全州、および州の下位行政区分である郡に出先機関を設置している。なお、学年暦はアフガニスタン暦に沿って、3月の春分の日から始まる仕組みになっている。

このように、教育省の一元的管理体制によるカリキュラムに沿った形で、国家公用語であるパシュトー語、およびダリー語の2言語による教科書が使用されている（ただ、アフガニスタンでは初等教育からイスラム学校で学ぶことも認められているため、その場合には学習内容や教科書にも差異が生じる）。以下で教育省発行の教科書を簡単に確認し、各学年で学ぶ教科について概観する。

初等教育の第1学年～第3学年では、宗教学、算数、絵画、書き方、聖クルアーン、生活術の6科目に、パシュトー語を教育言語としている児童はパシュトー語を、それ以外はダリー語を加え合計7科目を学ぶ。ここで言及している宗教学とは、アフガニスタンの大多数の人びとによって信仰されているイスラム学のことである。また、生活術の具体例としては、例えば年長者

カーブルの公立図書館

の話をよく聞くことや、家を掃除すること、あるいは道路の歩き方など日常生活において必要なことなどについて学ぶ内容となっている。

第４学年〜第６学年では、科学、英語、そして教育言語としていないもう一つの国家公用語であるパシュトー語、あるいはダリー語の３科目が追加されるとともに、生活術に代わって社会科が教科となり、残りの６教科を合わせて全10科目を学ぶ。さらに、前期中等教育では、宗教学、数学、技術工学、美術、アラビア語、タジュウィード（クルアーンを正確に読むための技術）、生物学、パシュトー語、ダリー語、地理、歴史、物理、化学、国学、公民、英語と16教科を学ぶ。技術工学は日本の技術と似ているが、より高度な工学を含む理論と技術の実践を学ぶ教科、国学は内容的には「アフガニスタン学」ともいえる内容で、自国に関するさまざまな事柄を学ぶ。さらに、公民においては都市や農村などの社会、あるいは人びととの協力のあり方など他者との関わり方や社会で暮らしていく上での基本的考え方を学ぶ内容になっている。後期中等教育の始まる第10学年からは、宗教学、数学、コンピューター、地質学（第10学年のみ）、タフスィール（クルアーン解釈学）、生物学、パシュトー語、ダリー語、地理、歴史、物理、化学、公民、英語の14科目を学ぶ。

また、憲法で規定され各地域で多くの人びとによって用いられる地域の第3公用語を学ぶ教科書も発行されており、ウズベク語、バローチー語、パシャーイー語については義務教育期間の第1学年から第9学年までの教科書が発行されている。

以上、学校教育で学ぶ教科を一瞥したのみでも、アフガニスタンにおいて必要とされている知見や社会状況が反映されていることがわかる。

III

生活の基盤

13

現代アフガニスタン経済事情

★課題と活路★

アフガニスタンという国の課題は、次の三つにまとめることができる。一つ目は、険しい山岳地帯や砂漠といった厳しい地理的条件のもとに多民族が暮らす内陸国であるということ。二つ目に、国民の約7割が農村に住む貧困国であり、世界最大のケシ生産国でもあるということ。そして三つ目は、過去40年にわたり内戦が続く脆弱国であるということである。これらは互いに影響し合い、アフガニスタンという国を性格づけてきた。

同国の険しい地形は、国内や国外とのヒト、モノ、情報の移動を妨げ、経済成長を阻害する。また、道路、送配電、通信、治水などの経済インフラの建設は困難かつ割高なものとなる。国内各地を道路や通信で結ぶことができないと、医療、教育、治安などの公共サービスが国民にいき届かないことになる。同時に徴税を含めた中央政府の統治が国内隅々にいきわたらないことになり、その結果、多民族を国民国家として束ねていくことが困難になる。

国民の約7割が農村に住み、農業は労働人口の約40％、GDPの約25％を占めているが、灌漑施設の不備もあり主要農産物の小麦などは旱魃などの気候変動に大きく影響を受け易い。旱魅でも育つ換金作物がケシであり、農民の多くは生きていくためにケシ生産に手を出さざるを得ない。同国は世界最大のケシ生産国であり（全世界のケシ生産の9割を占める）、ケシからとれるアヘンは犯罪組織や武装勢力の資金源となり、治安悪化につながっている。ケシ生産がここまで増えたのは、40年にも及ぶ内戦によって麻薬取引や密貿易などの違法経済活動が野放し状態になった結果である。

世界銀行によると、2020年のひとり当たり国民所得は500米ドルであり、世界最下位（ブルンジ、270米ドル）から数えて6番目の水準である。また、国連は、所得のみならず、栄養状況、乳幼児死亡率、識字率などが特に低い途上国を後発開発途上国（Least Developing Countries）と分類しており（現在47ヵ国）、その多くはアフリカのサブサハラの国々だが（33ヵ国）、アフガニスタンはこの国連の分類に含まれている。なお、2020年は新型コロナウイルス（COVID－19）の影響によって、同国の貧困率はこれまでの50％台から70％台に悪化した。

2001年9月11日のアメリカ同時多発テロ事件に端を発し、タリバン敗走後発足した新政権は、国家予算の半分を外国援助に依存する弱い政府である。また、汚職がはびこっているともいわれている。タリバンは勢力を盛り返してきており、政府の統治が及ぶ地域は国土の半分にまで縮小している。

新政権発足と同時に、世銀を中心とする国際開発コミュニティ主導による復興が進められた結果、平均寿命、乳幼児死亡率、初等・中等教育就学率などに大幅な改善がみられた。一方で、同国の国情への理解が不十分なまま圧倒的な開発能力を行使する国際開発コミュニティに対して、有効に自分たちの国づくり構想を提示できないアフガン人のもどかしさは鬱積している。援助する側と受ける側が互いに歩み寄ることができなければ、同国の国づくりの妨げになりかねない。

表　アフガニスタン復興の成果

	2001 年 （註）	2018 年	2019 年	2020 年
人口（百万人）	21.6	37.2	38.0	38.9
GDP（10 億米ドル）	4.1 （2002 年）	18.4	19.3	19.8
一人当たり GDP（米ドル）	179.4 （2002 年）	493.8	507.1	508.8
平均寿命（年）	56.3	64.5	64.8	–
5 歳未満児死亡率（1000 人当たり）	124.6	62.5	60.3	–
初等教育就学率（%）	20.9	104.0	–	–
男子	40.6	124.2	–	–
女子	0.0	82.9	–	–
中等教育就学率（%）	12.3	55.4	–	–
男子	23.6	70.1	–	–
女子	0.0	40.0	–	–

註：2001 年は、1996 年から 5 年間続いたタリバン政権の最後の年
（世銀データベース World Development Indicators［2021 年 7 月 18 日ダウンロード］より筆者作成）

それでは今後のアフガニスタンの活路として何が考えられるだろうか。

厳しい地理的条件は国づくりの障害になるばかりとは限らない。同国の地質は、三大プレート（ユーラシア、アフリカ、インド）が長期間ぶつかり合うことで形成された極めて複雑な構造になっている。その結果、さまざまな鉱物が賦存することになった（銅、石炭、鉄鉱石、金、石油、天然ガス、リチウムなどのレアアースなど）。莫大な量の資源が地下に眠っているといわれてきたが、中国（石油、銅）とインド（鉄）が地下資源開発投資の先鞭をつけた。治安の問題や鉱山開発現場で発見された遺跡の保護問題もあり、かならずしも順調に進展していない模様だが、両国が鉱山開発に実際に踏み切ったことで、アフガニスタンの安定が両国にとって切実な共通の利益となったことが重

表　地域開発協力事業

TAPI ガスパイプライン	トルクメニスタンの天然ガスをアフガニスタンとパキスタンを経由してインドに送るガスパイプライン建設事業
CASA 1000	タジキスタンとキルギスの余剰電力をパキスタンとアフガニスタンに融通する送電事業
Five Nations Railway Corridor	中国、キルギス、タジキスタン、アフガニスタン、イランを連結する鉄道事業
Lapis-Lazuli Corridor	アフガニスタン、トルクメニスタン、アゼルバイジャン、ジョージア、トルコを道路、鉄道、船舶（カスピ海）で結び、中央アジアとヨーロッパ市場を連結する運輸事業
Digital Silk Road	アフガニスタン、トルクメニスタン、ウズベキスタン、タジキスタン、イラン、パキスタンの6ヵ国を連結するデータ通信事業

要である。また、掘り出した鉱物を国際港まで運び出すには隣国のイラン（チャーバハール港）やパキスタン（グワーダル港）の協力が不可欠となる。これら周辺国はアフガニスタンの安定に大きな影響力があるだけに、張り合うことなく建設的な関与が望まれる。

内陸国ということもかならずしもマイナスなことばかりではない。アフガニスタンは多くの国々と国境を接しており、ガスパイプライン、電力、鉄道、物流、データ通信などの接結点となり得る。現在、上の表のような地域開発協力事業が進展中であり、同国はこれらを通して域内国との共存共栄を追求している。

2020年に入り、アメリカ軍を中心とする外国軍隊の撤収を前提とした政府とタリバンとの和平交渉がにわかに動き出した。状況は予断を許さないが、戦火がおさまらないことには本格的な復興も進みようがない。政府、タリバンとも血で血を洗う内戦を戦ってきたが、両者は結局同じアフガニスタン人同士。和平交渉が、多様性を包摂する寛容な国民国家として歩みだす着実な第一歩となることを期待したい。

最後に、コフィ・アナン国連事務総長のステートメント（2006年6月23日　国連平和構築委員会発足に際して）の一部を紹介したい。まさにアフガニスタンのために用意された言葉のようである。

・援助量の増加や援助調整の改善のみでは平和を長続きさせるには不十分である。
・平和構築は国民のオーナーシップが必須であり、外部から移植されるものではない。
・外部者はいかに良心的であろうとも、その国の人びとが持っている知識と意志に取って代わることはできない。
・その国の人びとこそが、彼らの歴史、文化、政治的背景を熟知している。そして、彼らの判断の結果責任は、彼ら自身が負うべきものである。
・彼ら自身が平和構築を自らの成果として実感することによってこそ、平和が続くという期待が持てるのである。

（福田幸正）

付記　本稿は、アフガニスタンのエコノミストであるナジーブ・アジジ氏との意見交換を通して執筆した。もちろん本稿の内容の責任は筆者にある。

14

近年のアフガニスタン経済動向

★混乱する国内情勢と困難な農業復興★

もともとアフガニスタンの基幹産業は農業であった。もちろん、牧畜、絨毯をはじめとする織物産業、あるいはラピス・ラズリを代表例とする宝石類などの鉱石取引など、経済を支える他の重要な産業も存在した。20世紀以降の近代化政策により工場や発電所が建設され、さらに第二次世界大戦後は米ソ冷戦下で東西両陣営からの支援が流入したことで、さまざまなインフラ整備プロジェクトが進められた。しかし、大規模な工業化は進展せず、国民の大多数の生業が農業という基本的な社会構造に変化はなかった。ところが、1970年代の政治的混乱とソビエト軍の侵攻、それに続く内戦と、戦乱状態が長期化したことで、アフガニスタン経済は深刻な打撃を受けた。また、ソビエト軍の撤退とソビエト連邦自体の崩壊によりアフガニスタン情勢への国際的関心が薄れるとともに、国内の社会経済状態は内戦の深刻化により悪化の一途をたどった。また、内戦により荒廃した農業に代わり麻薬の原料となるケシ栽培が急拡大し、世界の生産量の大半を占めるまでに至った。

このように国内が混乱するなか、治安と秩序回復を掲げて結成されたタリバンは、1990年代後半には国土の大半を実効支配するに至った。それまで各地に地方軍閥が跋扈（ばっこ）していた状況から、タリバンによる国家統一が現実化しつつあったこの時期、トルクメニスタンからアフガニスタンを経由した天然ガスパイプライン建設プロジェクトが計画された。このように、混乱した国内経済の立て直しに向け、パイプライン建設事業に伴う国際的支援流入への期待が高まった。しかし、戦乱により荒廃した国土の治安回復を設立の原則として掲げるタリバンは、徹底した綱紀粛正と治安確保に取り組むとともに、女性の教育・職務からの排除を実行した。一連のタリバンによる統治は、パシュトゥンの村落社会における社会規範を都市やほかのエスニシティ社会にも強要するものであったが、このような極めて保守的な社会変化を伴う統治に対しては国際的な非難も高まった。このような国際的非難の高まりによって、上記のような大型プロジェクトは停滞を余儀なくされ、タリバンは経済的にも苦境に陥った。状況打開のため、国際的信用回復と支援獲得のため、タリバンはケシ栽培の全面的禁止を発表した。政策徹底のため、ケシ畑を強制的に焼き払うなど強硬な姿勢をとり、これにより一時的にケシ栽培は大幅に減少した。しかし、このようなタリバン側の姿勢によっても国際的信用獲得は困難であり、外資の導入や国際支援は滞った。さらに、2000年前後には、大旱魃が到来したことで、農業生産量が大幅に落ち込むと同時に、既に深刻な状況にあった経済にも壊滅的影響を及ぼした。

そのようななかで発生した2001年9月11日のアメリカ同時多発テロ事件以降、アフガニスタンをめぐる状況は一変した。アメリカを中心とする各国は、タリバン政権崩壊後の新国家建設と並行して、壊滅しつつあった社会経済の復興にも注力した。2002年1月東京において第1回アフガニスタン復興支援会議が開催され、世界各国から多額の資金援助を伴う復興支援活動が実施されることとなった。当初、アフガニスタンの復興には国際的に強い期待が寄せられ、新国家建設と新たな社会経済秩序の構築が進められた。同時に、アメリカ軍を主体とするNATO軍を中心に国際治安支援部隊（ISAF）が、当面国内の治安維持を担当することとなった。多額の国際援助の流入とISAFの存在は、国内において関連する経済的需要と雇用創出につながった。しかし、国内事情をほとんど理解しない状態での国家建設と復興支援は行き詰りを見せるとともに、反政府武装勢力の勢力拡大と治安悪化により、経済状況は再び厳しい状況に陥った。また、国際的にも当初の復興と国家建設への熱意と期待は霧消し、厭戦気運の高まりも相まって国際支援は年々減少を続けている。さらに、農業復興の停滞により、都市部への人口流入が加速した。内戦期に蔓延（はびこ）ったケシ栽培量が急拡大するとともに、もともと治安状況の悪い南部が大半を占めていたケシ栽培地も、2015年頃からは全土で治安悪化の傾向がみられるようになると、それに合わせる形で全土へと拡大した。

他方、今後のアフガニスタンの治安改善と安定化を前提としつつも、周辺諸国との間で共同開発が進められている大型インフラ建設プロジェクトは進展しつつある。トルクメニスタンで産出する天然ガスをインド・パキスタンに送るためのTAPIパイプライン、中央アジアから南アジアへ接続する大規模送電網建設計画CASA－1000やTUTAPプロジェクトなどはその典型例である。また、交易路の点でも新たな経済回廊が機能しつつある。内陸国アフガニスタンでは、輸出入の際に隣国を経由する必要があり、特に首都とも近いパキスタンを経由した貿易が極めて重要な位置を占めてきた。基本的にアフガニスタンへ輸入される物資の大半はパキスタン南部のカラチ港から陸揚げされ、1965年に締結されたアフガニスタン通過貿易協定にもとづき無関税でパキスタンの通関を

カーブル中心部の鳥市場

経て、陸路でアフガニスタンへと輸送されてきた。しかし、両国は政治的関係や治安、さらにはパキスタン国内に暮らすアフガン難民問題などさまざまな対立懸案を抱えていることから、アフガニスタン側ではパキスタン国内を経由する輸出入に依存せざるを得ない状況について常に懸念の声があがっていた。このようななか、イラン南部チャーバハール港の開発計画が始まり、2016年には同港を起点としたイラン・アフガニスタン・インドの3ヵ国貿易協定が調印された。この協定にもとづき、現在ではインドとの間での輸出入が開始されており、パキスタンに依存しない輸出入ルートとしてアフガニスタン側の期待は非常に高い。陸路での経済回廊という観点からは、2018年12月に開通した「ラピス・ラズリ回廊」も重要である。これは、北部2ヵ所の国境拠点アキナ、トゥルグンディーからトルクメニスタンを経由して、アゼルバイジャン、ジョージア、トルコを経てヨーロッパへと至る輸送路である。

基幹産業である農業復興は治安悪化に伴い困難に直面し続けている。しかし、近年では、西部へラート州を中心に高品質のサフラン生産が拡大するなど、新たな模索も既に始まっている。いずれにしても、アフガニスタンの経済、社会の回復に農業分野の回復は今後も必須の課題である。

（登利谷正人）

15

商業、バザール経済、地域経済、ハワーラ

―★公式・非公式の仕組みが共存するアフガニスタン商業活動の諸相★―

アフガニスタンにおける生活の基盤としての商業について述べるに当たって、遊牧民や隊商を介して運ばれる農作物（穀物、野菜、果物など）や畜産物（肉、乳製品、羊毛など）などの生活必需品を、人びとがバザールで買い求める光景がまず脳裏に思い浮かぶ。筆者は2005年から約7年間アフガニスタンで勤務したが、このような生活の息吹を感じさせる交易の場としてのバザールは、治安上の脅威こそあれ、常に身近な存在であった。

とはいえ広大な国土と異なる民族・部族を抱えるアフガニスタンの商業活動を一般化し、一言で説明することは非常に難しい。地理的特性や文化・社会的背景の違いに応じて、各々の土地固有の商業活動が並立するからである。例えば、首都カーブルでは近代的な大型スーパーマーケットが立ち並ぶ一方、地方ではナン屋、肉屋、八百屋などが連なる昔ながらの風景がみられる。また、2001年12月以降、欧米からの支援を受けながら急速に発展してきたアフガニスタンには、公式と非公式の商業の仕組みが共存している。後述するハワーラ（非公式の外貨決済システム）は、代表的な後者の例である。

以上を前置きした上で、本章では、アフガニスタン固有の商

業・バザール経済、および地域経済の実態について述べ、最後にハワーラの役割について紹介してみたい。

まず、商業を概観するに当たり、主要産業について確認しておこう。6ヵ国に囲まれた内陸国のアフガニスタンは農業立国であり、農業や牧畜が盛んにおこなわれている。また、鉄、銅、レアアースなどの鉱物資源、天然ガス、石油などの天然資源も豊富に埋蔵されているとの調査報告があり、将来的な開発が期待されている。

アフガニスタン国家統計・情報機構（ＮＩＳＡ）が発行する『貿易統計年鑑２０１９年』によれば、主な輸入取扱品目は、石油化学製品、機械・自動車、繊維製品、植物油、鉄鋼、タイヤ、紅茶、たばこ、衣類、石鹸など、国内では製造が難しいものが多い。一方、ドライフルーツをはじめとする果物・野菜、薬用植物、鉱物、絨毯、皮革、羊毛など、多くの自国産品を輸出している。水や電気などの基礎インフラと産業発展の遅れにより、全体として輸入が輸出よりも多い貿易収支構造となっており、これが諸外国からの援助に頼らざるを得ない原因のひとつだ。

通貨事情についても触れておかなければならない。アフガニスタンの貨幣単位はアフガニ（２０２０年10月時点で1米ドル＝約77アフガニ）で、お店の主人と値段交渉をする際には大体アフガニが用いられる。他方で、公務員を除き、援助機関（国連、ＮＧＯなど）や外資系企業のほとんどは給料を米ドルで支払っているため、日常の買い物でも米ドルで決済されることが珍しくなく、米ドルとアフガニが併用されている点は大きな特徴といえるだろう。

地方では、他国の通貨が流通しているケースもある。例えば、パキスタンと国境を接する東部ナンガルハル州では、アフガニと同じくらいパキスタン・ルピーが流通する。これは両国の地理・社会的近接性によるものだが、他国通貨の流通を許してしまう点はアフガニスタンにおける通貨の統制が脆弱であることを示しているようでもある。もっとも、近年では、パキスタン・ルピーの排除に向けた動きが広がっているが、将来の政治情勢次第では逆戻りする可能性もある。

次に、アフガニスタンにおける地域経済について見てみたい。内陸国ゆえに、主要な陸路沿いに街が発展してきたことから、商業活動は、首都カーブル市、ならびに、東部ジャララバード市、西部ヘラート市、北部マザーレ・シャリフ市や南部カンダハール市などの交通の要衝で活発である。

首都カーブルを見てみると、瀟洒なデパートや土産物屋が立ち並ぶ新市街と、昔ながらの建物が残る旧市街が商業の中心地である。特に、カーブル川沿いにあるポレ・ヘシュティー・モスクの周りに広がる昔ながらの建物が多く残る旧市街には、一度足を踏み入れたら何でも揃う大きなバザールがある。ここでは、農産物、畜産物のみならず、衣類、貴金属、電化製品等々、あらゆるものが値札なしで売られている（写真）。

人波で溢れるカーブル旧市街のバザールの様子（2006年4月16日）

一方の北東部バダフシャン州は中央アジアのタジキスタンと国境を接し、国境の街イシュカシムでは毎週両国の人びとが訪れるバザールが開かれ、衣類や日用品などが売られる。また、アメリカ軍基地の近くでは、アメリカ軍から払い下げられた装備品などが売られている例が多かった。筆者もよく訪れた中央部パルワン州ベグラ

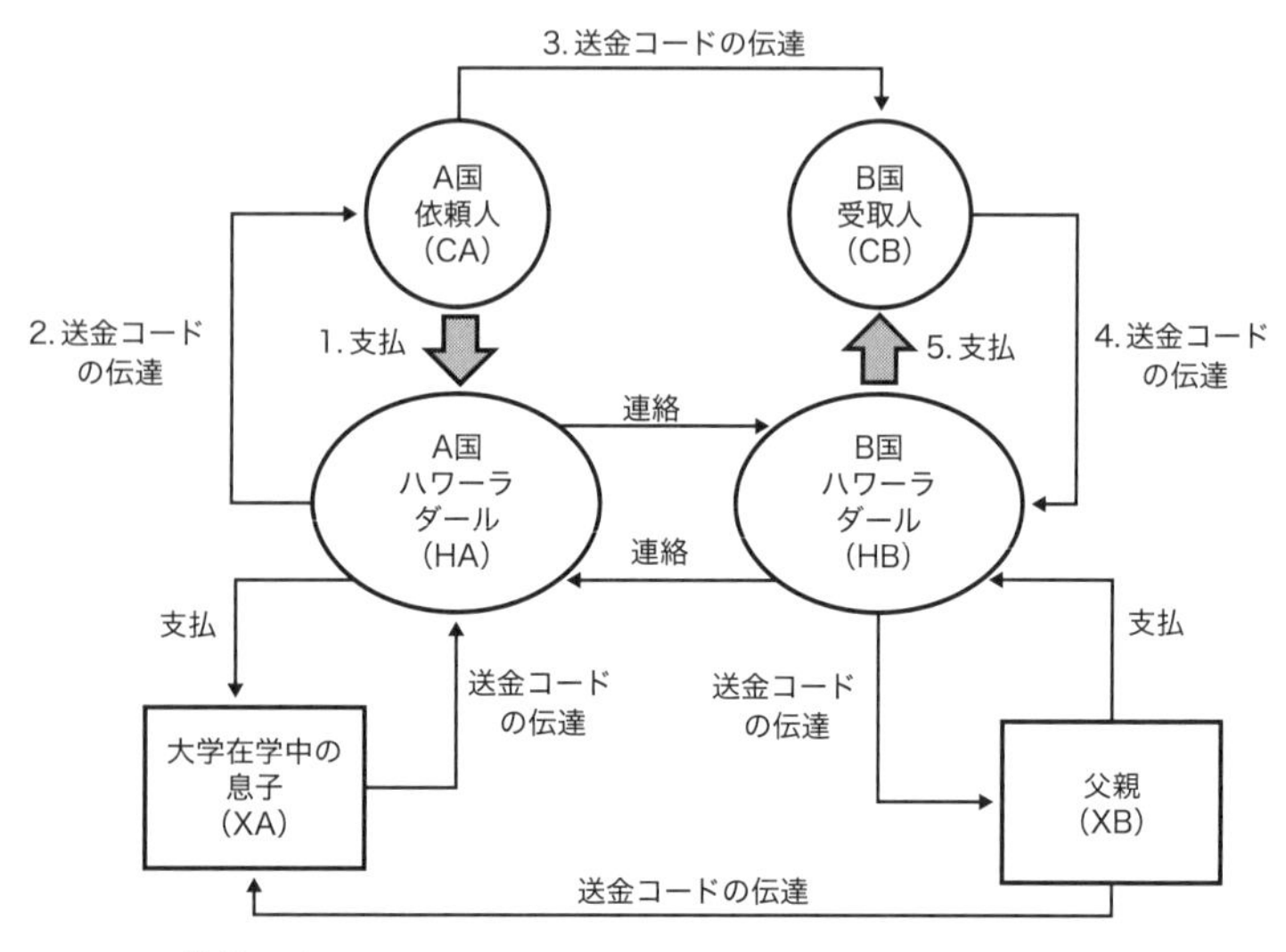

ハワーラの仕組み（El-Qorchi, Mohammed. 2002. "Hawala." International Monetary Fund. Finance and Development (December 2002, Vol. 39, No.4) を基に筆者作成）

ムのバザールでは、アメリカ軍ベグラム基地から流出したと思しきユニフォーム、ブーツ、ナイフ、携行用戦闘糧食などが所狭しと並べられていた。

このような「裏経済」で重要な役割を果たす仕組みの一つにハワーラがある。ハワーラとは信用にもとづく非公式の外貨決済システムで、両替商を兼業することが多い。アフガニスタンで活動する多くの企業・団体は銀行を通じた公式の外貨決済システムを利用しているものの、紛争で破壊された脆弱な金融インフラからハワーラを使う者も多い。特に、タリバン支配（1996～2001年）下で社会インフラが荒廃した2001年直後には、海外に住む親族との送金や、援助活動に関連する送金で多く活用された。

ハワーラでは、ハワーラダールと呼ばれる送金屋が依頼人に対して海外への送金サービスを提供する。それを図示したものが右図である。

まず、A国において顧客CAがB国にいる顧客CBに支払いをしたいとき、CAはA国のハワーラダールHAに対し現金を支払う。これに対し、HAはCAに対して送金コードを伝える。その後、HAはB国にいるハワーラダールHBに、顧客CBから送金コードを提示された場合に送金するよう指示する。これでCBは現金を受け取ることができる。

HAの利益は、取扱手数料や為替差益から入る。HAとHBの関係性は完全に信用にもとづいており、二者間の決済は話し合いにもとづき、現金、商品、もしくはサービスなどによってなされる。アフガニスタンでは将来への不安から海外に出稼ぎもしくは留学をする家族構成員を持つ家庭も多いが、ハワーラはこうした家族でも多用されている。B国にいる父親（XB）からA国で大学在学中の息子（XA）に対し学費を送金する際も、ほぼ同様の手続きにのっとり送金される。

もっとも、ハワーラは非公式の仕組みであり、政府の管理が及んでいないことからマネーロンダリングに悪用される事例も多く報告されている。テロの資金源となるリスクも排除されないため、こうした「裏経済」の負の側面には十分な留意が必要であろう。

（青木健太）

16

アフガニスタンの環境問題とごみ

★カーブルにおける廃棄物管理★

長期間にわたる紛争は、環境問題を深刻化させ、またその対応を遅滞させた。アフガニスタンは都市化のスピードが著しく、人口流入の続く都市部における住環境汚染、大気汚染、安全な飲用水の不足、自然災害による被害の甚大化などが、人びとの暮らしの質のみならず、生命に直結する問題となっている。テロによる死者が報じられがちであるが、アフガニスタンにおける総死者数のうち26％は環境リスクに起因するものであるとのデータもある。この国における環境問題は、貧困や紛争に深く結びついており、解決には複眼的なアプローチが必要である。ここでは特に首都カーブルにおける廃棄物管理問題を取り上げ、理解の一助としたい。

カーブル市では現在1日に約3050トンのごみが排出されているといわれているが、稼働している廃棄物処理場はカーブル市から約6キロメートル東にあるガザック2（ツー）と呼ばれる6ヘクタールの埋立地のみである。埋立地内には、簡易ベッドやトイレの備えられた管理棟があり、国際協力機構により訓練された管理責任者のもと、24時間体制で配置されたワーカーが埋立地を管理している。また、トラックが2台すれ違える幅のアクセス道路が3キロメートル舗装され、毎日平均300台のトラックが約2千トンのごみを廃棄していく。トラックごとごみの重さを量ることのできる計量台が整備されており、ごみの記録は持ち込まれた重量などが印字されたスリップが管理棟にて保管されるとともに、トラック運転手にも手交される。ごみ山にはごみが扇状に広げられて堆積され、また投下されたごみにはすぐ上から覆土がまかれるなど、近隣住宅から7キロメートル離れているとはいえ、におい対策および飛散対策にも配慮がなされている。さらに、その覆土は同じガザック2の土地から掘削されることとなっており、購入や運搬コストがかからず大変経済的である。そして、トラックは1台ごとに徹底的に消毒された後に、市内へと戻って行く。

ガザック埋立地（カーブル郊外）

上記だけを見れば、ガザック2はある程度近代的な設備を持ち、整然と運営・管理されているようであるが、実はこれは市清掃局や埋立地管理者たちが、限られたリソースを駆使し大変な努力を続けることによって維持されている状態である。もともとブルドーザーなどの必要な重機が揃わず、埋立地の設計や運営も専門家が直接支援することがなかったことから、このままでは深刻な環境問題を引き起こす可能性がある。例えば、ごみ山は転圧が十分ではなく、内部でごみの分解を促進するための微生物活動に必要な酸素が循環していないためメタンガスが発生しており、乾燥した気候のもとでは火災の危険性が大きくある。また、浸出水が原水のまま流出しているが、それを一時的に集水し浄化するシステムがない。地下120メートルにある地下水の水質には現在のところ被害は出ていないというが、近い将来汚染される可能性も大いに指摘されている。また、ごみの量が増えるにしたがってごみ山も増やしていくというシステムであるため、これから無限に土地が必要となる。このままではごみが適切に処理されず不安定な状態で置き去りにされ、そして埋立てに使われた土地は長期にわたって転用できないままとなってしまう。

さらに、治安も懸念事項の一つである。筆者はガザック2改善事業を立ち上げるために当地を訪れたが、カーブルからたった数キロメートル離れた土地であるにもかかわらず、治安上の理由から訪問許可の取得が大変難しく、護衛を付けて移動および視察せねばならなかった。それは、ガザック2のへりにそびえる崖のすぐ裏手までタリバンの支配が及んでいるという理由が大きい。この崖を越えて埋立地へ複数回の攻撃があったこともあり、常時武装した警備が配置されている。同時に、埋立地には管理人たちやトラック運搬者以外は立ち入ることができなくなったため、それまではごみ山で有価物を回収して生活の糧としていたスカベンジャーたちが職を追われ、ガザック2は資源ごみを取り出す機能を失ってしまった。

ただ、廃棄物管理は、ごみ処理だけの問題ではない。ごみが生成され、埋立地に運ばれるまでの過程にも多くの課題を抱える。例えば、カーブルにおいては、ごみを分類するシステムがなく、資源ごみが活用されていないこと（分別のためのごみ箱を置く試みは始まっているが、結局捨てる最終処分の場所はガザック2のみである）。ごみ収集が機能していないため、ごみが道路に山積し、また排水溝に溜まって水流を妨げていること。これは洪水を引き起こす一因となり、防災の観点からも大きな懸念となっている。渋滞した道路を通ってごみが長距離運搬されるため、コストがかかるだけでなく、大気汚染にもつながっていること。そして各家庭においてごみを減らそうという意識が薄いことなど、問題が重層化している。

アフガニスタンにおいて国際連合人間居住計画（国連ハビタット）は、コミュニティの女性をトレーナーとして訓練して家庭訪問によるごみ教育を実施したり、学校において子どもたちとともに清掃活動をおこなったりし、自分たちの身近な環境から改善するという取り組みをおこなっている。ごみ教育は、ワークショップなど1ヵ所に集まってする方が効率が良いと思われがちであるが、台所ごみに日々関わっているのは主に女性であり、その女性たちが家を出て集会に参加するのは容易ではない。そこで家庭というコミュニティの最小単位に直接リーチアウトし、確実にコミュニケーションを図ることが肝要である。また、小さい時から衛生について学習することは、長期的にみて有益であるだけでなく、彼らが家庭に戻ってそのメッセージを親の世代に伝えると

家の前の排水溝にたまるごみと子ども達（ジャララバード）

女性たちによる清掃活動（カーブル）

いう情報共有が大変効果的である。さらに、国連ハビタットの支援により若者や女性を市が正式に雇用することによって、全域に清掃員として派遣する事業も成果を挙げている。これは清掃によって環境が改善されるだけでなく、行政が衛生事業に積極的であることを市民に示すとともに、特に女性が人目に付くところで清掃活動をするという、女性に対する、また女性自身の意識改革にも有益な取り組みである。また、さらに雇用を生み出すことによって、生計のために犯罪や反政府行為に加担することを防ぐという目的にも資することから、行政のみならず、市民からも大いに反響の得られた事業となった。

廃棄物管理は、生活に最も密着した問題の一つであり、健康的な市民生活の維持には欠かせない。ただアフガニスタンにおいては、首都でさえこのような状態であり、ほかの中小規模の都市においては状況はさらに深刻である。国際社会からの協力が不可欠な重要分野である。

（松尾敬子）

＊注　本件については公式データが存在しない情報が多くあるが、２０１９年におけるカーブル市役所やガザック埋立地の責任者からの聞き取りを元にし、事実と大きく齟齬がないと思われる数字を採用している。

17

アフガニスタンの医療事情

★厳しい自然環境や道路事情、宗教、伝統が課題★

筆者はいわゆる「団塊世代」生まれ。東京23区とはいえ、当時農村地帯の葛飾で育った。昭和30年頃の記憶として、病人が出ると、リヤカーに布団を敷いてその上に寝かせ町医者に運んでいたことを思い出す。病院などはなかったと思う。車も走っていない道を、農作業に使う馬などが歩いていた。

1977年、ヘラートから、ジャムのミナレットに向かった。山岳地帯をアップダウンして一つの村にたどり着くが、そこから次の村まで数時間かかるような状況である。こんなところで病気になったら、どうなったであろうか。カーブル、カンダハール、ヘラート、マザーレ・シャリフ、ジャララバード、クンドゥズのような「大都会」は別として、それ以外の人びとは山と山の谷間に住み、道路は舗装されておらず、交通機関もほとんどなく、病人を運ぶ手段は四足獣しかない。しかも、医療施設は近くにはないのである。

そのようなアフガニスタンの医療事情は一言でいえば「非常に厳しい」に尽きる。さらに、40年にわたる治安状況の悪さがさまざまな改善を阻害している。

また、識字率も低いなか、医療知識がいきわたらず、これまでの「習慣（迷信）」やムラーなどの伝統「医療」に頼る部分もある。

医療体制については、WHOによると全国約390郡のうち50郡に診療所がない。2016年、カーブルに初の「女性と子ども中毒センター」がオープンした。医師は、アメリカ政府の統計では1万人当たり2・7人（パキスタンは8・3人、2017年）、男性医師は診療で女性の肌をみられないが、9州で婦人科医が不在という状況。日本で2番目の面積の岩手県の2倍以上広いゴール州（約3・8万平方キロメートル）には女性の医師がふたりのみ（ひとりはタジキスタン人、2016年）という状況である。また、人口約50万人のパクティカ州では女性の専門医はひとりしかいない（2016年）。看護婦は、全国で5500人不足（全土で何人いるかは不明）、助産婦も不足している。ガン治療センターがカーブル大学のアリーアーバード教育病院内に建設が始まる（2017年）。エイズ予防センターはカーブルなどに13ヵ所設置されている。身体障害者支援センターが盲目のアフガン女性とイラン人の夫により盲目者支援で開設された（2017年）。食品と医薬品検査のため品質管理研究所がカーブルに開設された（2017年）。赤新月社が運営する精神障害のための施設がヘラートとカーブルにある。医療体制の不足もあるのか、薬の使用量は多く、それも輸入（密輸も多い）に頼っている。毎年パキスタンから400万ドル分を輸入していて、インド、イランが続く。バイアグラも売られ、4錠で100アフガニ（約1・5ドル）。

病気による死者は、心臓病は毎年10万人で全死者の14％以上という。しかし、これは保健センターで死亡する数字で自宅死亡などは反映していない。質の高い医薬品がないなどのため海外での治療を余儀なくされている。もちろん裕福な人に限られる。ポリオは世界でパキスタン、アフガニスタンの

2国でのみ根絶されていない（2021年1月現在）。毎年6回ワクチン接種をおこなっている。2015年3月のワクチン投与では28州800万人（6州16郡は荒天のためおこなわれず）、8月に900万人にワクチン投与がされている。ガンについては毎年約2万人がかかり、1万6千人が死亡している。乳ガンは毎年3500人がかかり、1700人が死亡。腎臓病は5千人の患者がいて、人口透析器は80台（2017年）で、2014年に約2400人が死亡。エイズは7500件の陽性例が登録されている（2018年）。結核では2014年1万2千人が死亡している。マラリアの感染者は、2014年29万5千人。2017年は38万人に上り、ナンガルハル州とラグマン州に集中している。クリミアコンゴ出血熱で2015年上期に10人が感染し8人が死亡した。さらに29人に感染の疑いがある。心臓の壁に空洞がある患者は1万1千人で5200人が治療を待つ。30%が死亡するという。患者は赤十字や赤新月社の支援で治療のため中国やインドに送られている。骨粗鬆症（こつそしょうしょう）はWHOの2013年の調査で生殖年齢の女性の約95%がビタミンD欠乏のリスクがあるとされている。分娩時の死亡では、妊産婦死亡率は2003年から2015年にかけて64%低下、同時期の子どもの死亡率は43%低下（世界銀行）で、平均寿命の伸びに貢献している。新型コロナウイルスに対する政府の対策では、人びとがコロナのリスクを真剣に受け止めていないことがたびたび報道された。ラマザンの際に、ヘラートの金曜モスクでは礼拝に5千人が毎晩集り、イード（祭り）での外出自粛も守らないなど、単に識字率が低い、衛生知識がないだけではなく、宗教や伝統などの国民性が背景にあると思われる。2013年8月に日本の無償資金協力で、結核・エイズ・マラリアの感染症対策の「アフガン・日本感染症病院」が完成した。この病院は、新型コロナウイルス感染症の治療に活躍している。

戦闘が続くアフガニスタンで、国際赤十字や国境なき医師団の支援は長い歴史があり、赤十字はアフガニスタンで30年以上前から運営されている。２０１９年4月現在17州で活動している。戦争犠牲者への健康サービス、食料と非食糧の配給、障害者のためのリハビリテーション・サービスの提供、捕虜への援助などをおこなっているが、スタッフの誘拐や殺害で何度も活動停止に追い込まれている。近年の赤十字に対する攻撃などには、２０１６年２月のガズニ州における職員５人の誘拐や。12月のクンドゥズ州での職員の誘拐がある。さらに、２０１７年２月ジャウズジャン州で６人のアフガン人スタッフが殺害され、ふたり以上が誘拐されている。２０１８年８月にはタリバンが赤十字のスタッフの安全を保障しないと表明したが、２０１９年９月「タリバンとの相互理解」の後、活動を再開している。

また、国境なき医師団に対しては、２０１５年７月クンドゥズ市にある同団体の病院をアメリカ軍が空爆したため、10月に活動継続について再検討を表明したが、２０１７年７月に同市で活動を再開している。

（関根正男）

18

苦しい家計事情

★なくならない貧富の差と貧困層★

アフガニスタンでは、1日200円（国際貧困ラインは、1日1・9ドル）以下で生活するいわゆる貧困層といわれる人たちが全人口の約4割をしめる。国連開発計画（UNDP）は、金銭的な貧困以外にも病気になっても病院に行けないとか、学校に行けないなど、日常的にどのような形で貧困に直面しているかを示す多次元貧困指数（MPI）という指標を用いており、アフガニスタンはおよそ6割の人びとが多次元貧困に該当し、国民の半数以上が貧困層に属するといっても過言ではない。

アフガニスタンは、農業と牧畜業に依存している国である。豊富な天然資源もいまだ手つかずの状態で地下に眠っており、開発が進めば国家経済を大いに支えることができるだろう。しかし、40年にわたる戦乱や旱魃などで地方の農業・牧畜業従事者が故郷を捨て都市へ流入し都市部の生活を圧迫している。都市部では、早朝に日雇いの仕事を求める人びとが街角にあふれている。主な仕事は、建築現場での肉体労働だ。昨今のコロナ禍のアフガニスタンでは、都市封鎖なども重なりおよそ200万人の人びとが職を失い日々の生活に支障を来していると政府は報告している。ある市民は長引く都市封鎖や外出規制に「コ

家計の足しに金属ごみを集める子供たち

ロナで死ぬ前に餓死してしまう」と嘆く。

アフガニスタン経済は、持続不可能なプロジェクト（国際支援事業も含む）、国内外からの長期投資の欠如によって伸び悩んでおり、農業以外の地場産業も特になく工場での生産業もほとんどないのが現状だ。その理由はやはり治安の不安定さが大きいといえる。タリバン政権崩壊後20年たった今でも地方では戦闘が絶えず、首都カーブルでも爆発テロなどが起こる。外国人支援従事者も移動制限をされ、国際社会からの支援金も有効に使われない。汚職が蔓延り、お金が必要とされるところにはゆきわたらないというのが実状である。

専門職の熟練労働者は、不安定な雇用状況に置かれており、正規雇用でない人びと（日雇い労働者や地方に住む読み書きのできない女性たちも含む）に対する雇用制度や規則もない。長年の戦乱で読み書きができないなど一定の基準を満たせない働き盛りの人口も少なくない。それらの人びとへ安定的かつ有益な雇用の機会が大きく欠如していることが貧困層の減少に至らない理由である。アフガニスタンの労働者の多くが雇用条件を理解せぬまま口頭で契約したり、肉体労働、低賃金契約による労働に従事したりしているが、正規雇用に必要な知識や訓練、スキルの深刻な欠如によるためにほかに方法がないのである。

無許可で小規模な事業を興し、自営業として働く人も多いが、昨今、政府は罰金を科すなど取り締まりを強化している。地方からの出稼ぎ労働者や貧困世帯では、露天商やリヤカーを使った荷運びのような賃金生活者として生計を立てている人がほとんどである。

第18章

苦しい家計事情

アフガニスタンでは、女性が外で働く習慣がほとんどなく、父親がいなかったり、病気で働けないなどの事情のある家庭では、子どもたちが親に代わって町中で物売りや洗車をしたりして家計を支える世帯も珍しくない。性的差別も大きな問題で、特に地方では都市部に比べ女性が外で働くことを認めない習慣があり、十分な能力があっても過小評価されたり、平等な賃金や雇用の機会から不当に排除されている。アフガニスタンでは、雇用主がもつ偏見が男女を問わず労働者に大きな影響を与えているのが実状である。

２００１年のタリバン政権崩壊後、国際社会からも経済成長にむけ相当な支援がなされたにもかかわらず、アフガニスタンは20年たった今も最貧国の一つとして数えられている。１９７９年のソビエト侵攻以前からも貧しい国ではあったが、四半世紀にわたった紛争は、アフガニスタンの経済成長と開発の可能性を損なってしまったのであろう。内戦以前のアフガニスタンでは、貧しいながらも小作人制度も整い、農業で生計を立て平和な暮らしがあった。しかし、タリバン政権崩壊後、国際社会からの支援などによる大金がアフガニスタンに流れ込み、人びとの暮らしやものの考え方を大きく変えてしまった。「お金があれば何でもできる」ことに気づかされ「お金では、買えないものがある」ことが忘れ去られ、自己の満足を満たすためには、お金が必要でそのためには人殺しもするというような若者の犯罪が多発しており社会問題にもなっている。

２０１８年の国連児童基金（ユニセフ）の報告によると、新生児の18人にひとりは1歳未満で死亡、2歳未満の46％が定期予防接種が未接種、５人にふたりは発達障害、４人にひとりの子どもは平均体重以下、５歳以下の１３０万人の子どもたちは深刻な栄養失調状態、３人にひとりの少女は18歳にな

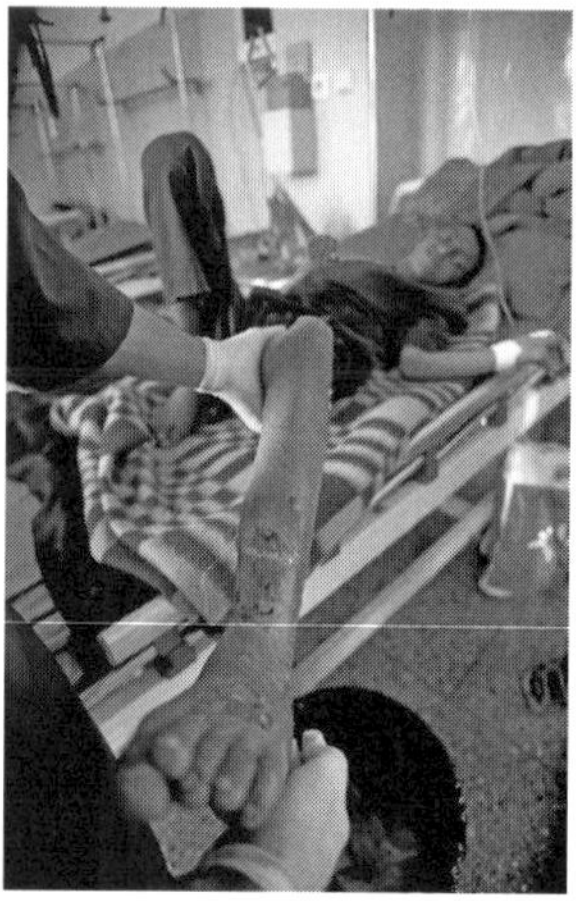

骨髄炎を起こし足の骨が下った男の子

る前に結婚、370万人の子どもたちが未就学でうち6割は女子、15歳以下の女子の19％しか読み書きができない、いまだ国内でポリオ患者がいる。

アフガニスタンの子どもたちは、貧困のために十分な栄養が摂取できず、児童労働にやむなくかり出され学校へ行けず、大勢の家族を養えず口減らしで娘を嫁に出す家庭など、こうした現状からもアフガニスタンがいかに貧困に直面しているかが窺い知れよう。

この地に暮らしショックだったことがある。外傷が原因で細菌に感染し発症する骨髄炎は、抗生物質を服用することで先進国では完治できる。しかしアフガニスタンでは、大けがをしなくても衛生環境の悪さから細菌が虫歯や擦り傷などから体内に入り込む場合や、体内の菌が血流の遅い太い骨の両端に引っかかって増殖する場合があり、貧困で十分な栄養がとれない子どもたちは細菌と戦う抵抗力が極端に低く、「血行性骨髄炎」を発症してしまうのである。抵抗力をつけるには、牛乳や卵、肉などのタンパク質の摂取が必要だが、卵1個が15円、ナンと呼ばれる主食用のパンも1枚15円。1日200円以下の生活で、平均5人の子どものいる家庭では、十分なタンパク質をとることは不可能である。このためアフガニスタンでは、骨髄炎は「貧困の病」といわれている。貧困であるがゆえに骨髄炎を発症しても病院へ行けず、原因がわからないまま、足の切断に至る子どもたちも後を絶たない。戦争やテロで犠牲者が出るたびに一家の柱を失った世帯は一気に貧困化し、貧困層が増える。子どもたちが普通に暮らせる日がくるように、1日も早い平和の実現を願ってやまない。

（安井浩美）

アフガニスタンの手織り絨毯

コラム2

安仲卓二

アフガニスタンは羊毛織りの宝庫である。とりわけ敷物に関しては、ほかに類を見ることができないくらい広範な質と量を有している。アフガニスタン人は「羊とともに生きて死ぬ」といっても過言ではない。北部地域と西部地域はその生産品の代表的産地である。中央部においても産出され、少ないが中南部地域においても作られる。これらの品物の多くは、その地の羊の毛を刈り、それを梳いて紡いで糸にし、在来の染料を活用しながら糸染めをし、各村落で織るという、独り立ちした伝統的な生産サイクルを持っている。

驚くべきことに、その全生産過程は人の力を主力とした「手仕事」で構成されているのだ。事実、アフガニスタンは消費や金融や覇権で成り立っていない。厳しい自然のアフガニスタンでは、人びとは汗で地に血流を送り、その「手仕事」で脈々とした「人の時間」を築いてきた。私は、そういうアフガニスタンでの「人の生き方」に、深い尊敬の

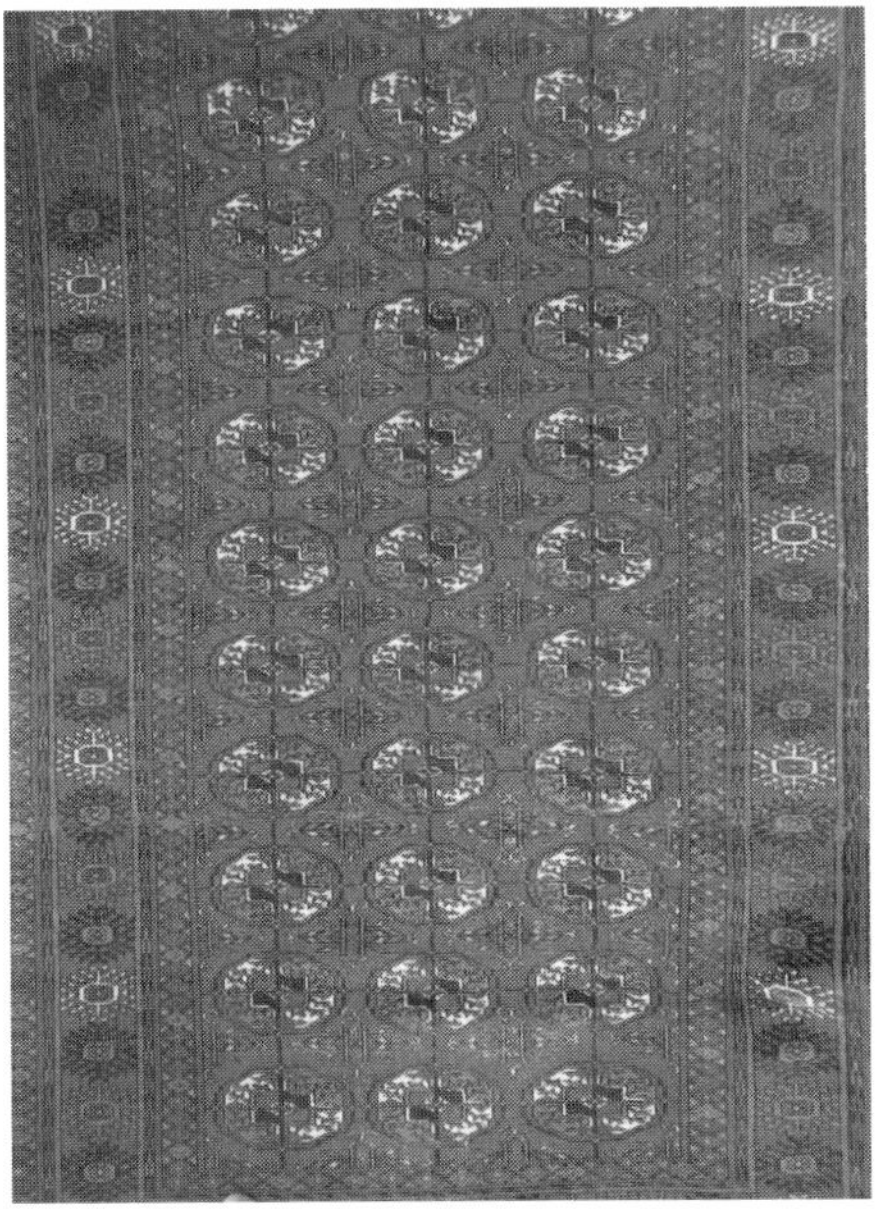

ヘラート産マウリ紋（結び織り）

羊毛の平織り（一部綴れ織り）＝筵

念を抱いて憚らない。そして、それらが生み出す「もの」に愛情を注いで足りない。余剰少なき生活の想い、驕らない美意識、無頓着な自由、無垢という名の好奇心、荒ぶるまでの肉体運動、そのどれをとってみてもわれわれは彼らにかなわない。

アフガニスタンの絨毯は美しく頑丈である。ほかのいかなる国の絨毯と比べてもなに一つ遜色はない。現在形でいうなら、アフガニスタンの絨毯は「最も優れた手工芸品」の一つだと私は思う。結び織り（パイル絨毯）やさまざまな平織り／紋織り（キリム＝ギリムなど）の技法が各地に受けつがれており、その色も形も生き生きと昔ながらの作風を伝えている。

これら多様な織りの展開は敷物に留まらない。家の装飾と保温も兼ねる壁掛けや仕切り（パルダー）。ジュラーと呼ばれる暖簾。敷布団・座布団のような袋仕立てのジュワル。食器や家財道具を入れるトルバと呼ばれる袋。驢馬（ろば）や馬の

コラム2

アフガニスタンの手織り絨毯

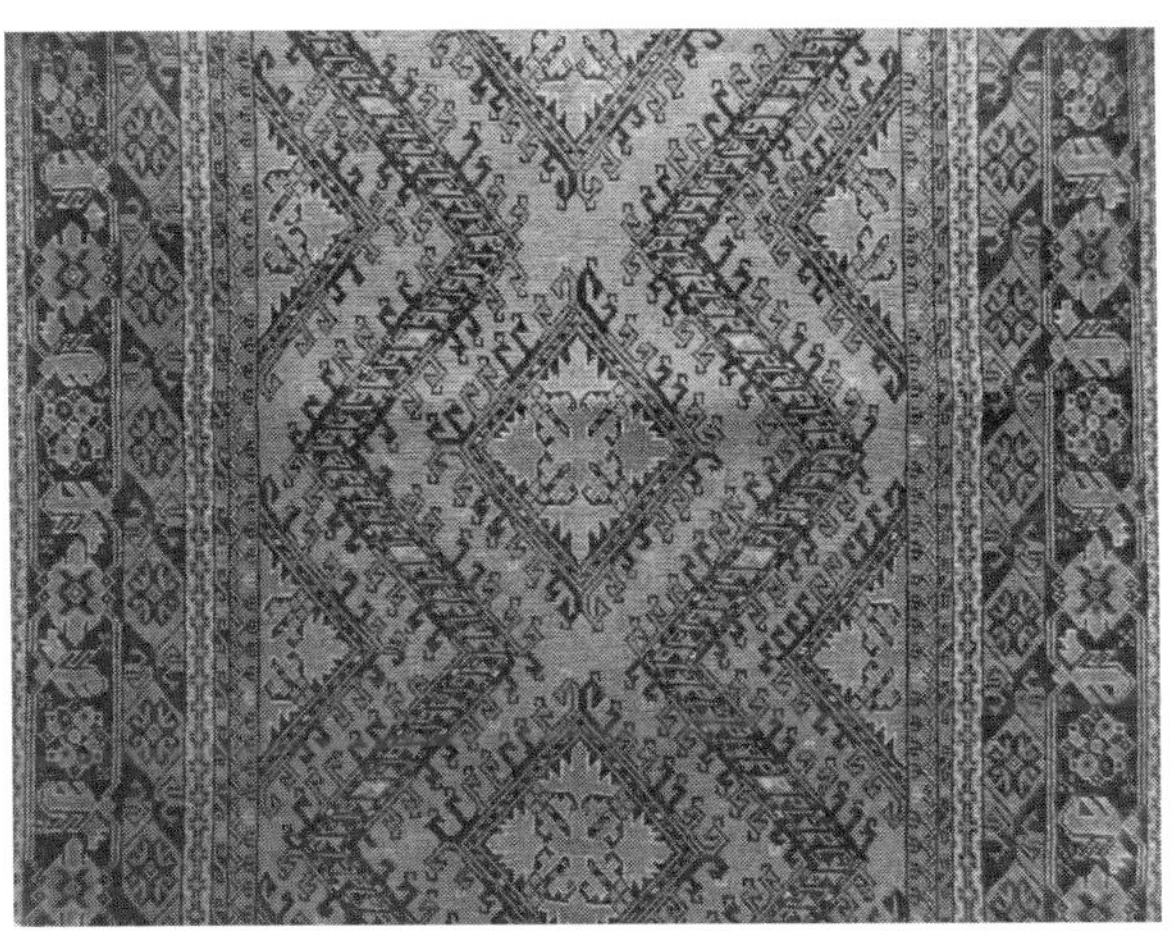

クンドゥズ産チナール紋（結び織り）

背に振り分けて使う荷袋（ホルジン）。天幕の重要な構成材である帯。駱駝や馬を飾る小物や覆い（アスマルエク・ジニアスプなど）。塩を入れるナマックダニという洒落た袋。金目をまとめてストックするプルダニという長袋。会食や宴席の食卓布（ダスタルハン）。挙げればきりがない。このように彼らは生活のいたるところで羊毛の織物を活用してきた。こうした羊毛を活用する技術がアフガニスタンで「広範に存在してきた」ことは注目に値する。

しかしながら「その技術が今後も存在するかどうかはわからない」という時が来ているのかもしれない。少なくともこれら伝統の技術のいくつかは失われていくだろう。グローバリズムが進めようとするアフガニスタンの戦場化（現代化へのショートカット）は、「手仕事でものを加工する生産の努力」より「費やす現金を追い求めること」を大事にしているようだ。１９７９年12月27日の旧ソビエトによる首都カーブル軍事制圧以来現在まで、長く40年間を越える歳月はアフガニスタンの自律性をことごとく潰してきた。旧ソビエトの軍事支配、隣国パキスタン軍情報部の破壊工作、国連と多国籍軍の偽善統治、卑怯なアメリカ軍の無人リモート軍事支配と逃亡、いずれもアフガニスタン人の役に立っていない。

とはいいつつも、私はアフガニスタン人とその絨毯に対する希望を捨ててはいない。グローバリズムや大国が無理矢理力でアフガニスタンを変えようとしても、彼の国の大部分は「羊とともに生きる」放牧と農業の地であると思う。

19～20世紀初頭のブハラやメヴルの絨毯の極みが、アム・ダリア南岸アフガニスタン在のトルクメンによって継承されたように、21世紀の今においてもアフガニスタンの諸部族に受けつがれるはずだ。あの赤地に表象された八角花紋のスタイルは、アフガニスタン在地のトポロジカルな息吹として棲み続けるだろう。そんなアフガニスタンの特産物である絨毯は、日本でもっと広く紹介されるべきである。アフガニスタンの手織物の極みを日本人が発見すれば「羊とともに生きるアフガニスタン人」の足しになる。そして日本人の美意識の足しになる。

コラム3

意外と似ている日本とアフガニスタン

安井浩美

アフガニスタンで暮らしているとどこへ行っても、こちらが日本人だとわかると、年配男性には決まって「1919年に日本とアフガニスタンは、一緒に独立したよね」といわれる。確かにアフガニスタンはイギリスから独立したが、そもそも日本はどこにも占領されていないので独立というのはありえない。この言葉に続いて日本の発展とアフガニスタンの現状を比べて「一緒に独立してこの違いはどうしてだろう」とため息をつく人も多い。

私は決まって「日本人は働き者だからねぇ」といい返す。すると「オッファリン（その通り）」と納得するアフガン人。どうやらアフガニスタンの人びとは日本に対する親近感が強いようで、日本を自分たちの理想の国として思うがゆえに、勢い余って史実と異なるいい伝えが残ったのかもしれないなと思ったりする。

カーブルに暮らし始めて20年。ふとしたときに日本とよく似ているなと思うことが多々ある。靴を脱いで家に入る、座布団に座る、床の上に敷布団で寝る、家長を敬う、主食がご飯、手でご飯を食べる、雑炊が好き、砂糖なしの緑茶が好き、あげればきりがないが極めつけはこたつを使うことである。昔日本でも使っていた練炭こたつのように鉄製の火鉢に炭をくべて足つきの机の下に置き、大きくて重い綿布団を上から掛ければアフガニスタンのこたつ「サンダリ」の完成だ。

百科事典によると日本のこたつの起源は、室町時代に遡るらしい。囲炉裏の上に櫓を組んで布団を掛けて暖をとったのがこたつの原形らしい。お隣イランではこたつのことを「コルシ」といい、主に電気器具を机の下に入れる。20世紀頃からの歴史があるとされる。コルシは、イラン、アフガニスタン、タジキスタンなどペルシア圏の伝統行事であるシャベ・ヤルダ（冬至の夜）に家族がお祝いするのに欠かせない存在である。コルシを囲んで床にすわり新しい太陽の誕生を祝うのである。

アフガニスタンのサンダリがどこから来たのかは定かではないが、識者によるとタジク人の歴史にもサンダリが登場し白檀の木で4本足の背の低い机を作ったことがサンダリの語源とか、北部アフガニスタンでは、「デッキダン」と呼ばれる日本の囲炉裏のような調理用の火をおこす場所を床に掘り、その上に低い机を置き、布団を掛けたのがサンダリの始まりという説もある。主に中央アジアの文化がもたらしたものらしい。

サンダリは、市民の間で欠かせない冬のアイテムである。サンダリは可動式なので、自宅でもお店でもどこでも、火鉢と机と布団さえあれば気軽に暖をとれる。電力事情がままならないアフガニスタンで冬場の各家庭での暖房器具は、電気を使用しない薪や石炭ストーブが主流である。ガスストーブも普及しているが寒さの厳しいアフガニスタンでは利用価値は低い。部屋全体を暖める必要のあるストーブに比べサンダリは経済的である。

大人から子どもまで冬場にサンダリで就寝する人は多いが、私は、サンダリで寝るのは好きではない。というのも必要以上に布団をサンダリに掛けるため布団の重みで眠れないのだ。日本と同じくミカンを食べながらサンダリに入りテレビを見るのは、アフガニスタンでも冬の風物詩である。

IV

多声的な文化

19

アフガニスタンの人びとの一生

★誕生から冠婚葬祭、宗教行事から儀礼まで★

出産・誕生

都市部では病院で、地方の村や山岳部では自宅での出産が通例だ。車道も整備されないような山岳地帯や都市部から離れた遠隔地域には無医村も多く、医者が出産に立ち会えないケースは多々ある。昔から産婆の役割はその村の年配女性が担い、家族のなかならおばあちゃんがその役割を果たす。免許の有無などお構いなしだ。自宅での出産が異常分娩になると、産婆の技術や衛生面、医療設備も伴わないため母子ともに生命の危険が伴う。そのために5歳未満の乳幼児の死亡率が高く、平均寿命も60歳代と短い。昨今は戦後復興に伴い地方の道路も整備されたが、残念ながら長引く戦乱で状況が大きく変わったわけではない。しかしながら2001年以降、平均寿命がおよそ10年長くなっているのは喜ばしいことだ。

子どもが無事誕生した後自宅では、家長もしくはムラー（イスラム聖職者）が赤ちゃんの耳元でコーランの一節を唱える。赤ちゃんは、これでイスラム教徒としての命を受けたことになる。男児は、生まれてすぐもしくは7歳くらいまでに包皮の一部を切り取る「割礼」と呼ばれる儀式に臨む。アフガニスタンでは

自宅で出産した赤ちゃんの誕生を祝う家族

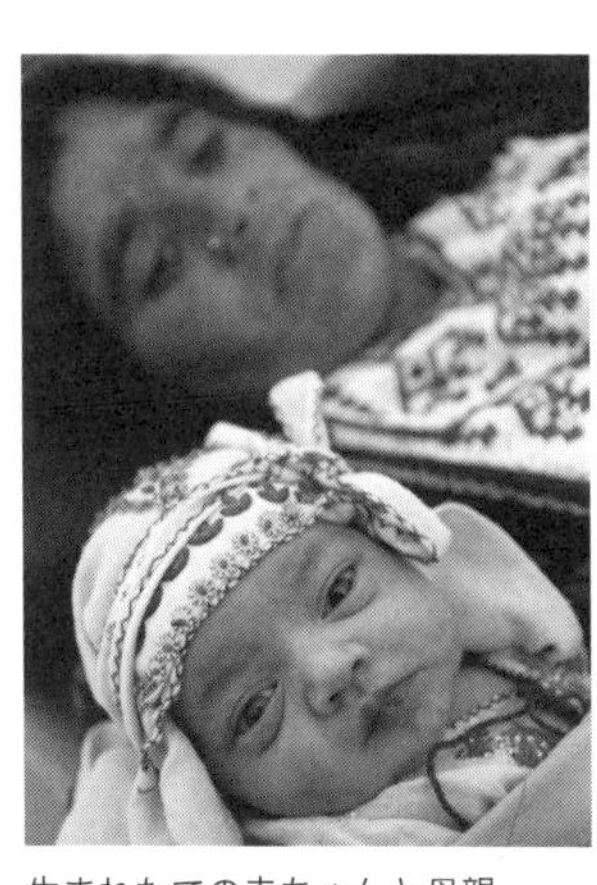
生まれたての赤ちゃんと母親

女児の割礼はおこなわれていない。インド系住民のシーク教徒も同じく、生後13日目に家族とともにダラムサラ（シーク教寺院）にお参りし聖職者が赤ちゃんの耳元で聖典の一節を唱える。アフガニスタンでは、子どもが誕生すると家の外壁を白く塗り直す習慣がある。隣人へ新しい生命の誕生を知らせるためである。

結婚

アフガニスタンの法律では男性は18歳、女性は16歳から婚姻が認められている。恋愛結婚は、アフガニスタンの慣習にはなく、恋愛自体もタブーとされる。結婚は、家族が按配する婚姻がほぼ9割以上をしめる。男性側の母親が親類縁者のなかから息子の嫁を見つけ、男性家族の女性メンバーが将来の嫁の家族に「娘さんをください」と交渉に行く。母親がハマム（公共浴場）で息子の嫁を見つけるという話もよく聞く。男女が接する機会のある大学などで男性が一目惚れをした場合、あくまでも恋愛感情があることを示さない方法で家族を相手方の家族へ送り出す。なんともはがゆい感じだが、恋愛結婚だという噂が広がると、「ふしだらな娘」と扱われ家族は周囲の目を気にし、最悪の場合「名誉殺人」も起こりかねないからである。

結婚費用は、すべて男性もちだ。結婚式は過去には新郎の自宅でおこなわれていたが、現在の都市部には結婚式場が多数あり、結婚ビジネスはアフガニスタンでも盛況である。式費用、金製品などの購入費用、結婚が決まると結納金も納める男性は、お金がかかる。

結婚式では、「ニカ」と呼ばれる婚姻の儀式がムラーと家族らによっておこなわれ、双方結婚に異議なしという旨を伝え合い晴れて夫婦となる。「ニカナメ」といわれる結婚証明書が発行される。イスラム社会では、高額な結婚費用を準備できず結婚できない男性も多い。そんな男性のために政府や自治体が主体となり100組の結婚式をまとめておこなう合同結婚も各地でおこなわれている。都市部では核家族化が進んではいるものの、結婚後は嫁は男性の家族の家に入るのが通例。初夜には、赤いバラの花びらを散らしたダブルベッドがお決まりで嫁の貞操を確認するために白い布が渡される。アフガンでは、イスラム法にもとづき4人まで妻を持つことができる。新婚旅行に行くカップルは、経済的な面からもまだまだアフガニスタンでは少数派である。

臨終・葬祭

人が亡くなるとまず、モスクに付設する遺体洗い場で亡くなった人と同性の手で遺体を洗い清める。そして「カファン」と呼ばれる白い布にくるまれ担いで自宅へ帰り、木製の棺桶に納められる。家族との対面はこの時が最後だ。葬式は、モスクでおこなわれるため女性は参加しない。モスクでは故人のための祈りが捧げられ、そののち墓地へと遺体を運び、あらかじめ掘っておいた2メートルほどの墓穴に埋葬される。埋葬時にもイスラム教の教義にのっとりムラーが葬式の聖句を詠み祈りが捧げられる。遺体の顔は、イスラムの聖地サウジアラビアのメッカの方向を向き、土をかける前に「モスルマン（イスラム教徒）神の元土に返る」と唱えると参列者は一斉に「アッラーアクバル！（神は偉大なり）」と言葉を返す。遺体の埋葬について厳しい決まりはなく、埋葬箇所も墓地内ならば場所を問わない。ほかのイスラム諸国のように進んだ葬送システムはアフガニスタンにはない。

少数派のシーク教やヒンドゥー教のインド系の住民の場合、遺体を火葬にする。500キログラム分の薪を使って遺体は決められた場所で荼毘（だび）に付される。遺灰は、集められ流れのある清らかな川に流される。現在は、カーブル、ガズニ、ヘラートの3州に約400人のインド系住民が暮らす。40年ほど前には35万世帯がアフガニスタンに暮らしていたが、長年の戦乱やテロによる攻撃などで、その姿が近い将来には歴史から消えてしまうかもしれない。

最近亡くなった軍人の息子の墓に参る母親

宗教行事と儀礼

アフガニスタンの新年は太陽暦の3月21日。「ナウ・ローズ」と呼ばれ、アフガニスタン各地のイスラム聖者廟では、「ジャンダ・バラ」と呼ばれる聖なる旗を掲げる儀式がおこなわれる。北部マザーレ・シャリフにあるハズラト・アリ廟では、毎年盛大に「ジャンダ・バラ」がおこなわれ、アフガニスタン各地から多くの人びとが訪れる。聖旗は、40日間掲げられ、その間聖者廟には、病に苦しむ多くの人が祈願に訪れ奇跡を待つ。なかには、「目が見えるようになった」などという人の話も聞かれ、人びとの期待をいよいよ一心に集めている。新年には、「ハフト・メイ

新年のジャンダ・バラのお祭り

アーシュラーの哀悼祭

ワ」と呼ばれる7種類のドライフルーツを水に漬けたものを食べるのが習慣だ。

アフガニスタンでもほかのイスラム諸国同様年二回の祭日は大切である。イスラムのお祭りのことを「イード」といい、いずれもイスラム教徒に課せられた義務の一つで、断食が明けたお祭り「イード・アルフィトル」とメッカへの巡礼が明け動物犠牲を捧げるお祭り「イード・アルアドハ」は、盛大に祝われる。いずれも日本のお正月やゴールデンウィークのように3日間と4日間の祭日となり、人びとは晴れ着に身を包み親類を訪問したりしてイードを祝う。特に、イード・アルアドハは、牛や羊を犠牲に捧げ、一部を貧しい人びとに振る舞い、残りを家族や親戚、友人にも分け与える。子どもたちは「イーディー」と呼ばれるお年玉を楽しみにしている。ヘジラ暦の第1月（ムハッラム月）の10日は「アーシュラー」と呼ばれ、イスラム教スンナ派やシーア派の信者にとっては大切な日とされている。

特に、シーア派の人は、イラクのカルバラでウマイヤ朝軍に虐殺された3代目イマーム・フセイン（預言者ムハンマドの孫）を殉教者とみなし、その死を悼み哀悼祭をおこなう。信者らは、黒い衣服に身を包み音楽に合わせて胸を手や鎖でたたき哀悼の意を表す。モスクや道路脇などに屋台を設け、シャルバットと呼ばれる甘い飲み物が振る舞われるのもこの折りである。

（安井浩美）

20

アフガニスタンの人びとの暮らし

★民族や宗教で異なる衣食住★

多民族国家のアフガニスタンでは、民族や居住地域によって独自の文化やライフスタイルがある。そして、海のない内陸国は、北にタジキスタン、ウズベキスタン、トルクメニスタン、南にパキスタン、東に中国、西にはイランと古来さまざまな文化を育んだ国々がアフガニスタンにあらゆる面で大きく影響を与えてきた。

衣

男性の民族服は、隣国パキスタンの民族服のシャルワル・カミーズと同じである。アフガニスタンでは、ペラン・トンボンと呼ばれる。ペランは、体の線が見えないくらいのゆったりした長袖の丈の長いシャツ、トンボンは、仕上がり寸法2メートル強のウエストに紐を通してお腹周りにギャザーを作ってはくズボンのこと。夏場はコットン地、冬場はウール地で縫製される。布の色は個人の好みもあるが、白地のペラン・トンボンは正装としても用いられる。なかには目の覚めるような青や赤色を着用する若者もみられる。昨今、若者の間ではジーンズとシャツやスーツにネクタイなど洋服を愛用する傾向にある

チャパン

が、町中を行く人びとの圧倒的に多くがペラン・トンボンを着用している。地域や民族によりペラン・トンボンのスタイルも若干異なり、パシュトゥン人の多い南部では、明るい色目を好み、ペランの丈が長めでトンボンの裾も幅広なのが特徴。北部では、トルコ系住民も多く、ラウンドネックのペランが好まれるようで冬場には「チャパン」と呼ばれる綿入りのコートを着用する。インド系住民も同じくペラン・トンボンを着用するが、ゆったり目ではなく細身で頭にはカラフルなターバンを巻いている。2001年、戦後最初のカルザイ大統領が着用した「ジェラック」と呼ばれる袖の部分が長く羽織って着るロングコートも好んで着用される。ペラン・トンボンと一緒にベストと「ディスモール」と呼ぶ大判のスカーフ、そして頭にはパコールやコラ、カラクリ帽とよぶ子羊の毛皮を張った高価な帽子などを着用する。

女性の民族服は、カラフルな刺繍や古銭、金属製の装飾などを縫い付けたワンピースに足首を絞りプリーツをたっぷり使ったズボンをはくパシュトゥン遊牧民が普段から着用する「ガンデアフガニ」。「ペラン・ハザラギ」と呼ばれるブルーやグリーンに白色の刺繍を施したウエストで切り替えのあるワンピースとズボンのスーツ。タジク人は、独特の大柄でカラフルな刺繍を施した体の線がまったくみえないくらいゆったりしたワンピースとズボン。トルコ系ウズベク人は、「カサバ」と呼ばれる山高帽子に「グルバダン」と呼ばれる赤を基調とした首回りに刺繍を施したワンピースとズボンを着用する。バルチ族の女性は、幾何学模様のカラフルな刺繍を施したペランに大きなポケットがついているのが特徴だ。過去には各民族が普段着として民族服を着用していたが時代を経るごとに簡素化され、現在はほとんどみられなくなった。しかしながら民族服は民族衣装として、結婚式やイード（イスラムの祭り）などで着用され、晴れ着として現在にも生きている。

食

アフガニスタンの食文化も民族や地域によりさまざまだ。南のインド・パキスタン料理は、香辛料をたっぷり使い、味付けも辛い。お茶は、ミルクと砂糖がたっぷり入ったミルクティーが主流だが、古来シルクロードの旅人もアフガニスタンに入り料理の味が大幅に変わることに気づいたにちがいない。「インド人殺し」の異名をもつヒンドゥクシュ山脈がその名の通り、インド商人の香辛料の普及を阻んだかどうかはわからないが、アフガニスタンに入ったとたんに料理の味がトマト味で辛さのないものに変わり、緑茶や紅茶などミルクなし、砂糖なしのお茶が愛飲されている。アフガニスタン以西のイランやトルコでは、辛い料理はなくなり、お茶にもミルクは入らなくなる。

主食は、ナンと呼ばれるパンとご飯。カブリパラオは、長粒米とにんじんや干し葡萄、トマト、タマネギを肉汁で炊き込む日本の炊き込みご飯のような料理である。中央アジアのイスラム文化圏一帯で食べ

食事風景

られ、アフガニスタンでも最もポピュラーな料理の一つ。ティムール朝のトルコ人兵士らが野菜と肉を一度に食べられるようにと考案されたといういい伝えも残る。

アフガン人の大好物といえば「ショルワ」。肉とジャガイモ、にんじんなどをポトフのように圧力鍋で煮込む料理で、スープにナンを浸して食べるのが一般的。料理をする上で欠かせないのが圧力鍋だ。首都カーブルが1900メートルの高所のため沸点が低く調理に時間が掛かる。そのためアフガニスタンでは、肉料理には圧力鍋が必須だ。

在住するインド系住民も食生活はアフガン人とほぼ同じだが、シーク教徒やヒンドゥー教徒は牛肉を食べない。いうまでもないがイスラム教国のアフガニスタンには豚肉は売っていない。

住

タリバン政権崩壊後、多くの難民が帰還した首都カーブル。都市部では高層マンションの建設がおこなわれ、マンションには中級クラスの若い夫婦が多く暮らしている。都市部に限れば高級住宅地と呼ばれる区画整理された地区がいくつかあり、庭付き一軒家が軒を並べる。都市部では、住宅難がいまだ大きな問題で、子どもの多いアフガン家庭では、家族8人が一つの部屋で生活するということも珍しくない。政府が区画整理をしたエリアには、電気や水道が整備されているが、それ以外のカーブル市内にある丘や山の斜面に建設された家々には、電気があっても水道のある家はない。そのため家主は、給水車で売りにくる水を生活用水として購入しなければならない。

電気は「ベルシナ」といわれる電力会社が国内の電力供給を担当している。しかし、自国の発電所のみではまかなえず、近隣のウズベキスタン、タジキスタン、トルクメニスタン、タジキスタンから電力を購入し市民に供給しているのが実状である。それでも十分ではなく、首都でも24時間の電力供給には至っていない。長引く戦闘でたびたび送電線が破壊され、電力供給が停止することもたびたびある。

北部バダフシャン州や中央部バーミヤン州などの地方ではいまだに道路の整備が進まない地域も多々あり、車道のない山岳地や遠隔地では電気はおろか水道など皆無である。人びとは泥と土や岩でできた家に暮らし、泉や井戸の水を飲料水とし、川の水を生活用水として使用する生活を強いられている。

アフガニスタンでの暮らしは、都市部では経済的に余裕があれば何でも手に入り快適に生活することができるが、貧困率の高いこの国では、日々暮らしていくのが精一杯の人びとも少なくない。ましてや地方では、農業以外に産業のないところがほとんどで、そのため一家の働き手が警察官や軍人として就職するが戦闘に巻き込まれ殉職するという事案も少なくない。

（安井浩美）

典型的な土でできた家屋

薪拾いに行く女性たち

21

アフガニスタンのコミュニケーション事情

★戦後変化を遂げたマスメディアと娯楽★

1990年代に恐怖政治を強いた旧政権のタリバン。女性の権利を最大限に奪い、外出時にはブルカ（頭からすっぽり被るヴェール）の着用を義務付け、イスラムの戒律に背くものは鞭打ちや公開処刑も辞さないタリバンの蛮行を覚えている方も多いことだろう。

タリバン政権時には、アフガニスタンの人びとの「知る権利」が剝奪されていたといっても過言ではない。ジャーナリストの活動は制限され、テレビやラジオも宗教チャンネルのみ。歌謡曲や娯楽映画の鑑賞ももちろん禁止。勧善懲悪省と呼ばれる国民のモラルを取り締まる役所が存在し、車中で音楽のカセットテープを聞くことも禁止され、見つかれば没収、鞭打ち刑をおこなうこともあり、人びとを苦しめた。

それでもアフガニスタンの人びとは、衛星アンテナを密かに設置し、テレビやビデオの視聴を唯一の娯楽手段としていた。電力供給の不安定なアフガニスタンで、内戦中やそれ以前から人びとの情報の収集源は、電池で作動するラジオが主流だった。ラジオ以外の当時の情報入手手段としては、礼拝をおこなうモスクもあげられる。人びとの情報交換の場としてモスク、

「シューラ」と呼ばれる地域ごとの自治会のような寄り合いも重要な役割を果たしたのである。しかしながら、いずれの場合も男性のみが参加できたことを付け加えておきたい。こんな息の詰まる国民の生活を一転させたのが2001年のタリバン政権の崩壊とその後のカルザイ政権だった。

2002年カルザイ政権誕生後、国営テレビ（RTA）のみだったテレビ局は、トロ、アリアナ、リマール、シャムシャットなど瞬く間に民間局が開局し、テレビはラジオに取って代わり、重要な情報源となった。アフガン政府によると2019年時点では200以上のテレビ局がアフガニスタン各地に開局しており、半数はカーブルを起点に放送している。国内の人気テレビ局トロテレビが開局した年に初めてインドのテレビドラマが放映された。『トルスィ』と題されたドラマは、主人公トルスィを中心にインドの上流階級の家庭生活をドラマ化したもので、国民を一瞬で釘付けにしてしまった。ドラマの始まる夜8時になると、街や道路はもぬけの殻で、初めて見る連続ドラマに皆が夢中になったことが思い出される。

現在では、インド・ドラマに並んで恋愛やアクション、歴史物などのトルコ・ドラマを各局こぞって放送し、人気を集めている。国内外のニュース番組を初めとしてクイズ番組や歌番組、料理番組、政治討論会や子ども向けのプログラムなどあらゆる分野の番組をテレビで見ることができ、少しばかり人びとの教養を高めているといえるだろう。

スポーツも盛んになり、クリケットは世界有数のチームに成長。テコンドーでは、2008年の北京オリンピックで全競技を通じて初となる銅メダルを獲得した。スポーツ専門のプログラムやチャンネルもあり、サッカーのアフガンリーグやK－1グランプリなどの格闘技もテレビでみられるようになった。

アジア財団の調査によると、2019年にテレビを視聴できている人びとは全人口の7割弱で、都市部ではほぼ9割の人びとがテレビを視聴し重要な情報源となっているとしている。アフガニスタンで娯楽といえば、戦時中はピクニックに行ったり親戚や友人を訪ねたりするのがせいぜいだった。しかし、テレビやインターネットの普及で人びとの生活が大きく変わった。例えば、『アフガンスター』と題した視聴者参加型の番組は、ソーシャルメディアや携帯電話のSMSを使用して、お気に入りのスターに投票する。一般の人びとが出演する番組を楽しみながら視聴するだけでなく、参加することで他人事の話がいつしか身近な話になり、人びとに物事に対する興味や考える機会を与えているのだ。戦後復興段階のアフガニスタンでは、今まで心配事ばかりだった人びとに、テレビは新しい楽しみを提供し、人生の楽しみ方を教えているといえるだろう。

トロテレビ「アフガンスター」の初代スターのシキブさん

テレビ以外のコミュニケーションとしては、依然ラジオは根強い。1970年代には国内のほとんどの家庭がラジオを所有しておりそれは現在も変わらない。国内電力の供給が100％でないアフガニスタンでは、地方ではテレビよりもラジオの方がいまだに需要が高いのである。国内には200以上のラジオ局があり、公用語のパシュトー語、ダリー語、ウズベク語などで放送されている。特に、リスナーと電話で会話し、音楽を流すスタイルのラジオ放送は、アフガニスタンでも人気だ。

アフガンワイヤレス（AWCC）会社が2002年に携帯電話を初めてアフガニスタンに導入、以後急速な携帯電話の普及により、Roshan, MTN、Etisalatなどの外国資本の電話会社が次々に参入、インターネットのアクセスが国内でも可能となったことでフェースブックやツイッターなどのソーシャルメディアでのコミュニケーションも多様化し始めている。アジア財団によると国民の半数は携帯電話を所持しており、都市部では4割強、地方部では2割強の人びとがインターネットにアクセスしているとしている。2020年からのコロナ禍では、お互いの行き来がままならないなか、親戚付き合いが大切なアフガニスタン人にとって、亡くなった家族の情報を知らせる伝言の場としてフェースブックが大いに活用されていた。ソーシャルメディアは、外出の少ない女性たちの間でも人気で、料理やファッション情報、海外に暮らす家族や友人と連絡を取る手段としても大いに役立っている。

国内には、およそ1500の新聞が発刊されている。Anisなど政府系の新聞やDaily outlookなど英語の日刊紙もあり、外国人にとっても有意義な情報源になっている。ただ、識字率の低いアフガニスタンでは、新聞などの印刷物の情報発信はテレビやラジオなどに比べると需要は低い。選挙ポスターなどの広告物に関しては需要も高く人びとの関心も高いといえるだろう。

戦時中、唯一衛星電話で海外にいる家族や友人などと話ができた場所は、カーブル市中心部にあるアフガン郵政省の建物内にある郵便局だった。現在は携帯電話も普及し衛星電話の需要はないが、「アフガンポスト」として、国内外からの郵便物や小包を扱っている。国際宅急便の扱いや切手販売もしており、マニアにはたまらないレアものの切手が見つかるだろう。

2021年8月、タリバンの復権でテレビのドラマはなくなり、100以上のテレビ局や新聞社も活動を停止している。

（安井浩美）

22

アフガニスタン人の娯楽と芸能模様

★演劇・音楽・舞踊について★

結婚式の余興には音楽会とダンスが欠かせない。イードなどイスラム教の例大祭でも、集団礼拝や共食から成る祝祭集会のなかでは、民族舞踊をともに踊ったり、招いた歌手のコンサートを楽しんだりするプログラムは欠かせない。男性と女性がすべてを同じ場所で共有することはできないが、自ら踊り、歌を聴くという娯楽の図式は変わらない。一言でいえば、アフガニスタン人は男女ともに慣習的に歌と踊りが大好きだ。そこで本章では、アフガニスタンで体験できる大衆娯楽から、歌舞音曲とその芸能に焦点をあてて紹介してみたい。

歌と踊りとがともに楽しめる芸能が、演劇、それも大衆芝居で、舞台芸能を包括するタマーシャ（見世物、劇、芝居）というペルシア語で表される。

見世物的大道芝居や曲芸、私邸や娼館などで非公開に催されてきた歌や踊りの記録は残らないが、アフガニスタン近代演劇の記録は存在していた。１９２４年、西洋化改革を推進したアマヌラ・ハーンを迎えて、首都カーブルの北部パグマン村で上演された『バハール（春）』がアフガニスタン史上初の近代演劇作品である。複数の作家たちの合作でダリー語で書かれたこの作品は、1919年に完全独立達成を受け、王国主導の改革の成功と国民意識の昂揚を謳ったものであった。また、同時期に、カーブルに開かれたパミール劇場で、エミール・ゾラの『ナナ』が上演され、演劇・劇場（ティヤータル）の歴史が始まる。

その後、創立された国立カーブル劇場は、たび重なる政権交代と戦禍に翻弄されながらも、アフガニスタン演劇の中枢拠点として、カーブル大学芸術学部と連携をとりながら、全国演劇祭、学生演劇祭やプロデュース公演を主催し鋭意活動中である。

近年では、1973年に設立された劇団としてのアフガニスタン国立劇場（NTA）と1968年に設立され2010年に改築されたフランス文化センターが、主にヨーロッパとアフガニスタンの演劇交流の基盤となっている。

現代アフガニスタン大衆演劇の先駆的モデルは、「教育的にも社会的にも有益な事業である」としたヘラート市の識字協会によって1930年代に提唱され、1940年代末に創設されたヘラート・ナンダーレイ（ヘラート劇場）から始まる。客席は250席、若干の女性や家族用観覧席を設えた公立のこの劇場では、市井のトピックスを面白おかしく掛け合いで見せる話芸、身体性を強調したコメディー、人気の高い歌手と歌で構成される歌謡ショー、そしてダンサーの舞踊ショーが、座付き楽団の生伴奏とともにおこなわれていた。

当初、俳優は全員男性で、男の役者が女役を演じていた。のちに政策が寛容化されるにつれ、女優、女性歌手、女性ダンサーたちがブルカを脱いで舞台上に現れることになる。男性も女性も、専門の訓練を受けた芸能人であり、舞台が終わり、乞われれば私邸で密かな宴会や夜伽の相手なども務めるプロでもあった。

このタマーシャが母体となって、俳優、歌手、音楽家のほとんどが、時代が変わるにつれラジオやテレビなどに舞台を移して活動していくことになるのだ。もちろん一部には、非タマーシャ系で、西洋的教育も受けたインテリ、または一般市民クラスの卓越した芸術家肌のプロフェッショナルも存在する。しかし、通常は「芸能人＝タマーシャ出身者」の図式が社会的認識であるといってよい。

昨今はアフガニスタンでも、職能楽師ではない、一般人の男女が不特定多数の公衆の前で、自ら歌や踊りや楽器演奏の妙技を披露できるようになった。その契機となったのが、カーブルの民間テレビ局が制作した２０１９年で15年期を迎える『アフガン・スター』として有名なオーディション番組だ。

著名なプロ歌手たちがゲスト演奏し審査員として批評してくれる。予選から勝ち抜いていくと、その先にプロの歌手としてデビューの可能性もある。テレビでオンタイムにだけ観られていた昔と違い、インターネットを通して、いつでもどこででも手元のスマホで、私的に観ることができるようになった時代にマッチしたことが人気の秘密であろう。

オーディションは、ポップス部門、ガザル（準古典歌謡）部門、民謡部門からなり、近隣のタジキスタンやウズベキスタンからも挑戦者が集まる。音楽学校や私塾に通って流行歌（はやりうた）や準古典声楽をお洒落に訓練してくる都市生活者のみならず、ウズベク人やハザラ人に特有な弾き語りなどで勝負してくる挑戦者もいる。ポピュラー音楽の黄金時代といわれる70年代懐メロから最新のヒップホップまで、およそアフガニスタンで聴かれているあらゆるジャンルの音楽がカメラと聴衆の前で競われる。

男性なら、セレブ階級の出身でアフガニスタン歌謡界の大歌手であった故アフマド・ザーヒルを筆

オーベ（Obeh）の大道音楽家たち
（撮影：縄田鉄男、1961年）

頭に、父親に隠れて匿名歌手として活動し古典も歌えるナーシュナース、２０００年代を代表するマルチ才能の実力派歌手ファルハード・ダリアなどの歌が好んで歌われる。女性ならアフガニスタンで初めてウスタード（巨匠）の称号を与えられた歌手マフワシュ、イランの大歌手グーグーシュ、対ソ戦争中にパキスタンでの亡命生活で苦労したナグマ、そして『アフガン・スター』の象徴ともいえる若きポップスターことアーリヤナ・サイードなどの歌もめざすところにある。

全国区のテレビには出なくとも、各州には各民族・部族ごとに、それぞれの言語とリズムで民衆に寄り添った、豊かで多様性に富む民謡が、マハリー（地域的）と呼ばれ根付いている。

アフガン琵琶ことラバーブは、その豊かに澄みとおる極彩色の音色は無双であり、アフガニスタン民族音楽のアイコンと位置付けられる楽器である。

祝賀の際には、アタンと呼ばれる輪舞がおこなわれる。大祭の広場で、婚礼の中庭で、路上の炊き出し場で、男女は踊り場を同じうせずに、各々の場所で喜びを競うように熱狂して踊る。基本的に、ゆっくりしたテンポから始め、徐々にスピードを上げていく太鼓叩きの楽師と勝負して、どちらかが力尽きるまで踊りつくす。もともとパシュトゥン人の民族舞踊で、地域と部族によって舞踊様式は異なっているが、他民族を交えて踊るときも、日本の盆踊りと同様で何とか形になるものである。

ヘラートの往時のタマーシャを除いては、現在も味わえるアフガニスタン人の娯楽を数えてみた。歌と踊りが大好きなアフガニスタン人とともに、それらを楽しめる日が遠からぬことを願っている。

（村山和之）

コラム4

ブズカシ

関根正男

ブズカシは山羊を引っ張る（奪い合う）という意味で、馬に乗って山羊の死骸を奪い合う伝統的なチーム競技である。アフガニスタンと中央アジアで人気がある。ゲームといっても、それは、部族と男らしさを賭けた壮絶なもので、連盟公式ルールでは禁止されているが、地方ではルールに従わず鞭で相手を叩いてもよく、ときには死者も出る。それには、優れた騎馬技術が要求される。

競技は、屠殺した山羊や子牛の死骸を奪い合う騎手（チャパン・ダーズと呼ばれる）によっておこなわれる。騎手は山羊の死体を地面から拾い上げ、特定の場所を回り、最後に、通常は競技場のマークされた円のなかに置くことで勝利する。騎手はスキルを身につけるため長年の訓練が必要である。

ブズカシで使用される動物は通常屠殺され、その腕と脚は膝から下に切り落とされる。死骸は冷たい水に24時間ほど浸されると硬くなる。ときには、死骸に石を詰めて体重を増やす。

映画『ホースメン』には、このブズカシが全編にわたって描かれている。冒頭、バンデ・アミールを見下ろす崖の上に、白馬にまたがった騎手が、長いアルプホルンのような響きとともに写されるシーンはすばらしい。

起源はサカ（スキタイ）の時代に遡るといわれ、アフガニスタンのほとんどの民族グループが一般的におこなう。北アフガニスタンで非常に人気があり、これらの人びとの間で文化的なスポーツとして知られている。現在、南部の州を除いた28州に選抜されたチームがある。ブズカシを国技と紹介している記事があるが、正式に定められているわけでない。やはり、ここにも多民族国家という複雑な事情がある。タリバン政権中は、主にハラール肉の動物の死体を用いたため禁止された。

タジキスタン、ウズベキスタン、トルクメニスタン、キルギス、カザフスタンなどの国々は、ソビエト政府からの独立後、ブズカシを広めた。中央アジアの8～10ヵ国が近い将来にワールドカップを主催する計画をもっている。また、スペインの闘牛のようにグローバル化を目指している。

イラニカ百科事典によると、アフガニスタンのブズカシは歴代の政府の支持を得ており、ザーヒル・シャーの時代（1973年まで）には、これらの競技は王室の誕生日パーティーと同時に開催された。

この競技は結婚式や割礼に合わせておこなわれるのが一般的で、山羊の死骸を地面から持ち上げた場合や、ハラールサークルに移動している場合は、山羊を鞭打ちする権利がある。怪我を防ぐために、

アフガニスタン・ブズカシ連盟による規定

1　各チームは10人。ハーフゲームに参加できるのは、各チームから5人の騎手のみ。
2　鞭で騎手を打つことは禁止。
3　ゲームの時間は1時間45分。ゲームの各半分は45分。15分の休憩がある。
4　競技場は、長さ400メートル、幅300メートル。
5　山羊の重さは50キログラム以上。
6　騎手を故意に傷つけることは禁止。
7　ゲームはレフェリーが管理し、試合時間を増減する権利を有する。
8　馬の鞍の重量、鞭の長さなどの規定がある。

紙幣に描かれたブズカシ

騎手は最近、保護キャップ、レギンス、および膝ブレースを着用する。この競技では、手足を傷つける可能性が高く、騎手が命を落とすこともある。

アフガニスタンの歴史のなかで最も有名なブズカシ騎手の英雄はターシュ・パフルワン（石の英雄を意味する）で、身長2メートル、体重190キログラムで、その美しさで有名だったが、1981年に不明な死を遂げた。

アフガニスタン北部には数千頭の牛、山羊、羊を持つ大きな部族長、ハーンがいる。ハーンは14歳から18歳までの強い若者にチャパン・ダーズとなるよう訓練する。これらの若者は、数年にわたって訓練を受ける。ハーンは最高の馬を提供するよう努めている。彼らは、馬の世話をするために数人を雇っている。

2016年、ブズカシ連盟は、動物の権利の擁護者による抗議を受けてルールを制定し、山羊や子牛の死骸の代わりに、50キログラムの動物でないものを使用する。しかし、このルールはあまり守られていない。

映画『ホースメン（The Horsemen）』（1971年）の原作はジョゼフ・ケッセルの『騎馬の民』で、ブズカシを主題とする。インド映画『神の証人』は、ブズカシのシーンから始まる。

23

映画から見たアフガニスタン

★外部者の眼から映像の自己表現へ★

一口にアフガニスタンの映画といってもアフガニスタン人が制作したという意味での「アフガニスタン映画」について、私のなかに何らかの具体的なイメージがあるわけではないが、他方でこれまで革命後のイラン映画の文脈で「アフガニスタンを題材にした映画」ないし「アフガニスタンを描いた映画」についてはモフセン・マフマルバーフ監督の作品を中心にいくつかの重要な作品を紹介し論じてきた。そこで本章では主にそれらの作品を順に再検討することで責を塞ぎたいと考えている。併せて日本人の監督によるアフガニスタン関係の歴史的な映画を紹介しておく。

まずイラン人の監督によるアフガニスタン関係の映画として筆頭に挙げなければならないのはモフセン・マフマルバーフ監督（1957年〜）の初期の代表作『サイクリスト』であろう。8年間に及んだイラン・イラク戦争が終結した1988年に制作され2年後の1990年に公開されたこの作品は公開当時イラン国内で大変な評判となり、さらにそれがあのアッバース・キヤーロスタミー監督との奇跡的な共作である『クローズアップ』（1990年公開）のモチーフにも繋がっていくのであるが、そのようなイラン映画史上のエピソードはともかくとしてここで注目すべきはその内容である。同作でアフガニスタン出身のモハッラム・ゼイナルザーデが演じる主人公のナスィーム（「そよ風」という意味）はソビエトのアフガニスタン侵攻による隣国イランへの難民のひとりであったが、病に伏した妻の治療費稼ぎのため頼りにしていたオートバイの曲乗り師の紹介で「1週間昼夜を問わず自転車に乗り続ける」という興行を国境近くの町で打つことになる。その間の喜悲劇がこの映画の中心だが、マフマルバーフはイラン革命から数年後のこの時点でなぜこのような映画の制作に思い至ったのだろうか。

1979年のイラン革命を未成年の政治犯として収監されていた監獄からの解放として迎えたマフマルバーフにとって、その直後からの革命防衛のためのイラン・イラク戦争、そしてそれに並行するようにソビエトの侵攻に見舞われて以降のアフガニスタン国民の苦闘は決して他人事ではなかった。それは革命を経験したイラン国民にとっても同様であり、『サイクリスト』が国内で圧倒的な反響を得た理由もそこにあったただろう。

その後マフマルバーフは『カンダハールの旅』でもう一度アフガニスタンに立ち戻る。この作品は『サイクリスト』から10年余りを経た2001年の制作であり、同年の9・11アメリカ同時多発テロおよびそれに先立つ同年3月のバーミヤンの石窟大仏爆破事件が同作の制作および公開時期に重なっていたことはこの作品への世界的な注目と評価を決定づけることになった。それは「アフガニスタンの仏像は破壊されたのではない。恥辱のあまり崩れ落ちたのだ」というマフマルバーフ自身の印象深い言葉からも伺える（現代企画室から同名の著書が刊行されている）。また、これをきっかけにしてマフマルバーフは家族を伴ってアフガニスタンに入り、長女のサミーラー・マフマルバーフは『午後の五時』（2002年）と『二本足の馬』（2008年）、次女のハナ・マフマルバーフはいくつかのドキュメンタリー映画と『子供の情景』（2008年）などの映像作品を残している。また、そこからセディク・バルマク（代表作は『アフガン零年（原題 *Osama*）』（2003年））を筆頭にアフガニスタンにおける映像表現の担い手が羽ばたくことにもなるのだが、彼らのその後の活動については残念ながら詳しいことは伝わっていない。

また、イラン人の監督によるアフガニスタンに取材した映像作品として、マジード・マジーディーの『少女の髪どめ（原題 *Baran*）』（2001年）を逸することはできない。マジーディーは26歳でモフセン・マフマルバーフ監督の『ボイコット』（1985年）に主演し、役者として映画界にデビューするがその後マフマルバーフとは袂を分かち、現在では巧みな構成で豊かな情感を伝えるイラン映画を代表する監督である。この作品ではテヘランに住む少年とアフガン難民の少女の淡い交流が主題であった。

なおエブラーヒーム・ハータミーキヤー監督の『紅いリボン』（1999年）においても名優レザー・キヤーニヤーンの演じるアフガニスタン難民が重要な役割を担っている。この作品でハータミーキヤー監督はイラン・イラク戦争の前線地帯を舞台にしつつ戦争一般について独自の映像的な考察を加える。ハータミーキヤー監督はもともとイラン・イラク戦争の記録映画作家から出発しており、イラン映画のなかでも戦争映画およびその展開としてのアクション映画という独自の作風で注目されてきた監督である。

日本でも2001年の9・11アメリカ同時多発テロ事件以来アフガニスタンに対する社会的な注目度は格段に上がり、NHKや民放をはじめ多くのドキュメンタリー作品が作られてきたが、ここではそれ以前の日本人によるアフガニスタンを主題にした映画を2本ほど紹介しておこう。1本は1955年の京都大学カラコルム・ヒンズークシ学術探検隊（隊長・木原均）の記録映画である『カラコルム』（1956年）で、木原ゆり子氏および関根正男氏の尽力で2009年に再上映され、私もこの時に拝見して深い感銘を得た。もう1本は土本典昭監督の『よみがえれカレーズ』（1989年公開）で、これは1980年のソビエト侵攻以来のアフガン戦争で疲弊しきったアフガニスタンの1988年当時の政治状況をカーブル、ジャララバード、ヘラート、バルフなどに取材しつつ描いたドキュメンタリー作品であった。

なおアフガニスタン国内でも映像表現による社会の現状の記録・発信への真摯な取り組みがなされてきたことは、例えば2013年の山形国際ドキュメンタリー映画祭に出品された『モーターラマ』（正しくはモフタラメ、「尊重されるべき女性」の意）からも窺える。この作品は2010～2012年頃のヘラート、カーブル、マザーレ・シャリフに取材しつつ各地でアフガニスタン女性が置かれた厳しい政治的現実を描いた秀作である。

こうしたアフガニスタン人自身による映像表現の担い手たちにさらに多くの発信の機会を提供すること、そしてアフガニスタンの国民が2001年前後と同様に現在もなお抱えている政治的・社会的な問題に日本やイラン、さらに世界の関心を繋ぎ止めていくことが、同国の国内情勢の暗転が深刻に危惧される中で最優先課題の一つであると改めて考えているところである。

（鈴木 均）

24

アフガニスタンの遊牧民

★その歴史と多様性★

アフガニスタンの遊動的な人びと

アフガニスタンには、多様な生業活動にたずさわる遊動的な、すなわち一つの場所に定住しない人たちがかなりの人口存在している。これらの人たちは、ときに国境を越えてパキスタンやイランにも移動して行くので、その人口規模は正確にはわからない。なかでもかなりの人口を擁すると思われるのは、麦や葡萄などの収穫期に合わせて農作業を手伝い、その手間賃をかせぐ貧しい人びとである。農繁期になると農村の周辺に、彼らの粗末な木綿のテントが二つ三つとみられるようになる。収穫作業が終わると、彼らはつぎの仕事を捜して移動する。綿打ちをする職人、鍋などを修理販売する鍛冶屋の遊動民もいる。珍しいところでは、遊動民の散髪屋もいる。男性の成人式の割礼をしたり、結婚式で楽師や踊り子となる。なかには女性成員が売春すると噂される人びともいる。

これらの雑多な生業に従う遊動的な人びとをまとめてサービス・ノマッドと総称する。これに対して、牧畜を主要生業とする遊動的牧畜民のことを遊牧民（パストラル・ノマッド）と呼ぶ。その遊動は、家畜群に好適な牧野を求めて周年一定の経路にそっておこなわれる季節移動である。遊牧民の移動は、山地に近いところで、冬には低地に、夏には高地に、垂直的に高度差を利用するとき、移牧と呼ばれる。アフガニスタンの遊牧民は基本的にアフガニスタンの脊梁山地であるヒンドゥクシュの高原を夏の牧野とし、冬にはその周辺の低地に冬村を構える。彼らがド・コラ（二つの家）と呼ばれるのは、この生活様式のためである。

アフガニスタンの遊牧の多様性

アフガニスタンは多民族国家であるから、遊牧民と呼ばれる人たちも多様な民族からなっている。ウズベク、トルクメン、キルギスといった北に分布する広義にトルコ系といってよい言語文化集団に属する人たち。そして、アフガニスタンの中央山地を本来の版図とするハザラ。彼らは固有の母語を失って、ペルシア語の方言を話すが、形質的にはモンゴロイドである。そして、イラン系諸語を母語とするパシュトゥンとバルーチュ、さらにハザラに混じって、小さなイラン系の言語文化集団の遊牧民がいる。基本的にトルコ系遊牧民は、フェルトなどの丸い屋根の移動家屋を用い、イラン系は山羊の毛で織った黒い先のとがったテントを用いる。本来、都市や農村に住み、商業活動もおこなうタジク人は、イラン系でアフガニスタンのペルシア語方言を母語とする人たちであるが、その分布の辺縁では遊牧的あるいは移牧的な生活様式を採用している。

遊牧民は周年家畜群と暮らしているが、いつも移動しているというわけではない。春と秋に長距離の季節移動をするが、夏の牧野での生活は比較的短期で、冬の村に永く滞在する。この意味で、今日のアフガニスタンの遊牧民はすべて、半遊動的であるというのが適当である。

アフガニスタンの遊牧民にとっては、家畜は基本的に商品であって、自らの家畜群からの牧畜生産物で自給することはない。例外は、非常に厳しい孤立した環境条件のワハン回廊に分布するキルギス遊牧民であって、家畜の乳の加工品への依存の度合いが強い。ワハンに接するバダフシャンの山地部のタジク移牧民も、自家生産の乳製品への依存の度合いが高い。これらの例外を除けば、アフガニスタンの遊牧民の暮らしは、牧畜生産物、すなわち家畜そのもの（肉）、生まれてすぐの仔羊の毛皮、羊毛、乳製品（保存できる塩分の多いチーズ）を売ることによって成立している。そのため、彼らの牧畜はかならずいくばくかはバザールに依存していて商業的である。これはアフガニスタンという地域の固有の歴史によるものといえる。古くから多くのバザール都市が発達し、そこでは牧畜生産物が取り引きされる。パシュトゥン遊牧民は牧畜生産物を換金してその現金で、不動産を購入したり、移動経路の村の人びとに金を貸したりして、利殖の投資をおこなうことが知られている。

アフガニスタンの歴史過程と遊牧民

アフガニスタン近代史における政治史が、遊牧民の分布や牧畜の経営のあり方に強い影響力をもったことをみておくことにしたい。アム・ダリアの流れるトルキスタン平原に冬の村をもち、夏の間をバダフシャンのシワ高原ですごすパシュトゥン遊牧民を例に取り上げることにする。この遊牧の様態は、古い歴史をもつわけではない。アブドゥル・ラフマーン王の時代、この地方はウズベク人を中心とするトルコ系諸族が居住していた。アブドゥル・ラフマーン王は、この地方を武力征圧して、アフガニスタン王国の版図を広げ、アフガニスタン南部、ヒンドゥクシュの南側に分布していたパシュトゥンの入植を進めた。アフガニスタンの辺境を、アフガン化、すなわちパシュトゥンを主要な政治勢力とする政策であった。このとき、アブドゥル・ラフマーン王とその出自に近いパシュトゥン人が王の呼びかけに応じて北に移住したのだった。このため、遊牧民たちはその出自によってドゥラニと呼ばれ、出身地（カンダハール）からカンダハーリーといわれる。

羊を飼う遊牧経営において最も効率のよいのは、カラクルと呼ばれる地方品種の羊を飼って、春に生まれてくるオスの仔羊を殺してその毛皮をとるという牧畜である。主要な商品は、この仔羊の毛皮で、バザールにおいて高価に取り引きされ、男性用の帽子やコートの襟などに用いられ、輸出品としても重要である。このカラクルヒツジの牧畜は、今日、パシュトゥン遊牧民の独占となっているが、これも牧地の専用権とともに、アブドゥル・ラフマーン王の時代以後、アフガニスタンの北部地方への入植と国土の防衛のための軍事力となることの対価として、この地方のパシュトゥン遊牧民に与えられたものであったのである。アブドゥル・ラフマーン王が、カーフィリスタン、ハザラジャード、北部アフガニスタンを征服してパシュトゥン人を入植させて、アフガニスタン王国の版図に堅固な基礎を与えていく政治過程が、アフガニスタンの遊牧民のあり方を大きく変えたが、これは同時にアフガニスタン王国の「軍」としての遊牧民の顔をよく表すことになるのである。

（松井 健）

25

パシュトー文学と「ダリー語文学」の形成

★20世紀における国民統合政策との連関★

アフガニスタンは多様なエスニシティ集団が分布するいわゆる「多民族国家」である。そのため、用いられている言語についても、パシュトー語、ダリー語の両国家公用語に加えて、各地域の第3公用語として憲法上の規定でも認められているウズベク語、バローチー語、パシャーイー語などさまざまな言語が用いられている。そのため、口承文芸を中心に、各地のさまざまな宗教・歴史・文化・社会を反映した豊かで多様な文学を有する。本章では、それらのなかでも20世紀以降の文芸活動を中心に、国家公用語であるパシュトー語、およびダリー語の文学に絞って紹介する。

20世紀に入りハビブラ・ハーン（在位1901〜1919年）の治世に入ると、アフガニスタンにおいてもナショナリズムの影響を受けた執筆物が多数刊行されることとなった。これは、マフムード・タルズィーが主筆を務め1911年から発行が開始された隔週発行の新聞『報道の灯火』と、同紙の発行に合わせた官営のダールッサルタナ印刷局の設立、および民営のイナーヤト印刷局の設立が多大な影響を及ぼした。『報道の灯火』は国内外のニュース記事について報道するとともに、政府広報の役割も果たし、アフガニスタンにおけるジャーナリズム形成の基礎を築いたと評価されている。さらに『報道の灯火』は従来の宮廷詩人による技巧的な文体を用いた宮廷文学から、簡明で一般に広く理解される大衆文学形成においても多大な影響を及ぼした。同紙には、「文学」という連載記事が掲載され、さらにニュース記事を含め「国民」という概念を広く認識させることにつながった。また、同時期に設立された官民両印刷局設立は、アフガニスタン国内における出版物発行の土壌となった。

その後、中央政府による国民統合政策が本格化すると、文学も政府の政策的影響を色濃く受けることとなった。これは、国民国家形成に向け、アフガニスタンにおける国民文学の形成と文学史の創設が進められたことと密接に連関している。現在のアフガニスタンの領域は、ペルシア文学の著名な詩人が活躍した歴史を有する。南部の都市ガズニを拠点としたガズニ朝（977～1186年）統治下では、ペルシア文学史上最も著名な叙事詩『シャー・ナーメ』を記したフェルドゥシをはじめ、サナーイ、ウンスリらの詩人から、バイハキーなど史書を記した文人も活躍した。また、13世紀に神秘主義詩を大成し、現在のトルコを拠点にイスラムのスーフィ教団を率いたことでも知られるルーミーは北部バルフの出身である。また、15世紀にはティムール朝（1370～1507年）治下のヘラートにおいて、ペルシア詩古典時代の最後の巨星とも評されるジャーミーが活躍した。以上、極めて著名なペルシア詩人・文人を数名取り上げたが、このようにアフガニスタンの領域では、ペルシア語文化圏を彩る詩人・文人が多くの優れた作品を生み出した。

しかし、近代以降に国民国家建設が進展すると、ペルシア語とペルシア文学はイランの文学史に包摂され、過去の著名な詩人・文人たちやその作品は、イランにおける国民文学としてのペルシア文学に包摂されることとなった。その一方で、イランの領域外となった南アジア地域では、南アジアの諸言語を用いた文学などが登場したことに伴い、ペルシア語は政治的公用語としての役割のみならず、文化語として用いられる機会が著しく減少していった。さらに、1947年にインドとパキスタンが成立すると、南アジアにおけるペルシア文学の伝統を継承する国家が存在しない状態となった。このような状況を捉えたアフガニスタンは、その地理的・文化的近接性に鑑みて、南アジアにおけるペルシア文学の伝統を継承することに努めた。例えば、北インドを中心に発展した技巧的なペルシア詩の文体、いわゆる新体詩（インド・スタイル）の極致とみなされ、18世紀前半に活躍したベーディルはその代表的人物で、アフガニスタンにおいて高く評価され研究の対象となった。さらに、アフガニスタンでは、イラン中央部のファールス地方の言語という意味である「ファルシ（ペルシア語）」から、さらに古い宮廷の言語を意味する「ダリー語」へと言語名称の変更がなされた。これにより、アフガニスタンではイランのペルシア文学とは一線を画した形で「ダリー語文学」の形成が図られ、イランのペルシア文学から切り離す政策が採られた。

1930年代に入ると国家による言語・文学に関する研究・教育推進のため、カーブル文学協会が設立された。同協会には多数の文人たちが集うとともに、アフガニスタンにおける国民文学の創設が促進された。その一環として、同協会は文芸誌『カーブル』を発行し、上述の「ダリー語文学」の創設に努めた。同時に、一年ごとの政府の動きに加えて、アフガニスタンの歴史、文化、文学などについて記した『カーブル年鑑』の発行も開始された。このような、定期刊行物を通じてアフガニスタンにおける国民文学や共通の歴史認識の構築が進められた。

休日の公園で音楽と詩の朗誦に耳を傾ける人びと

他方、同時期のアフガニスタンでは、支配層を構成するエスニシティ集団であるパシュトゥンを中心とした国民統合が進められた。ただ、パシュトゥー語で記されたパシュトゥンの系譜や歴史、あるいは文学作品の多くは、現在のアフガニスタン領域外に位置する北インドやパキスタンで執筆・編纂された上で保存されているものが大半という状態であった。例えば、17～18世紀の「古典パシュトゥー文学黄金期」に活躍したホシュハール・ハーン・ハタク、あるいはラフマーン・バーバーなどの著名なパシュトゥー詩人は、いずれも現在のパキスタンの領域で活躍した。このため、パシュトゥー語を通じた国民統合を図る上で、アフガニスタンの領域をパシュトゥー文学の中心拠点と位置づけることは国民文学の形成上必須であった。このため、1931年にカンダハールで設立されたパシュトゥー協会と上述のカーブル文学協会が合併・発展する形で1937年にパシュトゥー・アカデミーが創設された。同アカデミーを通じて、パシュトゥー語の普及、教育、あるいは文学の研究や口承文芸の収集などがおこなわれることとなった。この活動はアフガニスタン科学アカデミーの活動に引きつがれ、現在もさまざまな活動を担っている。さらに、近年はインターネット上の新たなパシュトゥー語言論空間の形成により、パシュトゥー文学も新たな発展を遂げつつある。

（登利谷正人）

26

おしゃれ好きのアフガン人

―★既製服よりオーダーメイドが主流、古着だってコーディネート★―

アフガン女性といえば、タリバン政権時「ブルカ」と呼ぶ頭からすっぽり被るヴェール姿をイメージされる人も多いと思う。しかし、１９６０年代の王政時には、女性はミニスカートをはいていた時代もあったのだ。しかし、１９８９年のソビエト撤退後はイスラム教国として、女性は肌を見せない衣服の着用が義務づけられている。外国人であってもミニスカートで街を歩くことはタブーである。タリバン政権崩壊後20年が過ぎた現在では、カーブルではモデルクラブができ、ファッションリーダーとしてファッションショーを開催、アフガン女性デザイナーのブランドショップができるなど人びとのおしゃれに対する意識が随分変わったことが窺える。

カーブル市中心部にあるシャーレ・ナウ地区は、東京でいえば銀座のような地区で、高級なブティックやおしゃれなレストラン、旅行者が喜ぶ絨毯やアフガン産の宝石を使ったジュエリーショップが軒を連ねるチキンストリートもこの地区にある。シャーレ・ナウは新市街で、ファッションビルやショッピングモールも建ち並び、トルコやイラン、中国からの輸入の洋服や靴、さらには電化製品や高級スーパーマーケットなどがあり、外国人や富裕層のアフガン人のご用達のエリアである。一般市民の買いものは、旧市街のデアフガナ地区周辺の卸売りの市場が建ち並ぶエリアでなされる。家族の多いアフガン家庭では食料品から衣類や生活必需品はここで格安に調達できる。同じく旧市街のシネマパミール地区には、セカンドハンドの衣類や靴、電化製品に至るまであらゆるものが手に入る。

古着市場で買い物する主婦ら

セカンドハンドといえども高品質の衣類が破格の値段で手に入る。外務省職員の友人がカシミアのコートを着ていた。見るからに仕立ても良く、手触りも柔らかくカシミア100%、「高かったでしょう」というと彼は「千円だよ」。なんと古着のコートだったのだ。見た目は新品同様で日本で同じものを買おうとすると数万円はくだらないだろう。大人だけでなく成長が著しい子ども用の古着は、特に需要が高い。子ども用のズボンやTシャツなど数十円から何でも手に入る。ユニクロやGAPといったブランド物、日本語で名前の書かれた体操着なども売られている。ここアフガニスタンでは、古着が大いに再利用され、人びとは超破格値でおしゃれを楽しんでいるのである。最近でこそトルコ製の質の高い洋服が手に入るようになったが、以前は中国製の安価なものが主流で、縫製が悪く一度着たらほつれたりするため古着を買う方が品質も良いほどだった。私も、冬になると古着のマーケットをのぞいて、お気に入りのカーディガンを買うのが楽しみである。ヨーロッパ製の新品同様のチロリアンカーディガンも千円以下で手に入る。

私が住んでいるのは、カーブル市中心部にほど近いカルテパルワンというエリアで、この地区のメ

第26章
おしゃれ好きのアフガン人

インストリートの両脇には男性用の仕立屋がびっしり軒を連ねている。小道に入っても同じく、男性に混じって女性用の仕立屋もある。どのお店も縫製に忙しそうで、ガラス越しに注文品のペラン・トンボン（20章参照）が積まれている。女性用の仕立屋のショーウインドーには、注文品のドレスが飾られている。一体誰が注文するのかと思うくらいだが、アフガン男性も女性に負けず密かにおしゃれ好きなのが窺える。

民族服のペラン・トンボンは、仕立屋でオーダーメイドされる。民族服以外のスーツやワイシャツなどもオーダーメイドされるのが一般的だ。最近は、レディメイドのスーツやジャケット、ペラン・トンボンも売られているが、やはり高品質のものは高価で一般市民には手が届かない。仕立屋には、布も販売されているが高値なため、好きな布を持ち込むこともできる。男性用のペラン・トンボンには、「ヤカンドゥズィ」といわれ、長シャツの胸の部分に幾何学模様の細かい刺繍を施すタイプのものがある。南部カンダハール州のパシュトゥン女性が夫や子どものために手刺繍したものである。それが今ではアフガン全土で民族に関係なく着用される。ヤカン部分が手刺繍のものはかなり高価でなかなか一般市民には手が届かないものだが、最近はコンピューターミシンで刺繍されたものが出回るようになり、手刺繍の10分の1の値段で購入できることから若者の間で人気だ。さらには、ヤカンの大きさも以前は胸の部分のみだったのが、最近ではシャツの半分をヤカンドゥズィされたものもあり、若者に人気だ。

アフガン人の結婚式では、花嫁以上に出席者の女性たちがお色直しをするのに大忙しである。娯楽の少ないアフガニスタンで女性たちがおしゃれを満喫できる機会が結婚式だ。結婚式は男女別々の部屋が用意され、数十人から数百人規模で結婚式場や新郎の自宅でおこなわれる。新郎新婦は、女性側の部屋に座るのがアフガン流である。男性の目を気にせず、思い思いの衣装に身を包み大音響の音楽に合わせ踊り明かす。カラフルなパシュトゥン族の伝統的な民族衣装のガンデアフガニやインドのサリーやパンジャービドレス、さらにはシンデレラのような洋風のドレスを着る女性もいる。結婚式は、ファッションショーさながら、そのときの最新モードが見て取れる。

アクセサリーにも抜け目はない。純金のネックレス、イヤリング、ブレスレット、指輪を身に着けるのが理想とされるが金製品は高価で高嶺の花という女性は、インド製の見た目も本物と変わらない金メッキのアクセサリーを身に着ける。ここでは、女性同士の静かなファッションバトルが繰り広げられる。結婚式には、息子の花嫁を探す母親の姿もある。女性が他人に自身をアピールできる唯一の場でもあるからだ。

お化粧にも余念がない。舞台女優さながら派手な化粧が好まれる。花嫁は、新郎から贈られた純金のアクセサリーを身に着け、「ニカ」と呼ばれる婚姻の儀式には緑色、結婚式には白色のドレスを着るのが一般的である。そのほとんどがオーダーメイドだ。アフガニスタンの仕立屋は器用で、雑誌の写真やサンプルがあれば同じものを製作する技術にたけているのだ。インドの結婚式で花嫁が着る刺繍やビーズ、金モールの施された豪華な衣装やマハラジャさながら男性もインドの正装で結婚式に臨むカップルもいる。

アフガニスタンでは、セカンドハンドからオートクチュールと経済的に余裕があってもなくてもそれなりにおしゃれを気兼ねなく楽しめるところが素晴らしい。

（安井浩美）

27

歌詞を通じてみるアフガニスタンの心

★愛する人や故郷への想い★

アフガニスタンでは音楽は詩の乗り物とされており、歌詞は音楽の最も重要な要素である。どんなテーマの歌が、どんな歌手によって歌われてきたのか、見ていきたいと思う。

最初に紹介する歌は「gol-e seib（林檎の花）」。アフガニスタン西部の古都ヘラートの民謡である。

軽快な7拍子の明るい曲調とは裏腹に、ゾッとするような表現も出てくるが、深い愛情の比喩だと思って頂きたい。

伝説や物語にもとづく歌も多い。ムラー・マーマド・ジャンへの呼びかけで始まる「bya ke berem ba mazar（マザールに行きましょう）」は最も有名な民謡の一つだ。

マザールとは北部マザー

gol-e seib（林檎の花）	ヘラート民謡

ねえ、私の可愛い林檎の花、昨夜はどこに居たの？
……愛しいあなたと共にいました
ああ、あの薔薇色の頬の愛しい林檎の花よ

優しい花びらのようなあなた
神様があなたの愛で私を満たしてくれる
私の身体が埋葬されて　ミミズに食べられるその日まで
あなたの愛は私の心の中にある

Bya ke berem ba mazar
（マザールに行きましょう）　ヘラート民謡

マザールに行きましょう
ムラー・マーマド・ジャン

チューリップの花が咲き乱れています
愛しい人よ

レ・シャリフにある、第4代正統カリフ、アリー・イブン・アビー・ターリブの「ハズラト・アリ廟」を指す。ではムラー・マーマド・ジャンとは誰なのか、説明するにはヘラートに伝わる物語を紹介しなければならない。

15世紀ティムール朝の時代、ヘラート近郊にマーマドという長い髭を生やした若い教師が住んでいた。スルタン・フサイン・バイカラとその右腕ミール・アリシール・ナワーイによって催された宴会に招かれたマーマドは、美しい容姿と豊かな学識に感銘を受けたスルタンに「ムラー・マーマド・ジャン」の呼び名を与えられる。

宮廷からの帰り道、彼はアーイシャという美しい少女と出会う。ふたりは瞬時に恋に落ち、たびたび逢瀬を重ねるようになるのだが、それを知ったアーイシャの父親イサーク将軍は、娘がマーマドに会うことを禁じ、ほかの男と結婚させようとする。悲嘆にくれるアーイシャが自作の歌を歌っていると、ナワーイが通りかかる。美しい歌に心動かされた宰相はことの次第を尋ねると、早速スルタンと相談して将軍の屋敷を訪れ、ふたりの仲を認めることを誓わせた。

宮廷で結婚式を挙げたふたりはマザールに向けて旅立つ。供の楽師たちは道々でアーイシャが作った歌を歌ったという。

コバルトブルーのタイルで装飾されたブルーモスクは、人びとの信仰を集め、ナウ・ローズには国中から参拝客が訪れる。道中この歌を口ずさむ者もきっといるだろう。

アフガニスタンの風土は峻厳だが、限りなく続く尾根を見渡すとき、人びとは喩えようのない安らぎを覚えるという。故郷をテーマにした歌を二つ紹介したい。

アワルミールは、1931年にペシャワルで生まれ、10代の頃からパシュトー語で歌い続けた歌手である。代表作の一つ「watan janat neshan de（故郷は天国のよう）」では、祖国への思いが明るく繊細に歌われる。

watan janat neshan de（故郷は天国のよう）

アワルミール

私たちが何よりも愛する故郷は、まるで天国のよう
だから沢山の花を植えよう

私たちはちっぽけな鳥で、故郷は花園だ
私たちは持てる全ての力で故郷を守る

だから沢山の花を植えよう、自由なアフガニスタンに

アワルミールの晩年は不遇だったという。職を失ってカーブルの通りを彷徨った末、82年に死去する。路上での斃死だったともいわれている。

祖国を歌ったもうひとりの歌手ダウド・サルホシュは、1971年にウルズガンで生まれたハザラ人である。モンゴロイド的外見とシーア派の信仰のため、ハザラ人はさまざまな場面で迫害を受けてきた。兄サルワルも著名な歌手だったが1983年にテロリストによって殺害されている。

sarzamin-e man（私の祖国）

ダウド・サルホシュ

定住の地が無く　家々をさまよう
あなたを失って　悲しみといつも肩を組んでいる

悲惨な苦しみに疲れ果てた　私の祖国よ
音楽も歌声も響かない　私の祖国よ
傷だらけで薬さえない　私の祖国よ

ペシャワルの難民キャンプを経てクエッタに移住したダウドは、祖国への愛慕と亡命中

の体験に触発された歌を歌うことで才能を開花させる。１９９８年に発表された「sarzamin-e man（私の祖国）」は、トルコの曲にダリー語の歌詞を付けたものである。

世界中に散らばるアフガン難民の苦悩を歌ったこの曲は人びとの共感を呼び、さまざまな歌手によってカバーされている。

最後にアフガニスタン大衆音楽を代表するふたりの歌手、サルバンとアフマド・ザーヒルを紹介したい。

サルバンは１９３０年カーブルの裕福な廻米問屋に生まれた。学識ある名門の一族だったが、国家権力と対立し何人もの逮捕者を出すような家系でもあった。

幼い頃から歌うことが好きで、本格的に歌手としてデビューすると、サアディやハーフェズなどの古典詩人の詩を、西洋音楽の技法を取り入れたアレンジに乗せて歌い始める。ユニークな歌声と新奇

haal ke diwana shodam merawi
（あなたが去り、私は気が狂ってしまった）　サルバン

あなたが去り、私は気が狂ってしまった
あなたが去り、私は道に迷ってしまった
あなたが去り、私の感覚は無くなった

私はあなたの最愛の友　最も誠実な伴侶ではなかったのか
あなたの頬の炎によって　私は焼きつくされてしまう
あたかも灯火に飛び込む一匹の蛾のように……

zendagi chist（人生とは何ぞや）
アフマド・ザーヒル

乾杯しよう　夜を明かそう
頭から憂鬱を追い出そう

人生とは何か、それはとても辛いもの
それは希望の壁の下で死ぬことである

我々の昼と夜は同じ色を持っている
私はあなたを覚えているがあなたは私を忘れるだろう
私たちの間の道は遠く隔たってしまった……。

な音楽によって、多数の熱狂的ファンを獲得したが、同時に激しい批判にもさらされたという。

名声には無頓着だったサルバンだが、次第に飲酒に溺れるようになる。若い頃の絶望的な恋愛体験（王家の娘だった恋人と無理矢理引き裂かれたという）が発端とも、実弟を含む多くの近親者が政治活動のために処刑されたことが原因だともいわれている。

１９８０年代前半には声が悪化し歌えなくなった。家族を伴いパキスタンに移住した後、貧困のうちに逝去する。死後12年を経て、政府は亡骸をカーブルに移送して埋葬したそうだ。

サルバンとはキャラバンを先導するラクダ使いという意味である。のちの音楽に与えた影響の大きさを考えると、なんとふさわしい名前かと思う。

憲法を起草した首相の息子として１９４６年の6月14日に生まれたアフマド・ザーヒルは、１９７９年の同じ日に謎の交通事故死を遂げる。欧米のイディオムを導入するとともに、各地の伝統音楽も取り入れて、大衆音楽の新時代を切り開いた名実ともにアフガニスタンを代表するアーティストだ。

亡くなってから40年になるのに、今も若者から年寄りまであらゆる人びとに支持されている。斬新な音楽スタイルと甘い歌声も人気の要因だが、やはり一番の魅力は愛に満ちた深遠な歌詞にある。

アフマド・ザーヒルの死後、アフガニスタンは混乱の時代に入る。音楽家も含め多くの人びとが戦火の犠牲になり、難民となった。内戦が一応集結しカルザイ政権が誕生すると、ファルハード・ダリアに代表される新しい歌手が次々に登場するが、往年の大歌手に比べるとまだまだ小粒の印象がある。彼らの成長を楽しみに、黄金期のアフガニスタン音楽に思いを馳せてみたい。


（ちゃるぱーさ）

コラム5

ヘラートの細密画（ミニアチュール）

西垣敬子

絵画の分野で私たちには馴染みのない「細密画」はその名の通り小さな画面に精緻な筆致で描かれたものである。11、12世紀のアッバース朝末期にバグダードで始まったといわれる。

一般的にはペルシアのミニアチュールと呼ばれ、ペルシア（イラン）を中心として発達した。

細密画はもともと国王や裕福な貴族たちの制作する写本（手書き）のための飾り絵や挿画として画家たちによって描かれた。クルアーン（コーラン）のみならず、特に、文学面では英雄叙事詩が盛んに書かれ、その挿画として描かれた絵を「細密画」と呼ぶ。主に宮廷で制作され、フェルドゥシの『王書』（シャー・ナーメ）、サアディの『果樹園』（ブースタン）、ハーフェズの詩集、ニザーミィの『ハムセ』など多くの詩集の装丁に使われている。

15、16世紀のティムール朝時代では、ヘラートに都を置いたティムールの四男のシャー・ルフ（在位1409～1447年）、その息子のバーイスンクルが芸術擁護者として名高く、細密画家たちを厚遇した。

バーイスンクル王子は王立のアカデミーを創設し、多くの画家や書家、金箔彩飾師、写本家などを迎え入れた。この組織について唯一残されている史料『アルザダシュト』によれば、そこには22の美術部門があったことが記されている。

シャー・ルフの四人の王子たちはそれぞれ芸術家であった。特に、バーイスンクル王子とイブラヒム王子はクルアーンの写本を自らの手で書き、そしてその縁飾りの細密画を金箔で飾った。当時ヘラート政権は中国（明）との交流があり、金箔彩飾美術にもその影響がみられる。クルアーンの金箔彩飾は草と花が特別な様式で

コラム5

ヘラートの細密画（ミニアチュール）

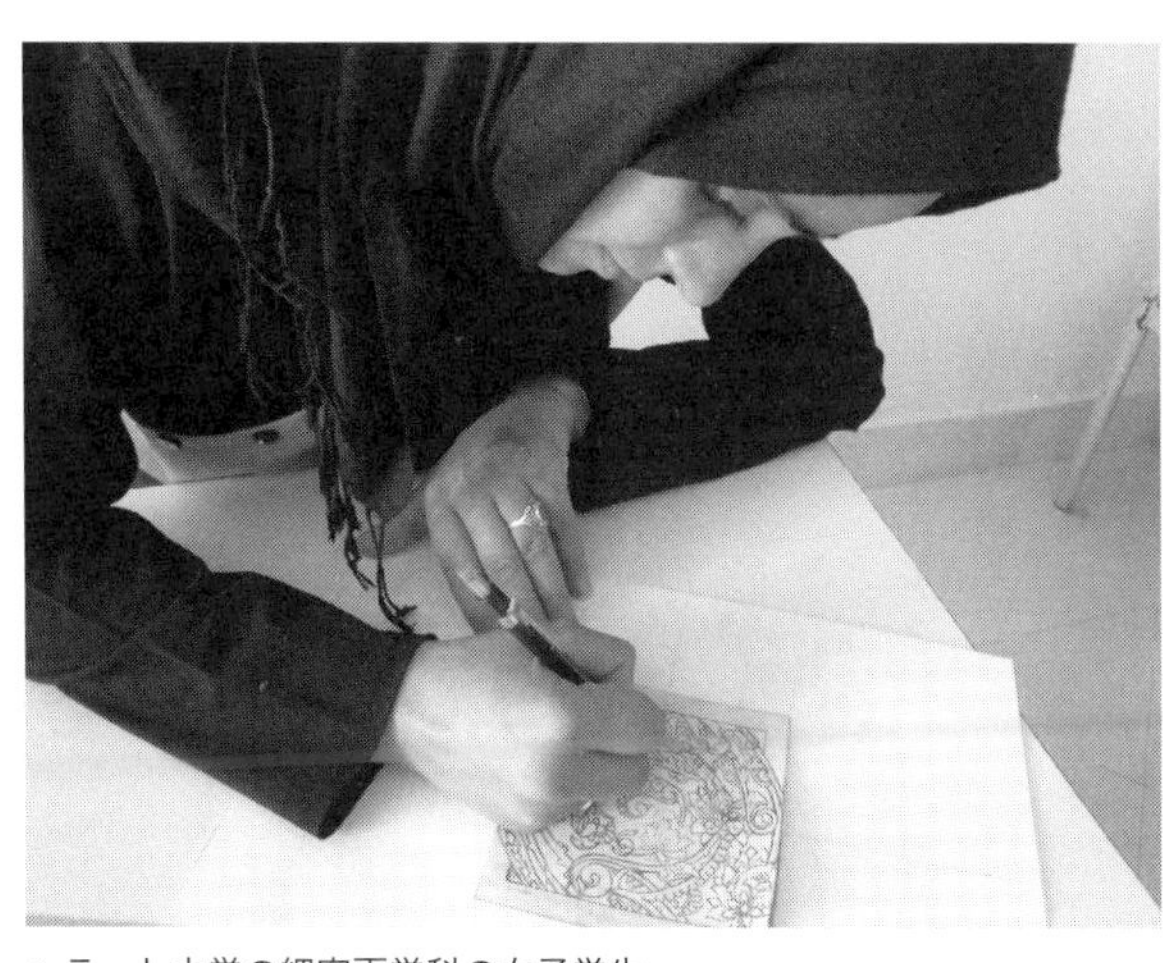

ヘラート大学の細密画学科の女子学生

完璧な美しさで精緻に描かれている。

23年間の動乱期を経てティムール朝後期、スルタン・フサイン・バイカラ王の時代（在位1470～1506年）になると、ヘラートは再び芸術、学問の中心地となった。文学、音楽、絵画（細密画・文様など）、建築、作庭その他さまざまな工芸が栄えた。王や王子たち自身も詩を作り、文学や芸術に敬意を払った。また、スルタン・フサイン・バイカラの宰相であったアリシール・ナワーイは彼自身も詩人であり、優れた才能を持った詩人や画家（細密画）、書家たちを宮廷に招いた。

そして最も高名な細密画家カマルッディン・ベフザードは1465年ヘラートに生まれた。彼は幼くして父を失い、細密画家ミーラク・ナッカーシュの手で育てられ、20代には才能ある細密画家として知られた。彼は宰相のアリシール・ナワーイ主宰のサークルにも加わった。また、スルタン・フサイン・バイカラの作った図書館の館長にもなっている。

「細密画」の主題は主に宮廷の儀式や狩、音楽演奏やポロ競技、美しい庭園や乙女たちなどで、宗教的内容を避けて描かれた。

ヘラートでは「ヘラート派」と呼ばれる細密画の様式が確立され、前期と後期に分けられる。

「前期ヘラート派」では宮廷の情景などが狭い空間を可能な限り生かして慣例的、形式的に描かれた。「後期」になるとベフザードのように日常へと視点が向けられ、新しい空間処理法によって奥ゆきが作られるようになる。また、神秘主義やスーフィズムとの交流が画面に感じられるようになった。

また、前期までは許されなかった「署名」が画家に許されることになった。

クルアーンや詩集の飾り絵や挿画としての「細密画」は15、16世紀のティムール朝になって写本の本文は小さくなり、「細密画」が主体となり、あるいは「細密画のみ」のものが現れて、もはや挿画としてでなく、独立した絵画となったのである。

V

文明の十字路

28

オクソスの流れ

★多様な文化をつなぐ象徴★

オクソス河は中世にはジャイフーンの名で知られ、今日アム・ダリアと呼ばれている大河の古名である。

オクソス河について最初に言及した歴史家はヘロドトス（『歴史』第1巻・202）であった。しかし、彼はオクソスという名ではなくアラクセスという誤解を招く呼称で語っている。ヘロドトスは伝聞によって記しているに過ぎないので、同じカスピ海に注ぐ川といっても、それだけではアルメニアに発しカスピ海に注ぐアラクセス、今日のアラスとの区別はできていない。また、ヤクサルテス（現在のシル・ダリア）とオクソス（現在のアム・ダリア）とを混同しているふしがある。ヘロドトスはペルシアの王領バクトリアは知っていたけれども、その沿岸を洗うオクソスについては十分な知識をもっていなかったのである。

現在のアフガニスタンの北方、ウズベキスタンとトルクメニスタンとアフガニスタンのそれぞれの国境を洗い、東のパミールに発し西へと流れる大河がバクトリアを目ざしたアレクサンドロスたちによってオクソスと呼ばれた川であった。その頃オクソス河はカスピ海に流入していたのである。現在トルクメニスタンに残るウズボイ運河はその名残である。

第28章
オクソスの流れ

オクソスの流れが古来どれほどの恵みを人びとに与えてきたかは、その流域に残された遺跡が裏付けてくれる。こんにち考古学者たちがバクトリア＝マルギアナ文化複合、すなわち「オクソス文明」と呼んでいる一連の遺跡群が残っていることから裏付けられる。

ヘレニズムの遺跡アイ・ハヌムがオクソス河の上流ピアンジ川とコクチャ川の合流地点で発見され、発掘が開始されたのは１９６４年のことであるが、１９７５年から考古学者ガルダンを中心とするフランス隊は、調査範囲を拡大してアイ・ハヌム遺跡の周辺部の調査をおこなった。そのときピアンジ川の上流域で発見されたのがショルトガイ遺跡である。この遺跡からハラッパ文明のものとみられる文字を刻んだ凍石製の印章のほか紅玉髄やラピス・ラズリなどによる装身具が出土したほか、灌漑システムの痕跡も発見され、インダス文明との深い繋がりを示すものとして注目を集めた。ショルトガイ遺跡の第二期はオクソス河畔のバクトリア文化の影響のもとにあった。ショルトガイより先に偶然の機会に発見されたテペ・フロールは、先の遺跡よりはるか南方、バダフシャンの入口にあるが、そこで村人たちによって偶然発見された金銀器の一括出土で世界を驚かせた。金銀器に施された装飾文様がメソポタミアとインダスの二つの大河の流域で花開いた文明の交流を示すもので、バクトリアにおいて作られたものであったからである。オクソスの流れなくしては文明間の交流もなかったにちがいない。現在アフガニスタンで知られている「オクソス文明」の東方遺跡はこの二つでしかないが、西方にはヒンドゥクシュ山脈から北方に流れ出るムルガブ川の河口の首邑マルグシュ（現在のトルクメニスタンのメルヴ）の近郊に雄大な遺跡が複数存在している。マルグシュとはダレイオス大王のビーソトゥーン碑文にみえるマルグのことで、ギリシア人のいうマルギアナである。その代表的遺跡がトゴロクとゴヌルの遺跡でロシアの考古学者サリアニディによって発掘された。アフガニスタンのティリア・テペを発掘した（1969年）のもこの人である。この両遺跡については、加藤九祚『シルクロードの古代都市』（岩波新書）で詳述されている。注目されるのはこの遺跡が「ゾロアスター教の源流」ともいうべき古ペルシア宗教と深い繫がりがあるという指摘である。バクトラにも同じような古伝があり、オクソス河の南の地がゾロアスター教発祥の伝説に包まれていることはやはり注目に値する。現在知られている仏教西漸の地はマルグシュで遺跡からは片岩の仏像が見つかっている。

オクソス流域が再び歴史にその盛衰の歴史を刻むのはペルシア帝国の時代以降のことである。ダレイオスの碑文に刻まれた「バークトリ」は、王朝の「第十二徴税区」（ヘロドトス）を形成し、歴代の領主は王家と深い繫がりをもった。

前329年、アレクサンドロスがダレイオス3世を弑逆したベッソスを追ってバクトリアへ攻め込んだとき、彼らは初めてオクソスの流れを実見した。バクトラ（別名ザリアスパ）を拠点としてアレクサンドロスは渡河し、ソグディアナへと攻め上がった。バクトラを去るときアレクサンドロスはアミュンタスを将とする駐留軍を残した。アレクサンドロスの死後、激しく長い後継者戦争の後、バクトラはセレウコスの所領となり、東方の拠点として重要な役割を果たした。セレウコスとソグディアナの勇将スピタメネスの娘アパメとの間に生まれたアンティオコス1世はバクトリアの治世に力をつくし、いくつかの拠点都市アンティオキアを建設した。

前250年頃、ディオドトス1世による独立戦争が勃発し、バクトリアはセレウコス朝から離脱して新たな王国を建設する。オクソス河畔、中央アジアに根を下ろしたグレコ・バクトリアは、こののちインダス河畔へと勢力を拡大し、西方の文明と東方の文明を繋いだアレクサンドロス以来のヘレニズムの遺産を引きつぐ大きな役割を果たすこととなった。

1964年、偶然の機会にヘレニズムの都市国家がオクソスの上流域で発見された。アイ・ハヌム遺跡である。フランス隊による発掘は1979年のソビエト軍のアフガニスタン侵攻の年まで続けられ、この都市国家のほぼ全容を明らかにした。この遺跡がプトレマイオスのいう「オクソス河畔のアレクサンドリア」であるのかどうかはいまだ明らかではないが、前1世紀に遊牧民の侵入によって崩壊したことは発掘によって裏付けられている。オクソス河畔はサカ族、ついでこの地域で覇権を確立するクシャン族の支配するところとなった。4世紀以降、バクトリアはトハリスタンと呼ばれるようになる。

オクソスの流れは東西の文化を繋いだだけではなく、南北を繋ぐ九つの古い渡しが確認されており、南北文化の交流にも大きな役割を果たしてきたのである。629年に玄奘が北から南へと渡河し、当時仏教が盛んであったバクトラに至ったことは『大唐西域記』に記されている。ヘロドトスに倣っていえばバクトラはオクソスの賜物であった。ルトヴェラゼはその著『中央アジアの文明・国家・文化』(2005年・加藤九祚訳『考古学が語るシルクロード史』2011年)のなかで「膨大な距離を移動し、古代オリエントの多くの都市を実際に見てきたアラブ人がバクトラ=バルフをウム・アル=ネラード(諸都市の母)と称したのも偶然ではない」と記している。バクトラは巨大な廃虚と化したのちも、オクソスの流れが育んだ多様・多彩な文化の象徴として語りつがれ、考古学者の憧れの古都になったのである。旅人でアフガニスタンを訪れてバルフに足を向けない人はいない。

(前田耕作)

29

黄金のバクトリア

★ティリア・テペ★

ティリア・テペの発見

ジャウズジャン地方シバルガンの北5キロメートルに位置する高さ3〜4メートル、直径100メートルほどの考古学的遺跡で、この名は「黄金の遺丘」を意味する。日干し煉瓦の分厚い壁に囲まれたなかに、最初期のインド・イラン民族の残した前1500〜前500年頃の拝火神殿がある。1979年、遺跡を調査中であったサリアニディ率いるソビエトの考古学調査隊はこの神殿の西側地下に、男性（4号墓）を中心に、それを取り巻くように5人の女性が埋葬された未盗掘の6基の土壙墓を発見した。金や銀の皿を枕にした者（3、4、6号墓）と、枕はなく顎あてをした者（2、5号墓）など埋葬法に違いがみられ、被葬者の所属する民族が異なる可能性も高い。

出土した副葬品の質量、衣装の豪華さに差はあるものの、いずれも襟元や袖口に小さな金の装飾板を大量に縫い付け飾った絹の衣装を重ねて纏い、男性は武器、女性たちは髪飾り、首飾り、耳飾り、腕輪、指輪、足輪などの装身具を身に着け、帽子に吊るして耳元を飾った豪華な垂飾や金冠も発見され、世界を驚かせた。そのほとんどが金や金板にラピス・ラズリやトルコ石などの貴石を象嵌したもので、その数は2万点を超える。

男性の副葬品

髪に牡羊像と樹木形の装飾品を飾り、腰には、遊牧民によくみられるメダイヨン飾りの帯をしめる。九つあるメダイヨンには、ギリシアの酒神ディオニュソスが酒杯カンタロスを手にライオンに横坐りした姿がある。丈の短い左衽（さじん）の上衣を着け、ズボンを穿いた両脚に想像獣や卍を巧みに組み合わせた鞘を紐で結び、スキタイ－シベリアのアキナケス型短剣を提げ、中国風の衣装を着けた男性が乗る銅車を2頭のライオンが牽く金具が飾られた皮のブーツを履いていた。

首にはインド・パルティア式の捻った2本の金線の先にギリシア風のヘルメットを被った男性のカメオを付けた首飾り、胸には径1・6センチの金メダル（あるいは金貨）が置かれていた。表裏にカロシュティー文字で「恐怖を滅し去ったライオン」「法輪を転じる者」の銘文があり、ライオンとナンディパダ（牡牛の象徴）、車輪を転じる裸の男性が刻まれている。仏教的なもの、最古の仏陀像とする説もあるが、法輪は仏陀の教えだけでなく、宇宙を支配するチャクラヴァルティンの車輪にも通じるもので、公正な支配者を表すとも考えられる。木棺の周囲から陪葬された馬の骨、弓と矢筒、ローマ皇帝やクジュラ・カドピセスのコイン裏にみられるようなX字脚の折り畳み椅子も出土した。被葬者は王と考えられる。

女性たちの副葬品

1号墓からはイルカを担ぎ、櫂を右手にした有翼のトリトンの帽子装飾板が出土した。ヘレニズムになじみの、両脚がうねり尾びれを跳ね上げるが、三葉形になった尾びれはローマのモザイクのものに近い。

2号墓からはギリシアのアテナ女神を陰刻した印章指輪、ギリシア美術によくみられるイルカに乗ったエロスのように大魚に跨ったエロスの留金具、古代バクトリア文明にみられた手や足を象った垂飾、遊牧文化に属す羚羊の頭を向き合わせた腕輪、「王とドラゴン」と名付けられた帽子の垂飾、足輪、鉄斧やシベリアにみられる刀子なども出土した。胸には前漢の鏡と、「クシャンのアプロディーテ」と名付けられた飾板が置かれていた。

「王とドラゴン」は中央の神または人物が相対する想像獣の前足を掴む、古代メソポタミア風の構図をもち、城壁冠を戴き、目は大きく吊り上がり、短上着にスカートのような衣装を着けている。想像獣は有角、後足が鉤爪で、背びれのあるレオ・グリフィンで、後躯を180度捻った表現はスキタイにみられる。6基の墓は前1〜後1世紀のものと推定されており、この人物と6号墓のアプロディーテの眉間に印された円文は、ガンダーラで始まった仏陀像・菩薩像の造像に先立つものであり、白毫相への影響も指摘されている。

3号墓からはギリシア風のヘルメット、鎧を着け、編み上げブーツを履いた戦士と遊牧民文化が好んだ想像獣を組み合わせた留金具、大魚に乗ったエロスの留金具、アテナ女神の印章指輪、馬の前駆を背中合わせにした双馬文の垂飾、インドの象牙の櫛、点刻によるこぶ牛の印章、サメの歯の垂飾、化粧壺、柄付鏡のほか、胸には前漢の鏡が置かれていた。パルティアのミスラダテス2世（在位前124～前87年）銀貨とローマ皇帝ティベリウス（在位14～37年）金貨も見つかっており、墓の年代決定に重要な手掛りとなっている。

5号墓からは、グレコ・スキタイ美術に好まれたグリフィンやギリシアの勝利の女神ニケーの印章、豪華な襟飾り、印章を繋いだ首飾り、化粧箱などが出土した。

6号墓の女性は、5本の樹形の立ち飾りを付けた豪華な金冠を着けていた。樹には開花文と円形の垂飾が下がり、左右の4本には羽を広げた2羽の鳥もいる。生命樹と鳥を組み合わせた遊牧民世界に知られた冠で、新羅や奈良など東アジア世界に伝播したものにも通じる。有翼のアプロディーテとインドの海獣マカラを組み合わせた垂飾、ディオニュソスとアリアドネーが背びれのあるライオンに乗る土着化した留金具、中空の玉を繋いだ首飾り、有角のライオンを向かい合わせた腕輪のほか、胸上に前漢の鏡、アプロディーテを表した飾板、足元に象牙の柄のついた鏡、銀の容器、棺外にローマのガラス器などが見つかっている。左手にパルティアのゴタルゼス1世（在位前91～前81／80年）の模造金貨が握られ、パルティアと思われる銀貨も出土した。コインには、おそらく地元の王であった人物の肖像が刻印されており、パルティアを宗主としていた可能性を示す。

ティリア・テペ6号墓から出土した有翼のアプロディーテ

胸上のアプロディーテ像は、ミロのヴィーナスのように上半身を露わにして衣を腰にかけ、片足を前にしたヘレニズムスタイルで、アレクサンドロスの故郷ペラの墳墓やパルティアのニサ遺跡などから同様の女神像が出土している。しかし、有翼（2号墓も）でインド風に上腕と手首に多連の腕輪を着け、眉間に円文を付ける点が異なる。有翼のアプロディーテ像はギリシア・ローマ世界にはなく、タキシラのシルカップ遺跡（インド・パルティア期層）から2点出土しており、ティリア・テペの所在も、バクトリアを中心に勢力を確立・建国したクシャン朝と西の大国パルティアの狭間に位置しており、インド・パルティア圏に属すと考えられる。

副葬品はヘレニズム世界、草原文化、インド、中国、ローマ世界から運ばれた品々が混在し、その異文化の影響が複雑に混淆した現地産のものも数多く含んで多彩な副葬品を形成している。ティリア・テペの出土品は歴史的・地理的空白を埋める重要な存在である。

（前田たつひこ）

30

漢籍史料からみたアフガニスタン

★7世紀から8世紀を中心に★

アフガニスタンは南アジア、中央アジア、西アジアの接するところに位置している。いい換えるならそこはどこから見ても辺境なのであり、それぞれの文明世界で著された叙述資料に情報が掲載されることが少ない。特に、この地に強力なムスリム政権が樹立される10世紀以前はその傾向が強い。しかし、例外的に同地域に関する情報をある程度入手できるのが、西暦7世紀から8世紀にかけての約一世紀間である。中国で編まれ、著された漢籍史料のなかに、この時期のアフガニスタンに関わる情報が見出されるのだが、そこには大きく二つの背景があった。

第一は当時中国を治めていた唐王朝の対外政策である。既に前漢時代から中国と西方の間では使節の往来があった。『史記』や『漢書』には、武帝の時代、対匈奴（きょうど）戦略のために西方大（だい）月氏（げっし）の許へ送られた張騫（ちょうけん）が持ち帰った情報が載せられている。西方との間の使節往来は、後漢が亡び中国が分裂状態に入って後も継続した。6世紀前半、北魏によってエフタル王庭（当時アフガニスタン北部にあった）に遣わされた宋雲（そううん）や恵生（えしょう）が代表的な例である（この旅の内容は『洛陽伽藍記』巻五に見える）。これらの使節がもたらした、西方の物産や風俗に関する情報は仔細に記録され保管された。隋唐代に至って中国が東突厥の圧力をはねのけ、再度西方に勢力を伸ばそうとした際、それらの情報が纏められ、西域事情に関する手引書が作成された。『隋書』に引かれる裴矩の『西域図記』や彦琮撰『大隋西国伝』などはその早い時期の例である。

629年、唐の太宗は東突厥を降し、さらには西突厥の内訌に介入してこれを服属させた。太宗が死去すると、阿史那氏の賀魯は旧西突厥領を糾合し唐から自立したが、657年賀魯の軍は蘇定方らが率いる唐軍に敗北し、西突厥勢力は最終的に唐に服した。唐はまず658年に濛池、昆陵の二つの都護府を置いて西突厥の部民を統括させ、さらにパミール以西に対しては董寄生、王名遠らを派遣して現地調査を命じた。同時にそれまで政府に蓄積されてきた関連情報をあらためて纏めるべく、『高祖実録』や『文館詞林』を撰したことで知られる許敬宗をこの任に充てた。その結果でき上がった『西域図志』60巻に、661年に帰国した王名遠がもたらした最新情報が併せられ、同書は100巻となった。残念ながら『西域図志』自体は散逸してしまったが、それに由来する情報は新旧『唐書』や『唐会要』、『法苑珠林』などに引かれている。この最新情報をもとに661年、唐はパミール以西の西域に都督府16、州88、縣110、軍府126を設置した。こうして『西域図志』由来の情報を引く史料には、7世紀半ばの西域の最新情報が含まれることとなったのである。

第二の背景は仏教関係者たちがより頻繁に中国とインドの間を往来するようになったことである。後漢時代の攝摩騰や竺法蘭を嚆矢とし、その後も名だたる僧侶たちが西域、天竺から中国を訪れており、彼らの伝は『出三蔵記集』のような経録や『高僧伝』、『続高僧伝』などの僧伝資料に纏められた。経典を求め渡印したことが知られる中国僧の最古の例は東晋の僧法顕である。399年に長安を発ち、

413年に海路青州に帰着した彼の旅の記録は『仏国記』（あるいは『法顕伝』）として知られ、5世紀初頭の中央アジア、インドの状況を知るための貴重な史料となっている。法顕以後も、後秦の智猛（ちみょう）や劉宋の曇無竭（どんむかつ）といった僧たちが次々と渡印したが、彼らの行伝が伝えてくれる歴史情報はそれほど多くはない。

このような渡印僧、渡来僧たちの活動は7世紀前半の玄奘（げんじょう）の登場において一つのピークを迎える。太宗治世の629年（あるいは627年）、長安を出立した玄奘は仏教教学を学ぶべくインドをめざした。途中高昌国やスイヤーブ（現アク・ベシム遺跡）を経由してトランスオクシアナを南下し、アフガニスタン北部からバーミヤン、カピシを経て北西インドに入った彼は、15年ほどインドに留まって仏教を学んだ後、多くの経典を携え、645年に帰還した。帰国後皇帝太宗から、還俗して唐朝に仕えるよう求められたのを固辞した玄奘は、その代わりに旅で集めた情報を纏めた報告書として『大唐西域記』を著した。そこには彼が実際に訪ねた国々や伝聞した地方についての詳細な情報が記載されているが、アフガニスタン地域についても、吐火羅（とから）（アフガニスタン北部）での葉護（ようご）（ヤブグ）の代替わり、完成後間もなかったバーミヤン大仏の様子、さらにはカーブル川流域を支配していたカピシ王国の政治情勢など極めて貴重な情報が見える。オーレル・スタインをはじめ、19世紀末以降の考古学者、歴史学者、言語学者、貨幣学者たちは中央アジアから発見される遺跡、遺物、文書、貨幣などを解釈するための最大の拠り所として玄奘の記録を用いてきた。

玄奘から約1世紀遅れた720年代、新羅出身の僧慧超（えちょう）が北インドからアフガニスタン東部・北部を経由し、中央アジアを経て長安に戻った。彼の旅行記『往五天竺国伝（おうごてんじくこくでん）』はポール・ペリオによって敦煌文書のなかから見出された。残念ながらこの写本は首尾を欠くが、北インドからアフガニスタン、中央アジアをめぐった彼の旅の主要な部分は幸いなことに失われていなかった。同書には東部アフガニスタンにおけるテュルク系王朝の出現や、吐火羅葉護がアラブ軍に敗れてバダフシャンへ逃れたことなどが記録されるが、これを『大唐西域記』、正史その他に見える『西域図志』由来情報などと比較すると、7世紀半ば以降アフガニスタンや中央アジア西部にどのような変化が生じていたのかがよくわかる。

しかしながら755年に勃発した安史の乱を契機に西域に対する中国王朝の影響力は減じ、漢籍史料に最新情報が記載される機会も激減する。さらに、インド本地における仏教の衰退により、渡印僧が詳細な記録を残すことも少なくなった。751年に罽賓国（カーブル）への使節団の一員としてガンダーラに赴き、同地で出家、約40年後の790年に長安に戻った中国僧悟空が将来した『仏説十力経』の序には彼の簡略な伝が見えるが、これが前イスラム期アフガニスタン地域に関する漢籍中のまとまった記録の最後のものとなる。以後アフガニスタン地域においてはムスリムによる征服と統治が本格化していき、同地の歴史についての主たる情報源はアラビア語、ペルシア語史料へと遷っていくのである。

（稲葉 穣）

31

仏像の誕生

★怖れを知らぬ獅子★

釈迦の没年が前383年（宇井伯寿・中村元説）とするならば、生涯は80年の春秋であったとされるから、生年は逆算して前463年となり、釈迦はヘロドトスやトゥキュディデス、ソクラテスらとほぼ同時代の人であったといえる。ローマはまだエトルリアと戦いのさなかにあった。生死をさまようすさまじい修行ののち、悟りを開き、尊敬に値する者、すなわち仏陀となった釈迦は、最後は涅槃（ねはん）という超人的な境地に赴かれる。遺骸はクシナガラの北の城門から町の中央部を通り、東の城門に出て荼毘（だび）所に運ばれ、新しい麻布で包み直され、それをさらに梳いてある新しい木綿で包み、さらに新しい麻布で包み込み二重の鉄製の棺桶に入れ、香木の薪の山の上にのせ、世尊の遺骸を荼毘に付したと『涅槃経』は記している。香水をかけて消された灰のなかから世尊の舎利（しゃり）（身骨）が拾い出され、クシナガラの公会堂に安置され、7日の間礼拝供養された。その後舎利の分配がおこなわれ、それぞれが国に舎利塔（ストゥーパ）を建立して祭事を営んだことも記されている。

アレクサンドロスがマケドニアの軍勢を従えてインダス河を渡るのは前326年であるから、仏陀入滅のわずか57年後のことで、それはまたチャンドラ・グプタがナンダ朝を倒しマウリヤ朝を打ち立てるほぼ10年前のことであった。アレクサンドロスたちにとっては神の似姿（イマーゴ）を拝することは日常のことであったが、ガンジス川の中流域、釈尊が「諸行無常」を説いて遊歩した地域の人びとにとっては、特別のことであった。そして釈尊もまた自分を神格化すること、没後偶像として崇拝することを固く禁じた。遺骨の礼拝も禁じたが、遺徳を慕った人びとは舎利を分割してそれぞれの国に持ち帰り、塔を建立して礼拝を怠らなかった。そしてマウリヤ朝の第3代の王にアショカ王（在位前268〜前232年）が即位すると、釈尊の教えは一気に東西に伝播し大きな広がりをみせる。当時アフガニスタンの東南方は既にセレウコス1世によってチャンドラ・グプタに割譲されていたから、アショカ王がその法勅を刻すことを領国に命じたとき、カンダハールにも法勅は伝えられ、いわゆるカンダハール碑文としてギリシア語とアラム語で銘刻されている。

同じ頃、ヒンドゥクシュの北方、セレウコス朝下のバクトリアではディオドトスによる反乱がおき、独立してグレコ・バクトリア王国を創建する。王国はその後、アレクサンドロスの足跡を追うようにインダス河の支流域にまで拡張するが、拡大は権力の分裂を生み、インダス河流域にはインド・グリーク朝が成立し、オクソス河畔のグレコ・バクトリア王国は東北より押し寄せる遊牧民との戦いに巻き込まれていく。漢の武帝の使者博望侯張騫（ちょうけん）がオクソス河流域に大夏（バクトリア）を訪れたのはこの頃であった。

仏像の誕生がいつであったのか、さまざまな学説があって正確なことは今日に至るも判明していないが、オクソス河沿岸のグレコ・バクトリア王国に代わり、新たに遊牧民の王朝を建設したクシャ

ティリア・テペ出土の金貨（右が表）

ン朝の初期に、仏像がその版図の東西で生まれたことはいくつかの石像の存在によって明らかである。半円形の墳墓の形をとった舎利塔には、釈尊の前世と当世の物語を付すことで舎利塔の由縁が説かれるようになっても、なお仏陀の姿はあるべき空間（空坐）や存在の象徴によってでしか表現されることはなかった。身体を伴わない足跡の表現（三道宝階降下・バールフト・前2世紀末）が仏像誕生前の最後の象徴崇拝であった。ヘロドトスはその『歴史』（第4巻82）のなかで、スキタイ人による「ヘラクレスの足跡」の信仰を記述しているから、これとて仏教独自のものとはいいがたい。

アフガニスタンの北方、バクトリアの地域、現在のバルフの東北部で一つ遺跡が見つかった。1978年にソビエトの考古学者サリアニディによって発掘されたティリア・テペである。その第4号墓から一枚の金貨が出土した。後1世紀の初め頃のものと思われるこの金貨の表面と裏面にはそれぞれ異なった図像が表出されている。表面には三宝標・法輪に向かって右足を挙げて進む雄獅子が打ち出されており、その右上方にはガンダーラ語・カロシュティー文字で「怖れを知らぬ獅子」と表出されている。裏面には八本の輻（や）で支えられた円輪を転ずる人物の立ち姿が表されており、やはり同じ文字で「法輪を転じる」と刻出されている。左肩に獣皮をまとうこの人物は明らかにヘラクレスである。獅子の進む道に従って法輪を転ずるヘラクレス、ギリシアではネメアの獅子を退治して英雄となったヘラクレスがここでは護法者として「釈迦族の獅子」といわれた釈尊に従ってその教えの普及に努める。おそらくガンダーラあたりで製造されたこの記念金貨をバクトリアの王侯は仏教への改宗の証しとして与えられたのであろう。当時バクトリアを統治していたのは初期クシャン王家の英雄ウェーマ・タクトゥであった。ウェーマ・タクトゥからウェーマ・カドピセス、ウェーマ・カドピセスからカニシカへと王権が引きつがれた（後127年）のち、領土の拡大とともにどのような宗教政策をとったかは、先述したラバタク碑文によって、彼らは祖霊とともに拝火を伴うイランの神々やインドの神々を崇拝していたことが明らかとなった。ヒンドゥクシュの北麓に残されている拝火壇を伴うスルフ・コタルの神殿遺跡は初期クシャン朝の典型的な宗教遺跡の一つである。祖父ウェーマ・タクトゥが東方のヤムナ河畔の宗都マトゥラーまで拡大した版図を受けついだカニシカが、当時大きな潮流としてその教域を西方へと拡大しつつあった仏教と向き合わなければならなくなったのは明らかである。

バクトリアを祖地とするカニシカは、インド・グリーク朝の王メナンドロスの仏教への改宗の故事を知っていたであろうか。『ミリンダ王の問い』の原形の成立が「前1世紀か後1世紀とみなしてよい」とすれば、初期クシャン朝との関わりを無視することはできない。カニシカは自ら発行したコインに、表に即位儀礼に臨む自分の立ち姿を描かせ、裏面に釈迦牟尼仏の立像を刻ませた金貨を発行している。さらには、裏面に弥勒仏の坐像を刻出した銅貨も発行している。王侯像の裏面に守護の神々の像を表現した貨幣の発行はアレクサンドロス以来、バクトリア・コインの特徴となってきたが、アフガニスタンの北方域バクトリアとインドのマトゥラーまで、広大な版図を誇った初期クシャン朝の王侯が、カピサからガンダーラにかけての地域で伝法の焔につつまれ、学識を競った僧侶たちの助言をえて、仏像の創出に踏み切ったと考えられる。仏像の創出は複数の異文化の賜物である。仏像の誕生から大仏の創出まで、アフガニスタンはシルクロード仏教の核心を握っているが、戦火収まらず多くの仏教遺跡はまだ手つかずのまま大地に眠っている。

（前田耕作）

32

求法僧の道

★玄奘がたどったアフガニスタン★

シルクロードは、「絹」といった「物」を東へ西へと運んだだけではなく、目に見えない思想や技術を伝える「道」でもあった。ゾロアスター教やキリスト教、マニ教、イスラム教、そして仏教といった宗教もまた、山や砂漠を越えて旅した人たちによって伝わり、広がっていった。前5世紀頃にインドで生まれた仏教は、しばらくの間はインドに留まっていたが、次第に南と北へ、そして東へと広まっていく。中国に仏教が伝来した時期には諸説あるが、紀元前後には西域経由で仏教が中国に伝わっていたようである。中国で仏典が漢訳されはじめたのは2世紀頃のこととされ、中央アジア出身の安世高（没170年頃）、支婁迦讖や竺法護（231〜308年）らが洛陽で仏典の漢訳作業に従事していた。4世紀には亀茲国（クチャ）から仏図澄や鳩摩羅什（344〜413年）が中国に来て大乗仏教を伝えたことで、仏教が本格的に広まることとなった。その一方で、漢訳仏典にもとづいた当時の仏教界では戒律の不備などの問題が生じたことから、これらの問題を解決するために、4世紀頃より以後、多くの中国僧が仏教の原典を求めてインドへと旅立つこととなった。

6世紀以前、西域とインド世界、特に仏教の中心地として有名であったガンダーラ（現在のパキスタン北西部）とを結ぶ道は、カラコルム山脈を越えるルートが主なものであった。現在の新疆ウイグル自治区にあるタシュクルガンから南へ向かい、そのまま南下してカラコルム山脈を越えてギルギットに抜ける、いわゆる「カラコルム・ハイウェイ」と呼ばれるルートである。法顕（３３７頃〜４２２年頃）たちが往路に抜けたルートもこれであった。そのため、この時期、アフガニスタンに足を踏み入れた求法僧の数は決して多くない。慧景、慧達、道整を含めた法顕一行はガンダーラから西の弗楼沙国（ペシャワル）へ向かい、そののちさらに西行して現在のアフガニスタンのジャララバードに比定される那竭国（ナンガルハル）に足を伸ばしている。ナンガルハルの醯羅城（ハッダ）にあった仏頂骨精舎、そして仏の影が残されているという「仏影窟」を礼拝するためであった。

その一方で、5世紀にガンダーラが衰退し、現在のアフガニスタンの首都カーブルの北にあった迦畢試（カピシ）に仏教の中心が移ると、その地をめざすヒンドゥクシュ山脈を越える道もまた主要なルートとして盛んに用いられるようになった。その道を辿った求法僧の代表が玄奘である。玄奘は7世紀前半にアフガニスタンの北西部を旅し、『大唐西域記』と『大慈恩寺三蔵法師伝』（以下、『慈恩伝』）を残した。

タクラマカン砂漠、そしてパミールを越えて中央アジアに入った玄奘は、現在ではウズベキスタンに位置する、かつてのソグディアナとトハリスタンの境となる「鉄門」を抜け、アム・ダリアの北岸にあるテルメズに至る。ここでアム・ダリアを渡り、現在のアフガニスタンのクンドゥズ（活国）に入ることとなる。もともとはそのまま南へと進もうと考えていたようであるが、『慈恩伝』によれば、土地の君長の勧めもあり、またバルフの僧侶たちから「バルフから天竺（インド）へのいい道がある」と聞き、一旦西のバルフ（縛喝国）へと向かうこととなる。バルフでは、玄奘は、仏の澡罐（水瓶）や仏の歯、仏のほうきが納められた納縛僧伽藍や提謂城と波利城にあった仏塔を訪れている。その間、玄奘は、バルフの南西にあった鋭末陀国と胡寔健国に赴き、王の供養を受けている。固辞したにもかかわらず、玄奘のことを聞き付けた王が再三使節を送ってきたためである。

そののち、バルフから南へと下り、掲職国を抜けて、梵衍那国、つまりバーミヤンへと向かうことになる。梵衍那国は掲職国から東南へ、「大雪山」を越えたところにあった。おそらくは、現在ダンダーンシカン峠とアク・ラバート峠として知られる峠を越えたのであろう。バーミヤンに到着した玄奘は王の出迎えを受け、王城で歓待を受けることとなる。「金色にきらきらと輝く」高さ55メートルの西大仏、先王が建てた伽藍、釈迦仏とされる高さ38メートルの東大仏、そしていまだ謎に包まれている長さ「千余尺（380メートル）」の大涅槃仏などを礼拝している。15日後には梵衍那国を出発するが、雪のせいで道に迷い、猟師に道を教わってどうにか迦畢試国（カピサ）にたどり着くことができた。迦畢試国の都には伽藍が百余ヵ所あり、僧徒は6千余人、多くの者は大乗の教えを学んでおり、仏教以外にも天祠が数十ヵ所、異道は千余人おり、まさしくこの地域の中心地であった。王城の北西には二つの旧王の伽藍があり、このなかには釈迦が菩薩だったときの乳歯や如来の頂骨、青紺色の如来の毛髪が納められていた。同じく唐代の入竺求法僧であった玄照もまたこの伽藍を訪れ、「ようやく迦畢試国に至り、如来の頂骨を礼し、香と華をもれなく捧げ、その印文を取り、来世の善悪を観る」と記している。

迦畢試国を出発した玄奘は６００里東へ向かい、黒嶺を越え、濫波国（ラグマン）に入ると、いよいよインド世界の始まりであった。そこからさらに南へ下ったところにあったのが、法顕も訪れた那揭羅曷国（ジャララバード）である。都には伽藍は多いが、僧徒は少なく、多くのストゥーパが荒れはてて壊れていた。玄奘は法顕らが礼拝した醯羅城（ハッダ）の仏頂骨精舎や「仏影窟」を礼拝しているが、「仏影窟」は既に荒廃しており、「道は荒れはてて険しく、しかも盗賊が多く、またここ２、３年は行ってもお姿がみえないので訪れる人も稀である」と記している（『慈恩伝』）。

インドでの修行ののち、玄奘は帰途につくこととなる。戒日王（ハルシャバルダナ）は南海路での帰国を勧めたが、「帰還の折には、高昌国に３年留まって供養を受ける」という国王麴文泰との約束を果たすべく、陸路で帰国することとし、再びアフガニスタンを通過することとなる。漕吒国（ガズニ）から北へ向かい、弗栗恃薩儻那国や安呾羅縛国（アンダラーブ）、鉢鐸創那国（バダフシャン）、そしてワハン回廊を抜けて西域のタシュクルガンに至り、６４５年春長安へと到着した。まさに16年にも及ぶ長旅であった。

（山内和也）

33

メス・アイナク遺跡群

★埋もれた仏教都市★

メス・アイナク（またはメセ・アイナク）遺跡群は、首都のカーブルから南東に40キロメートルほどの地点、ロガール州の北部に所在する。この周辺は標高２３００〜２５００メートルに達する山岳地帯で、古くから銅鉱山として知られていた。10平方キロにも達する広大な範囲のなかに、銅の採掘場と作業場、市街地と防壁・望楼、そして少なくとも８つの仏教寺院が存在しており、いわば、銅鉱山を中心とした「仏教都市」であったことが判明している。遺跡群が活発に活動していた年代は前１世紀頃から後８世紀頃に及び、部分的には13世紀頃まで機能していた痕跡もあった。

この遺跡群は既に１９６０年代には知られており、その後１９７０年代にはフランスの考古学調査団によって簡単な調査もおこなわれている。しかし、メス・アイナクの名が広く知られるようになったのは、２００７年以降の中国企業による銅鉱山採掘権の買収と大規模開発によってであった。あくまで鉱山開発を前提とした緊急発掘が進むにつれ、この遺跡群がアフガニスタンの歴史にとって極めて重要な文化遺産であることが徐々に明らかとなり、その救済と保存を求める声が国際的にも高まっていったのである。しかし、現段階（2020年）においても、遺跡そのものの最終的な措置は決まっていない。さらに、おびただしい数の出土品の保管と保存・修復をいかに進めるかについても喫緊の課題となっており、「開発と遺跡保存」という古くて新しい問題を、改めてわれわれに問いかけている。ただ幸いにも、主要な出土品については、日本を含む諸外国の協力のもとで修復作業が進みつつあり、展覧会や図録の形で世界に公開されている。以下では、そうした新しい情報にもとづいてメス・アイナク遺跡群を簡単に紹介したい。

まずは、遺跡群の全体像を確認しよう。メス・アイナクは、銅鉱山を中心とした街だったので、遺跡内の各地で自然銅が露出し、その採掘場が分布している。さらに、谷間に流れる複数の小川に沿って、銅のスラグ（金属を製錬する際に分離した成分が、冷えて固まったもの）が大量に存在していて、原石の製錬もこの周辺でおこなわれていたことを示している。これらの作業に従事していた人びとが暮らす市街地は、遺跡範囲の中心部に当たる小高い場所に作られており、防壁と望楼によって囲まれていた。市街地のなかには、ストゥーパ（仏塔）を伴う祠堂や宝飾品の工房、そして貨幣の製造所なども確認されている。

仏教寺院は、防壁の外側に点在する小さな丘陵上に建てられていた。現在確認されている寺院は、すべて銅の採掘場に至る道の途上にあり、堅固な防壁に囲まれていることから、鉱山を守る防衛機能をも担っていた可能性が高い。そのなかでも、もっとも詳細に発掘されたのがカフィリアット・テペである。80×35メートルの敷地をめぐる堅固な壁と、隅部に設けられた望楼によって囲まれた仏教寺院で、主ストゥーパ、その周辺に林立する奉献小塔、仏像や壁画で飾られた祠堂、そして多くの小部屋を持った僧房からなっており、いわゆる大ガンダーラ地域における典型的な仏教寺院の構成であった。個々の遺構は石積みを基礎としつつ、日干し煉瓦を多く用いて構築されていて、この点でも大ガンダーラ北西部の各遺跡と共通している。一方で、メス・アイナクでは木材がふんだんに使用されていることも明らかになっており、当時の周辺環境を彷彿させる。事実、銅の製錬には大量の燃料が必要だったはずで、木材の入手も一連の産業に欠かせない分野であっただろう。

続いて、特徴的な出土品を紹介しよう。長期間にわたって機能していた遺跡群であるため、出土品も非常に多様である。大量の土器はもちろんのこと、貴石を象嵌した金製装飾品および化粧用具とされる金属製品の一括資料、石製の玉類、いわゆるササン銀器と呼ばれるタイプの銀製容器などが出土していて、後2世紀~7世紀の遺物が中心となっている。この年代は、遺跡の各地点から出土した貨幣からも証明され、クシャン朝の銅貨（2~3世紀）や、クシャノ・ササン朝の金貨（4世紀半ば）、ササン朝の銀貨（4~5世紀）などが幅広く確認された。

仏教に関連する出土品はとりわけ豊富である。大ガンダーラ地域に特徴的な片岩製の仏像は数が少ないものの、カフィリアット・テペのストゥーパからは、原位置に残る半跏菩薩像が出土している。また、バーバー・ワリ遺跡から出土した燃燈仏授記浮彫も非常に特徴的な例で、通常なら手を加えない裏面に、坐仏と供養者の極彩色の絵画を描いている。これらの片岩彫刻は、カーブル北方のカピシ地域から出土するものと様式も石材も酷似しており、両地域の深い関係を示している。

メス・アイナクから出土した彫刻のほとんどは粘土製で、表面に化粧漆喰と彩色を施したタイプである。南東のハッダ周辺で大量に出土する、いわゆる「ストゥッコ像」とはまったく異なっており、

王侯とブッダの壁画の検出作業（カフィリアット・テペ）（安井浩美撮影）

「泥像」とも呼ばれる。各寺院から大量に出土していて、5メートルにも及ぶ巨像の脚部や涅槃像、そして表面を金泥で覆った華麗な坐像や頭部など、その種類は多岐にわたっている。さらに、アフガニスタンではほとんど例のない木造の仏坐像の存在は、素材の多様性を示す極めて貴重な事例といえるだろう。

寺院の壁には、極彩色の壁画も描かれていた。そのなかでも、カライ・グルハミド遺跡から出土した、坐仏と供養者の壁画は非常に特徴的である。3人の供養者は、赤色の衣と白色の衣を組み合わせた特異な服装で、さらに鬢の部分を長く垂らす珍しい髪型をしている。類例の知られない姿であることから、仏教とは異なる信仰の影響も考慮する必要があるかもしれない。また、カフィリアット・テペでも、美しく着飾った王侯とブッダが並んで立つ構図や、中国式に大衣をまとう坐仏の壁画などが出土しており、遺跡内の各仏教寺院がいずれも美しく荘厳されていたことがわかる。

以上のように、メス・アイナク遺跡群は銅の採掘とその製錬などの産業を中心とした街であり、仏教が広く信仰されていた。鉱山の採掘という危険な作業に取り組む人びとにとって、何らかの信仰に篤く帰依することは必然の結果であっただろう。さらに、最近の調査では、ヒンドゥー教で広く信仰された女神・ドゥルガーと思われる彫像の破片や、拝火壇と思われる遺構が発見されるなど、仏教だけに留まらない宗教事情も明らかになりつつある。メス・アイナク遺跡群は、人びとの暮らしと産業、そして多様な信仰が包摂され共存していた古代アフガニスタンの姿を、はっきりと浮かび上がらせてくれるのである。

（岩井俊平）

34

マルコ・ポーロの道

★正確なそして夢を誘う記述★

マルコ・ポーロが名高い中国への大旅行をおこなったのは1271年から1295年のことだった。この足掛け25年にわたる旅行や生活、見聞した土地や物事の記録とされる『東方見録』については、その内容について疑問を持つ人も多い。しかし、この書によって初めて西洋人に対して、中央アジアから中国までの未知の世界のイメージが明らかにされたといえる。

彼の旅行の道程は大まかにいえば、往路はヴェネツィアから地中海をシリア沿岸まで海路で行き、イランからペルシア湾に出て、ホルムズから進路を変更して陸路に戻り、中央アジアを東行してモンゴルから中国に入ったらしい。帰路は南海経由で海路ホルムズまでもどり、イランから黒海をへてヴェネツィアに戻った。

このうち往路でアフガニスタンを通過している。イラン東部のケルマーンから、アフガニスタン北部の1979年黄金の遺宝が発掘されて有名になったシバルガン、古来イラン、中央アジア、インドを結ぶシルクロードの要衝として名高いバクトリアの首邑バルフをへてバダフシャンへ入り、ワハン渓谷を東行してタシュクルガンからカシュガルに至ったらしい。

ここからは『東方見聞録』の記述を要約してみよう。

マルコ・ポーロはちょっと脇道にそれた「山の老人」の城砦の説明から、いくつもの砂漠や素晴らしい牧地をへてシバルガンにいたったと書いている。シバルガンは瓜の味が天下一品で、沢山とれる。乾しメロンも近隣諸地方に多量に出荷されるという。

次のバルフはマルコ・ポーロが至ったときも大都市であったが、チンギス・ハーンに攻略破壊され廃墟化した名残があり、以前はもっと美麗な大都市だったという。アレクサンドロスがダレイオス大王の娘と結婚したのはこの町だったといっているが、アレクサンドロスが結婚したのはダレイオスの娘ではなく、バクトリアの豪族オクシュアルテスの娘ロフサーナだった。

ここから東北または東方に向かっての12日間は、無人の土地を行くという。住民は軍隊や盗賊を避けるため山間の砦に住んでいるからである。水は十分にあり、ライオンがいる。

次に、現在のクンドゥズの東のタラカンに着く。穀物の大集散地で塩の採れる山がある。アーモンドやピスタチオも採れる。

さらに、東方に3日間は、果物、葡萄が豊かに実り、良質の酒ができる土地で住民は暇さえあれば酒を飲んでいる。狩猟の獲物が多いのでその皮をなめして靴、衣服を作っていた。

次に、キシムの町に着く。ここにはヤマアラシが沢山いる。この周辺は言葉が独特で、農民は大型の洞穴式の家に住んでいる。

さらに3日で広大なバダフシャンに入る。アレクサンドロスの子孫が王を世襲しているという。ルビーの鉱山があり、採掘は王が厳重に管理している。ほかにサファイアやラピス・ラズリ、銀、銅、

第34章
マルコ・ポーロの道

マルコ・ポーロ羊

鉛も沢山採れる。良質の馬も産する。都市、集落は大山の頂にあって、麓から頂上へは夜明けから日没までかかり要害堅固である。頂上は広い大地で草木が茂り、空気も水もきれいで健康的なので、山麓の住民が熱病にかかったときここで静養すると数日で健康を回復するという。マルコ・ポーロもこの国に来たとき健康を害し、1年も療養していたらしいが、この台地で静養するようにとの忠告に従ったところ、たちどころに全快したという。布が乏しいが貴族の婦人たちは沢山の布を使ったひだ付きのズボンを着用する。男たちが太った女を好むので、臀を大きく見せかけているのだという。

記述はここから南方にそれ、カフィリスタンとカシミールについての伝聞を記すが、マルコ・ポーロたちは東行または東北行12日間でワハン（イシュカシム）に達する。四方とも三日行程のこぢんまりした国で、バダフシャン国王に隷属している。

この先の山岳地帯を3日東北行すると、世界で一番高いといわれるところ、パミールに着く。ここは四方を山に囲まれた平原で、湖があり、一本の川がある。ここは良質の牧草があり、どんなに痩せた家畜でも、10日も放牧すればすっかり太ってしまうとある。狩猟の獲物は豊富でオオカミもいる。特に、角が1メートル20センチから1メートル60センチもある大型の羊が沢山いる。これはのちにオビス・ポリ（マルコ・ポーロ羊）と呼ばれるようになった。この角や骨を集めて、冬の道しるべにしている。また、ここは非常な高地で寒さも厳しいので、火を燃しても赤々とは燃えないし、食べ物を煮ようとしてもうまく煮えないのだという。

ここを横断するのに12日かかり、途中に人家もないし牧草もないので、旅行者は食料を持って行かなくてはならない。その後東方へ40日余りすすむと、チベットの領域に入る。

以上がマルコ・ポーロのアフガニスタンでの行程であるが、『東方見聞録』は全部が彼の見聞したものではなく、当時の旅行記、旅行案内書の類いの寄せ集めだという批判もある。しかし、このアフガニスタンのあたりはわれわれの現在の識見から見てもかなり正確で、単なるホラ話ではなく、この後の大航海時代を導く驚異と知識を西欧世界にもたらすものだったといえよう。

（本多海太郎）

35

イスラムが残した建築

★土着の建築伝統に刻まれた文化往来の軌跡★

アフガニスタンは西にイラン（ペルシア）、北に中央アジア（ソグディアナ、またはマー・ワラー・アンナフル）、南と東をヒンドゥスタン（インド亜大陸）に囲まれた山がちの地域で、ヒンドゥクシュ山脈が東から中央に横たわる。周囲を取り巻く大きな文明圏との関係から都市とその建築を考えると理解しやすい。

西はヘラートを中心とするペルシア文明寄りの地域で、イラン東北部のホラサン地方へハリ・ルード沿いに繋がり、北に行けばトゥルクメニスタンに通じる。北は、バルフを中心とする地域で、古くはゾロアスター教が普及しバクトリア王国が栄え、アム・ダリアを渡るとウズベキスタンのオアシス都市へと至る。東はガズニやカーブルを中心とするインド文明寄りの地域で、カイバル峠を越えるとヒンドゥスタンが広がる。南は、カンダハールを中心とするペルシア湾寄りの地域で、シースタンの砂漠に消えるヘルマンド川沿いの地域である。

これらの地域は乾燥地域にあるため、基本的には土から作った煉瓦造建築が伝統的な技法である。日干し煉瓦を積む際、ところどころに木材を挿入して強度を保ち、被覆には焼成煉瓦や土塗を用い、14世紀以後には釉薬をかけたタイルがその表面全

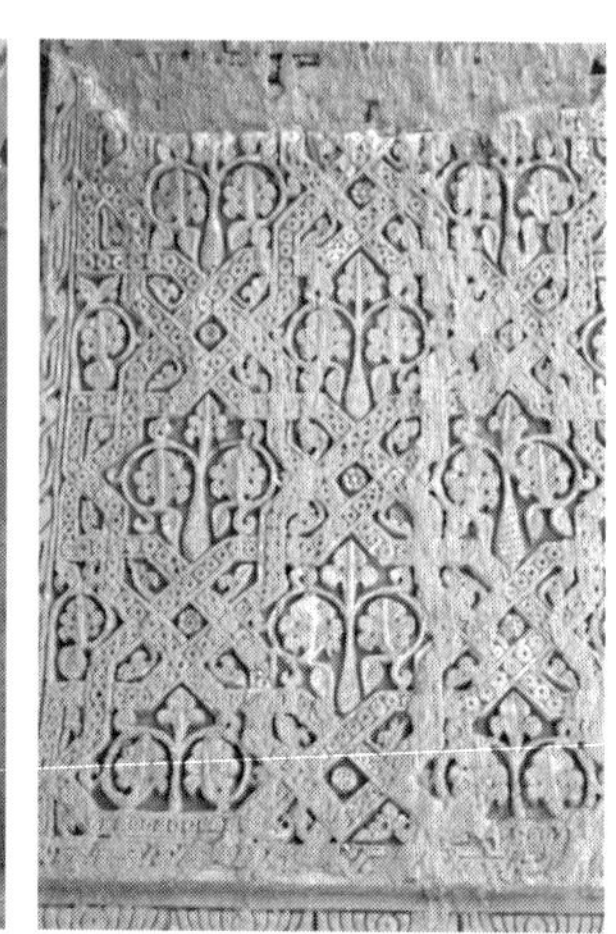
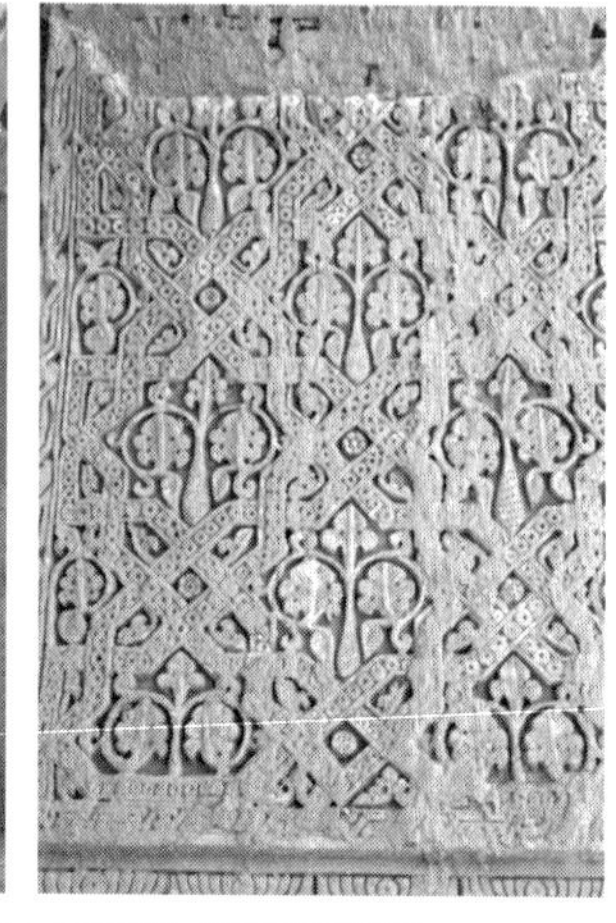

9ドーム・モスクとその細部（スタッコ浮彫）（関根正男撮影）

体を彩るようになる。屋根は煉瓦による曲面架構あるいは木製の横架材に土を載せた平屋根とする。ただし、たび重なる戦乱に加え、材料の耐久性から遺構の残存状況は悪い。

イスラムとこの地域の歴史を紐解けば、7世紀から8世紀にかけて西から到来したアラブ族によってイスラムの支配が及び、アッバース朝のもとで、重要な地域の一つとなり、ブハラを首都とするサマン家の支配が及ぶ。この時代の遺構として、北のバルフに9ドーム・モスクがある。縦横3スパンで、太い煉瓦柱の上に九つのドームを載せた小礼拝堂で、円形断面のピア（構造柱）や使われた文様などにはササン朝ペルシアの影響が強い。アラビア半島からイランを経て入ってきた新たなイスラムという宗教に、既存土着の建築伝統で対応した例で、しかも勢力を誇示する大モスクではない小さなモスクを念入りに仕上げた点は、支配者層の宗教への傾倒を物語る。

その後、中央アジアの草原から遊牧トルコ族がアッバース朝の首都バグダードへ向かうなか、覇権争いが続く。10世紀末から12世紀にかけて、東のガズニを中心としたガズニ朝が勢力を広げ、続いてヘラートの東に位置するゴールから興ったゴール朝が交代する。双方ともにヒンドゥスタンへの関心は強く、遠征を繰り返し、後者はラホールを首都の一つとする。前者の遺構としてラシュカリ・バザール、一方後者では謎の首都フィローズ・コーに建設された高さ62メートルに及ぶ塔（ジャムのミナレット）が双峰をなす。それぞれ以下のような文化交流の軌跡が読み取れる。

ラシュカリ・バザール（11世紀初頭）はヘルマンド川沿いに建設された宮殿群で、7キロメートルほど南にはブストの城塞都市があり、川沿いの一帯にアッバース朝の宮殿都市サーマッラー（9世紀）のような構成をめざしたと考えられる。大小の矩形中庭をもつ宮殿や、四隅に円形の稜堡を備えた小さな城塞などが、矩形の広大な庭園のなかに巧妙に配置される。この地域一帯に普及した堅固な城塞建築を採用する一方、大中庭建築にはその後セルジューク朝のモスク建築から各地へと伝播し一世を風靡したチャハール・イーワーン（中庭の軸上に対面する四つの開放的広間）を用いており、イスラムの為政者が建設した宮殿としての先例は知られていない。イーワーンはメソポタミア起源と言われ、中庭に対称に配した先例としてパルティア朝のアッシュールの宮殿がある。おそらくイラクのアッバース朝の宮殿建築を経由して移入されたことが推察される。

ジャムのミナレット（12世紀末）は、セルジューク朝期にイランを中心に流行した円形断面のミナレットの系譜上に位置し、手の込んだ紋様積み煉瓦に加え、トルコ・ブルーに輝く施釉タイルのインスクリプションが挿入される。おそらくイラン中原を拠点としたタイル文化の革新が、ホラサン地方やホラズム地方と同様に、この地にももたらされていた。なお、ゴール朝軍人奴隷から独立してヒンドゥスタンを統治したアイバクが、首都デリーに建設したクトゥブ・ミナール（13世紀初頭）では、材料は煉瓦から石に置き換わるが、高くそびえる先窄（すぼ）まりのシルエットをジャムのミナレットから、星型の断面をガズニの2本の塔から取り入れたのであろう。

この時代、注目したいもう一つの点は、墓建築である。ヒンドゥスタンでは14世紀以後墓建築のヴァリエーションが顕著であるが、12～13世紀のチシュトの墓建築やブストの八角形墓の存在は、その源流をなし、マー・ワラー・アンナフルの実例よりもより直接的な関係性を持った。アフガニスタンがヒンドゥスタンへのイスラム建築文化の拠点として重要な意味をもった時代といえよう。

13世紀のモンゴル侵入後、トルコ・モンゴル系のティムール朝になると遺構数は増える。ティムールは当初サマルカンドを首都としたが、15世紀にはヘラートがもう一つの首都として興隆、ティムールの息子シャー・ルフの時代はヘラート文化の最盛期となった。彼は、ヘラートの城塞と市壁、バザールを修復し、北へ伸びる大通りを設営した。この通りの周辺に、彼の妻ガウハル・シャードをはじめティムール朝の統治者たちが巨大な複合建築を寄進し、その跡が残る。現在は断片的な遺跡と化してしまったが、本来は、高くそびえる塔やドームを多用し、多彩なタイルで彩られた広壮な建築群であった。

ティムール朝期の建築技法として注目したいのは、アーチ・ネット（アーチを交差させたドーム移行部）と墓建築平面の進化である。ヘラート郊外のアザダンに残るアーチ・ネットは、小アジアからヒンドゥスタンまでの広大なティムール朝の領域のなかでも最先端の技法と位置付けられる。また、ガズニに残るウルグ・ベク廟の構成は、五の目（賽子の五の目の配置）の対称性に徹し、タージ・マハルなどムガル朝の墓建築へとつながるもので、あたかも宮殿建築と墓建築をミックスさせたような平面を用いた現存最古の例である。すなわち、この時代、既存の文化の通り道であっただけではなく、アフガニスタンが新たな様式や技法の発信源となっていたことがわかる。バルフのフワージャ・ナスル・パルサ廟など、16世紀のシャイバーン朝時代ではないかと議論の対象となる墓建築も存在するが、無蓋の墓も含め、とりわけ聖者の墓建築の巨大化と壮麗化は、ティムール朝のなかでも15世紀のバルフやヘラート周辺で推進された現象といえる。

16世紀になると、ヒンドゥスタンとイランとの関係がより明確化する。ムガル朝の始祖バーブルは、ティムール朝の末裔と称しデリーを攻略しムガル帝国の基礎を築いたが、最終的には故人の遺志にしたがってカーブルに眠る。一方、ティムール朝の滅亡ののちのヘラートはイランを拠点とするサファビー朝の影響下に置かれる。大国の狭間にあるなか、18世紀にはアフガン王家による統治が始まったものの、19世紀になるとイギリス、ロシアを中心とする列強の間で対立と抗争が続き、特筆すべきモニュメントを生み出す状況には至らなかった。しかし、多くの戦乱を経たとはいえ、土着の建築文化の伝統は近代化をめざした周囲の国に比べて今なお根強く、各地には歴史的地区が残り、ヘラートやカーブルではアガ・ハーン財団が、保存修復によるコミュニティ開発をおこなっている。

フワージャ・ナスル・パルサ廟
（関根正男撮影）

総じて、アフガニスタンにイスラムが残した建築とは、西から東へのイスラムにもとづく知や技術の伝播、北から西へのトルコ・モンゴル系の人びとの移動、そしてアフガンの山岳砂漠の地からヒンドゥスタンの豊かな平原の希求などの動きが、地域一帯に根付いていた土着の建築伝統に作用し、その際に描かれた軌跡とみなすことができよう。（深見奈緒子）

36

アジア・ハイウェイ

──★首都カーブルで東西幹線 AH1 と南北幹線 AH7 が交差★──

２０１４年、中国は陸路と海路のシルクロードを整備する一帯一路構想を提唱した。その半世紀以上前、現代版シルクロードとして国際道路網アジア・ハイウェイ（ＡＨ）を整備する計画が存在していた。国土交通省のホームページにもとづくと、ＡＨ計画が採択されたのは、１９５９年の国連アジア極東経済委員会（ＥＣＡＦＥ）の総会である。当初参加国は、日本やアフガニスタンを含む15ヵ国であった。しかし、ＡＨ計画は、冷戦構造期間中停滞を余儀なくされた。その後の１９８０年代末以降、アジア諸国の環境変化に伴い、運輸通信インフラの整備が不可欠となり、ＡＨ計画が復活した。１９９２年に、国連アジア太平洋経済社会委員会（ＥＳＣＡＰ、ＥＣＡＦＥの後身）は、当初の計画を見直し、アジア陸上交通インフラ整備（ＡＬＴＩＤ）計画を採択した。ＡＨ計画の再出発が始まった。さらに、２００４年に、その前年採択されたＡＨ道路網に関する政府間協定に、日本とアフガニスタンを含む23ヵ国が調印し、同協定は２００５年に発効となった。ＡＨは、アジアの32ヵ国を繋げる総延長14万２千キロメートルの道路網となっている。

ＡＨの路線番号は、一桁、二桁と三桁の３種類存在する。一

第36章
アジア・ハイウェイ

桁の路線は、複数の国・地域を繋げる国際幹線道路網で、現時点で1号線から8号線まで存在している。その表記は、AHに路線番号を加えたものとなっている。すなわち、1号線の場合はAH1と表記されることになる。二桁と三桁は、地域内道路（隣接地域間道路を含む）で、地域ごとに使用できる番号が定められている。ちなみに、アフガニスタンが含まれる地域では、60～89と600～899までの番号が割り振られている。

アフガニスタンを経由する多国間に跨がる幹線道路網には、AH1とAH7の2路線がある。AH1は、加盟国を東西に結ぶAHの顔ともいえる路線で、その延長距離はAHのなかで最大の2万710キロメートルである。AH1の起点は日本の東京で、終点はトルコのカプクレ（ブルガリアとの国境）である。なお、トルコ国内の区間は欧州自動車道路E80と重複しており、欧州諸国と連絡している。AH1が通過する諸国は、日本、韓国、北朝鮮、中国、ベトナム、カンボジア、タイ、ミャンマー、バングラデシュ、インド、パキスタン、アフガニスタン、イランそしてトルコの実に14ヵ国である。アフガニスタン国内でのAH1の経路は、パキスタン国境のトルハムからカーブル、カンダハール、ヘラート、そしてイラン国境のイスラムカラを経由しており、その延長は1400キロメートルである。

もう一つのAH7は、ロシア連邦のエカテリンブルクを起点とし、カザフスタン、キルギス、ウズベキスタン、タジキスタンおよびアフガニスタンを経由してパキスタンのカラチに至る延長4776キロメートルの南北に関係国を結ぶ路線である。アフガニスタンでは、タジキスタンとの国境のシールハーンからカーブルに至り、その後、南部のカンダハールまではAH1と重複している。カンダハールからは、パキスタンとの国境スピンボルダクを経由して、パキスタンのクエッタに、そして、終点のカラチに至っている。ＡＨ７のアフガニスタン国内での延長は、カーブルとカンダハールのＡＨ１との重複区間を除いて４９３キロメートルである。

東西横断幹線道路ＡＨ１と南北縦断幹線道路ＡＨ７は、首都カーブルで交差している。カーブルでの同幹線道路の交差は、東西と南北からの多種多様な民族や物資の、さらには、文化・文明の結節点としてのアフガニスタンの地政学的特徴を如実に物語るものといえよう。なお、アフガニスタンにはＡＨ１とＡＨ７以外にＡＨが４路線存在しており、総延長は４２４６キロメートルとなっている。

ＡＨで思い出されるのは、２件のテレビ番組である。最初のものは、沢木耕太郎の紀行小説『深夜特急』を原作として、大沢たかおを主演に１９９６年から１９９８年にかけて３編に分けてテレビ朝日系で放映された『劇的紀行　深夜特急』である。原作では、インドから西は乗合バスを利用してＡＨ１沿いに移動し、アフガニスタンを経由してロンドンに至っている。一方、１９９７年7月放映の『劇的紀行　深夜特急'97〜西へ！　ユーラシア編』では、内戦でアフガニスタン入国を断念し、パキスタンのクエッタからイランに入国する道を選択していた。次は、２０１５年4月にＮＨＫが放映した『井浦新　アジアハイウェイを行く』である。同番組は、『深夜特急』とは逆方向に、トルコから東に向けて旅をしている。同番組も治安悪化を踏まえてアフガニスタンには入国せず、別のＡＨを利用して中央アジア諸国を経由し中国に至っている。

アフガニスタンは、１９７９年12月末の旧ソビエトによるアフガニスタンへの軍事侵攻から半世紀近く、戦争・内戦といった悲惨な状況から抜け出せず、安定・安全とはほど遠い存在となっている。

このため、いずれの番組も、アフガニスタンには入国していない。少なくとも、『劇的紀行　深夜特急』では原作通りにアフガニスタンへの入国を試みるが断念せざるを得なかった。その当時を振り返ってみると、タリバンは、1996年9月にカーブルを占領して、ムジャヒディン政権を追いだし、翌年5月に北部マザーレ・シャリフを一時的に占領するも、反撃されて撤退を強いられていた。アフガニスタン情勢が非常に流動的な時期と同番組の現地ロケとが残念ながら重なり、アフガニスタン入国断念を余儀なくされたものと思われる。

AHのような道路インフラの整備・維持管理にとって、国内の安定が不可欠であるのを目の当たりにする機会を、2003年春に得た。パキスタンのペシャワルからAH1沿いを、そして、AH7の大部分を移動した。当時は、タリバン政権崩壊直後の混乱期で、国際支援による主要幹線道路の修復は、まだ開始されていなかった。多くの場所で、道路状態は惨憺たるものであった。特に、カーブルとカンダハールを結ぶ区間は、想像を絶するものであった。多くの部分で路面の舗装は完全に失われ、大波のように上下にうねり、ノロノロ運転を強いられた。移動には実に16時間半を要した。ちなみに、日本も資金拠出した同区間の修復工事は2003年12月末に完了し、移動時間は6時間に短縮された。持続的な平和・安定が維持されなければ、AHは以前の状態に逆戻りしかねない。アフガニスタン国民の平和実現に向けた自助努力と国際社会の支援が求められている。

大きくうねる路面のカンダハール郊外幹線道路と遊牧民のキャラバン（2003年4月10日）

（柴田和重）

37

ラピス・ラズリ交易の中核地としてのアフガニスタン

★不正採石・密輸問題を中心に★

ラピス・ラズリはアフガニスタンで産出する宝石のなかで最も名高く、その美しく輝く青色により古代から宝飾品として珍重され、日本では瑠璃という名で知られている。いわゆるシルクロードを経由して奈良・平城京にもたらされ、正倉院の収蔵品には現在もラピス・ラズリを用いた宝物が納められている。日本のみならず、古代から中東や北アフリカ、中国など世界各地においてネックレスなどの装飾品として用いられていた。世界的にもよく知られた宝石であるこのラピス・ラズリは、実は現在のアフガニスタン北東部バダフシャン州に位置するコラーン・モンジャン郡、ジョルム郡、バハーラク郡に位置する鉱山から産出するものが、全産出量の9割以上を占めている。特に、コラーン・モンジャン郡にはラピス・ラズリを産出する主要な採石地が集中している。さらに、この地で産出するラピス・ラズリは、他地域産出のラピス・ラズリと比較して、質的にも極めて上質であるため、アフガニスタン産ラピス・ラズリは質・量ともに世界一ということができるだろう。

ラピス・ラズリの産出地バダフシャン州は、ヒンドゥクシュ山脈の峻険な山地に位置している。特に、産出量の多いコラーン・モンジャン郡は、バダフシャン州最南端に位置する郡であり、タハル州、パンジシェール州、ヌーリスタン州と隣接している。採掘されたラピス・ラズリの輸送ルートとして、南部ルートと北部ルートの二つの経路が存在する。南部ルートはパンジシェール州を経由してカーブル方面に向かい、北部ルートはバダフシャン州の州都ファイザバード方面へ出る。南部ルートは首都カーブルを経由して南アジアや中東方面へと、北部ルートは中央アジアや中国方面へと向かう交易路に接続する。古代、同地で採石されたラピス・ラズリは、さまざまな宝石の取引市場として著名であったメソポタミア地方、すなわち現在のイラクに集められた。同地で取引がおこなわれた上で、さらに北アフリカなど世界各地に流通していった。既に4千年前には、現在のアフガニスタンとイラクとの間で、ラピス・ラズリの交易がおこなわれていたといわれている。まさに、ラピス・ラズリの交易市場の世界的な広がりは、アフガニスタンを中核とした古代からのグローバルな取引市場の存在を示すものでもある。

近代以降の国際市場の拡大に伴って、ラピス・ラズリの需要はさらに拡大した。もともと、多くの外貨収入をもたらすラピス・ラズリの国際取引は、アフガニスタンにとって貴重な国庫財源の一つであった。しかし、1970年代からの政治的混乱、戦争と内戦は、ラピス・ラズリがもたらす莫大な利権をめぐる対立と汚職を生み出した。戦乱状態となったことで、中央政府の統制が及ばなくなると、バダフシャン州の鉱山周辺地域を支配した地方軍閥が実質的に鉱山を管轄し、その利権を手にすることとなった。さらに、密輸には輸送経路を支配する複数の地方軍閥などが関与するなどし、採石から密輸・取引に至るまで地方軍閥が利益を吸い上げる構造が作り上げられていった。その後、2001年9月11日のアメリカ同時多発テロ事件後は、アメリカ軍を中心とした国際部隊による攻撃とタリバ

カーブル中心部に立ち並ぶ金細工店

ン政権崩壊に伴い、国家の再統合が進められ、この構造に変化がもたらされると期待された。しかし、２０１６年6月にイギリスの国際NGOであるグローバル・ウィットネスが公表した調査結果報告書により、ラピス・ラズリの不正採掘、および密輸取引が克明な形で明らかとなった。

一連の不正採掘と密輸によって、２００１年以降、本来は国庫に収められるべき約1億ドル、つまり１００億円以上もの収益が不正に武装勢力の手に渡っていることが白日の下に晒された。この不正取引には、タリバンや地元の軍閥など政府と対立する武装勢力が関与していたのみならず、バダフシャン州選出の下院議員たち、あるいは密輸ルート上に位置するパンジシェール州を地盤とする元閣僚などが関与していた。さらに、密輸に関与していた下院議員がカルザイ前大統領の側近も務めた経験があることから、カルザイ自身の関与の可能性まで浮上した。このことから、ラピス・ラズリをめぐる一連の不正は、単に国庫収入の減少という財政的な問題に留まらず、アフガニスタンにおける汚職の深刻度を象徴するものであったといえよう。さらに、一連の取引により、タリバンたちに多額の資金が流入していたことは、反政府勢力などの武装資金となっていたことを意味するため、事態の早期打開に向け、グローバル・ウィットネスが公表した報告書は複数の解決案を提案した。このような状況を受けて、ガニ大統領とバダフシャン州知事が会見し、違法な採石と密輸の防止に努めることを発表したが、関与が疑われた議員や元閣僚、地方有力者たちは一切の関与を否定した。これは、政府における汚職の蔓延と自浄能力の欠如を示す証左であり、どこまで具体的な対応ができるかについては極めて疑わしい。

ところで、2018年にアフガニスタン北部とトルクメニスタンを結ぶ二つの交易路が開通したが、この経済回廊は「ラピス・ラズリ回廊」と名付けられた。「ラピス・ラズリ回廊」は、上述のようにラピス・ラズリが国際的に流通した経路に着想を得つつ、その交易路の中心としてアフガニスタンを位置づけ命名された。20世紀前半に活躍したパキスタンの国民的詩人・文人であるムハンマド・イクバールは自らの詩作中で、アフガニスタンを「アジアの中核」という言葉で表現した。これは現在のアフガニスタン国歌の歌詞中にも取り入れられている表現である。ラピス・ラズリの国際交易における中核としてのアフガニスタンが健全な意味で復活できるのか、今後の統治と汚職への対処を含めて注目される。

（登利谷正人）

コラム6

悲劇に見まわれ続けるジャムのミナレット

長岡正哲

現在千件を超える世界遺産リストのなかで、幾度となく自然災害に見舞われ、政情不安や治安悪化による理由から観光客が訪問できない登録地はほとんどない。ジャムのミナレットはその数少ない例の一つだ。ほとんどのアフガン人ですら自国のその場所を訪れたことがなく、土産物屋の絵葉書や写真でしか65メートルの高さを誇るジャムの尖塔の威光を窺い知ることができない。

アフガニスタンの中央部ゴール州に位置するジャムのミナレットは、標高2400メートルの高地に位置し、古都ヘラートにつながるハリ・ルード川とジャム川の合流点に鎮座する。12世紀に栄えたゴール朝時代に建立された煉瓦造りのミナレットは、壁面が精密な青藍色の装飾タイルで覆われ、イスラム様式の塔のなかでも特に美しい尖塔の一つとされる。そのミナレットは1943年地元民により発見され、1957年フランスの考古学者の調査により世に知られることとなる。その後1979年の旧ソビエト侵攻までのわずかな期間のみ訪問者を受け入れ、2002年アフガニスタンから初めて世界遺産リストに登録された。

屹立とした岩肌だらけの山々に囲まれた深い渓谷に突然そびえたつジャムのミナレットは、人里離れた僻地にひっそりとしかし悠然と鎮座する。冬には深雪が人の往来を遮断するが、春の雪解け水が二つの川に一気に流れ込み、その合流点に建つミナレットの護岸は破壊的な水量により無残にえぐり取られ、洪水がひどい年にはミナレットの基壇部分も水没する。

世界遺産登録とともに危機に瀕する世界遺産にも登録されている理由は、その構造の傾斜に

コラム6

悲劇に見まわれ続けるジャムのミナレット

閉ざされた僻地に建つジャムのミナレット（© 長岡正哲／ユネスコ）

より倒壊の危機にあることや、表面を覆う彩色されたタイルが剝ぎ取られたり、自然剝離し保存状況が悪化していること、その上ミナレット周辺には数多くの盗掘跡が残り、保護管理体制に問題があることがあげられる。

なぜジャムのミナレットは傾いているのか。諸説あるようだが、いまだ明確な原因はわかっていない。ミナレット周辺の土壌が、毎春の雪解け水で侵食されたため傾いたという説や、1950年代に起こった大規模地震により傾いたという説、あるいはミナレットが建つ岩盤そのものが傾いているという説がある。2005年から2006年にかけてアフガン情報文化省とユネスコの共同プロジェクトでは、ミナレットが傾斜した原因を突き止めるべく、付近の地盤構造探査と基礎部分の構造補強が現地でおこなわれた。

ミナレットの内部は二つの階段がらせん状になっており、上りと下りの階段がメビウスの輪のように交わらない構造になっている。残念ながら現在では基壇部分にある本来の入り口が土砂で埋まっているため、地面近くにある窓から出入りしなければならない。階段は煉瓦を積み上げてできており、そのすべての階段の段鼻部分には、もともと滑り止めと構造強化の目的から木材が備え付けられていたが、土地の人が厳冬に暖を取るため薪替わりに使ったのか、残念ながら既にすべて切り取られている。

ジャムのミナレットに近い村は現在タリバンが支配していることもあり、緊急保護措置を講じるために、海外からの専門家はもちろん、情報文化省職員でさえ容易に現地を訪れることができない。アフガニスタンの政情不安が解消され、一刻も早く現地調査と保護措置が講じられることが望まれる。

この国の治安の悪化や政情不安は、アフガニスタンが要請する国際社会による支援を遅らせているのが現状だ。同じ国民の政敵だけでなく、アフガニスタンに滞在している外国人を標的とした身代金目当ての誘拐や、自爆テロの攻撃が依然続いている。文化復興事業にかかわらず、この国の持続的な開発をおこなう上で、平和で安定した社会を築くことが急務である。

VI

アフガニスタンの旅

38

アフガニスタンとヨーロッパ

★フランスとの出会い★

6月の残照の映えるスピンザーホテルのレストランに入ると、窓際で談笑する人びとの中心におられた今夕の主賓、ノールウェーの言語学者、G・モルゲンシュテルネ教授に紹介された。特に、パミール語の研究で知られ、今回のカーブル滞在中に、「フランスのアフガニスタン考古学調査団」（DAFA）が催した晩餐会。1965年6月16日、アフガニスタンの首都カーブルでの夕べ。親しみに満ちた和やかな集いのなかに、アフガニスタンに到着したばかりであった私も暖かく迎えられた。

「ハルコでしょう。お目にかかれるのを楽しみにしていました」とにこやかに歩みよってこられた女性が握手をしながら「メイです」といわれ、「明日のハルコの結婚式にお招き頂いています」と続ける。温かさに満ちた笑顔に、親しみが溢れていた。晩餐会が始まり、メイと思いがけず話がはずんだ。その内容はあまりにも驚くべきものであった。フランス人のメイは、アフガニスタンの近世史の研究をしていて、パリでペルシア語を学ぶ予定であったが、おばの家族がアフガニスタンに赴任していたため、メイもカーブルでペルシア語を学ぶことになった。おばには、5人の子どもがいるので、メイは家庭教師の役も引き受けていた。パリからカーブルと生活は大きく変わったが、イスラムの世界には、幼い時から親しんでいたので、抵抗はなかった。「一体どこでイスラム世界に？」との問いに「モロッコのラバットで生まれ育ちました」とメイ。

私は飛び上がるほど驚いた。そして、メイに一層親しみを感じた。私自身も、モロッコのカサブランカで生まれ4歳までフランス領モロッコで育ったからである。次の私の質問、「なぜおば様一家がカーブルに赴任されたのですか」に、メイは、「おじが考古学者で、ＤＡＦＡの代表としてアフガニスタンに派遣されたからです」といわれた。「おじさまはどなた？」「Ｄ・シュラムベルジェーです」「あのスルフ・コタルを発掘したシュラムベルジェー先生ですね！」と、私は驚きを隠せなかった。クシャンの神殿、スルフ・コタルを発掘したシュラムベルジェー氏が、メイのおじでいらしたのだ。これまで、文献でその活躍に親しんだＤＡＦＡの存在が、メイに出会うことで、現実となった。突然目の前に、ヨーロッパからアフガニスタンに及んでいる波を見たような気がした。20世紀の初頭、アフガニスタンにヨーロッパの文化の風を吹き込んだフランスの姿が、彷彿できるような夕べであった。

１９２２年、アフガニスタンとフランスの間に結ばれた協定によって、フランスは１９２２年から30年間、アフガニスタンで独占的に考古的発掘をおこなう権利を得、カーブルにＤＡＦＡが創設され、あたかも発掘の成果に対するフランスの期待を示しているかのように、この協定によって、団員とその家族も含む調査団が編成されたのである。この夜、私はアフガニスタンに存在するヨーロッパの力を感じた。ヨーロッパを代表するかのように、ＤＡＦＡは既に１９２２年から１９６５年まで、43年の歴史を重ねていたのだ。

この協定を結んだ考古学者、フーシェのもとで、DAFAは、バーミヤン、ハッダなどの仏教遺跡の発掘をおこなったが、最も心にかけたのは、バクトリアにおける発掘であった。バクトリアには、アレクサンドロス大帝が東征の途次、前329〜前327年の2年間、大苦戦した歴史があり、さらに前255年から前139年までギリシア人などが建てたグレコ・バクトリア王国の都、バクトラを中心にヘレニズムが栄えたとされていた。断片的には、グレコ・バクトリア時代の貨幣が発見され、考古学的成果も期待されていた。フーシェは、ヘレニズムの痕跡を求めて、18ヵ月の間（1924〜1925年）発掘をおこなったが、努力は報いられなかった。幻のバクトリアはなかなか姿を見せなかった。否定的な結果に直面しながらも、DAFAは決してその目的を忘れることはなかった。そしてDAFAの期待に応えるかのように、1946年にクンドゥズの北西90キロメートルのヒシュトタペ出土の土器の甕（かめ）から、バクトリアのギリシア王20名を刻む銀貨627枚が出土した。グレコ・バクトリア王国の存在が明確に示された。

第二次世界大戦で中断されていたDAFAの活動も再開され、戦後最初の団長、シュラムベルジェーも、1946〜1947年にバクトリアの首都、バクトラで100の試掘坑で探索した。成果は挙げられなかったが、土器の出土などがあり、期待はもち続けていた。捉えにくい古代バクトリアの存在を、シュラムベルジェーは忘れることはなかった。

しかし、シュラムベルジェーには、グレコ・バクトリア以後の文化の発掘が待ち構えていた。スルフ・コタルの発掘であった。スルフ・コタルの遺跡は、バクトリアの東部、プレ・ホムリの北16キロメートルのスルフ・コタルの丘全体にあった。古道がその丘を越えて行き、事故が多発するため、丘の裾をめぐる新道を建設することになり、工事が進んでいたところ、石造りの階段が出土した。シュラムベルジェーは1952年から発掘に取り掛かったが、スルフ・コタルの発掘は大規模なものとなった。高さ48メートルの丘の東面のテラスに石灰岩の大階段、丘の上に神殿、大階段近接の地下に井戸が出土した。また、1957年に出土した、ギリシア文字でバクトリア語が刻まれた石灰岩板の大銘文によると、スルフ・コタルは、クシャン王、カニシカ王の神殿であることが判明した。クシャンは、グレコ・バクトリア王国を滅亡させた民族であった。

グレコ・バクトリアの都市が遂に発見されたのは、DAFA創設41年目の1963年であった。アフガニスタンの国王ザーヒル・シャーがバクトリア地方に狩りに行かれた折に立ち寄られた地方の名士の庭に置かれていた石灰岩の建築物の断片に注目され、その出所を訪ねたところ、都市遺跡の存在を感知されたといわれている。アイ・ハヌムの発見の端緒である。遺跡の上段から見下ろす下段の平地に明らかに大建築や大通りの存在を知らせる跡が、埋没されていても、はっきり認められたのだ。王は内閣に発見を知らせた。国立博物館（カーブル博物館）は直ちにDAFAに連絡したが、その時シュラムベルジェーは、1952年から発掘していたクシャンの神殿スルフ・コタルの発掘の最終段階に当たっていた。

一通の手紙を勤め先の、カナダのトロント市の、ロイヤル・オンタリオ博物館で受け取った。カーブルのモタメデイ（当時国立博物館館長）からだった。「これから、バクトリアに向かいます。途中、スルフ・コタルでシュラムベルジェー先生が合流されて、国王陛下が注目された新しい遺跡の視察をします。歴史が書き換わる大発見になるかもしれません」。

1960年にスルフ・コタルを訪問したトインビー（中央、白いワイシャツ）。トインビーの向かって左隣がシュラムベルジェー（杖を持つ）、その隣がザーヒル・シャー国王（背広姿）。右端はイギリスのギレット大使。（アグネス・シュラムベルジェー提供）

この視察の旅で、この遺跡がグレコ・バクトリアの都の遺跡の可能性があることが確認された。グレコ・バクトリア時代のヘレニズム文化が実在する予感に、シュラムベルジェーの喜びはいかばかりであっただろうか。しかしながら、シュラムベルジェーは、12年間続けたスルフ・コタルの発掘を終了することに専念することにした。アイ・ハヌムの発掘を、P・ベルナールに任せることにして、1966年に引退した。フランスの永年の夢であるグレコ・バクトリアの文化の発掘はかなえられたのだった。

1990年3月、スタンフォード大学を訪問していた私のもとへ、メイから便りとともに、2枚の写真が送られてきた。写真には、スルフ・コタルを訪問したアーノルド・トインビーを迎えるシュラムベルジェーの姿があった。撮影期日は、1960年5月13日。

当時のアフガニスタンの国王ザーヒル・シャーやイギリス大使の姿も見える。スルフ・コタルの丘で、シュラムベルジェーの説明に耳を傾ける一行。その背後には、緑豊かなバクトリアの地が広がっている。

この写真は1960年に撮影されたもので、その3年後の1963年に発見されたアイ・ハヌムはいまだ知られていない。そこに、イギリスの歴史家、国際政治学者で、世界史の碩学、アーノルド・トインビーが、大著『歴史の研究』（全12巻、1934〜1961年）完成直前だった1960年にスルフ・コタルを訪問したのは、西洋文明中心主義を乗り越えようとする歴史観を提唱するトインビーが、いかにスルフ・コタルを創設したクシャンが東西文明の交渉に貢献したことに注目したからであろう。この歴史的な写真を、メイの仲介で、シュラムベルジェーの令嬢、アグネスさんの許可を得て、発表できることになった。フランスが如何にアフガニスタンで展開した文明の交渉の歴史の解明に貢献したかの一面が、シュラムベルジェーの20年に近いアフガニスタンでの活躍からも伝わってくるのである。

（土谷遥子）

39

アフガニスタンの動物と保護区

★過酷な環境に生きる生き物たち★

初めて、アフガニスタンに行った1975年、カーブルの動物園にパンダがいるというので出かけたが、パンダはおろか、日本の動物園で出会うような動物はおらず、アヒルと鶏ぐらいしか記憶にない。

動物園は1967年に開園したばかりで、まだ飼育などの面で充実しておらず、そのため数が少なかったのではないだろうか。動物園には「悲しい物語」がある。それは、ドイツのケルン動物園で1976年に生まれ、2歳の時、アフガニスタンに贈られたマルジャン（珊瑚の意味）という雄のライオンである。

ムジャヒディン政権の末期の1995年のある日、ムジャヒディンのひとりが賭けをしてライオンの檻に入るということをしでかし、勇気を示すために雌に近付き、それをマルジャンが攻撃して殺してしまったのである。事件はこれで終わらないのがアフガニスタンで、翌日、殺された男の兄弟が、マルジャンを殺そうと手榴弾を投げたのである。マルジャンは聴力と両目そして歯を失ったが生き延び、タリバン政権の崩壊を見届けるように2002年1月に亡くなった。1978年から始まる「戦争」の数十年、マルジャンは、生涯を通じて「アフガニスタン人の生存の象徴」として生き続けたのである。

一時は19頭にまで減った動物園は、現在、爬虫類、鳥、水生動物などを含め約100種、600匹が飼育され、カーブル市民の憩いの場として人気となっている。

さて、アフガニスタンを旅行していて、目につく動物は、驢馬、羊、ラクダ、山羊などで、有名なものとしてはアフガンハウンド犬やカラクル羊がいる。驢馬は、カーブルの通りなどで、背中に野菜やジャガイモなどを乗せられ、いわば店の棚のように売り切れるまでずっと立ち尽くしている。売り切れれば、主人を背に乗せて帰って行くのである。驢馬は運搬用にも使われ、積めるだけ積まれ黙々と歩いている。プレ・ホムリで泊まった夜、奇妙な声が聞こえてきた。もの悲しく大きな声だったが、それは驢馬の鳴き声で、昼間の過労働を恨むかのようであった。

アフガニスタンには約900種類の動物が存在し、環境保護庁によると鳥類が470種、哺乳類が140種、魚類は120種、爬虫類は102種、両生類は7種で、そのうち149種が絶滅危惧種という。

2003年に、イタリアの資金提供で、家畜調査がおこなわれた。それによると、牛は370万頭、羊が880万頭、山羊が730万頭、ラクダは18万頭、馬は14万頭、そして鶏が1220万羽となっている。1990〜1995年の間では、羊が2200万頭、牛が360万頭、山羊が890万頭であったので、羊の減少が目立つ。戦闘と旱魃の影響が指摘されている。

絶滅危惧種には、野生の羊のマルコ・ポーロ羊やユキヒョウなどの動物と鳥などがいる。しかし、これらに出会うことは難しい。次に述べる国立公園や、保護区などに行かなければならない。

切手に描かれたマルコ・ポーロ羊（上）とアフガンハウンド（下）

野生生物や植物の保護については、王政時代には王族の狩猟場として護られていたが、現在は、国立公園や保護区が指定されて整備が徐々になされている。２０２０年６月には、バンデ・アミール、ワハンについで３番目の国立公園としてヌーリスタンが選定され、さらに、ダシュテ・ナーワル、イマーム・サーブ、ダルカドが保護地区となった。しかし、アフガニスタンには動物ハンターを処罰する法律がないため、外国からも「密猟」に来る人が後を絶たない。やがて、平和になれば、これらの国立公園や保護区を訪れ、珍しい動物などを目にすることができるであろう。一部を除いて訪問は容易ではない。

国立公園（保護地区でもある）としては、美しい湖のあるバンデ・アミール地区があり、固有の動物には、ナフシール鹿、オオカミ、キツネ、ジャッカル、マウス、この地域の有名な鳥のミサゴ、ワシ、フクロウも含まれる。二つ目の国立公園としてワハンが指定され、マルコ・ポーロ羊に加えて鹿、ユキヒョウ、ヒグマ、オオカミ、キツネ、オオヤマネコなどの動物が生息している。最近国立公園に指定されたヌーリスタンには、モンスーンによる雨のため、密林と手付かずの自然景観がある。森は美しい自然の景観を作り出し、サル、マリファナ鹿、アイベックス鹿、グリーンベア、クロクマ、ユキヒョウ、リス、何百もの鳥の避難所になっている。

国立公園のほかに保護地区があり、パミール保護区（バダフシャン州）は希少な在来動物が多く、多くの渡り鳥が繁殖している。マルコ・ポーロが『東方見聞録』に記したことからマルコ・ポーロ羊と名付けられた野生の羊や、バフタリ鹿、ジャコウ鹿、ユキヒョウ、ヒグマ、ノスリなど17の特別な野生生物種がこの地域に住んでいる。アーベ・イスタダ保護区（ガズニ州、ガズニ市から西へ125キロメートル）は、『バーブル・ナーマ』でバーブルが言及したことで有名。「私たちは、アービ・イースターダまで一クロフ（1クロフは4千歩の長さ）のところに到達した時、珍しいものを見た。ずっと、この水と空の間に夕やけのようなものが真っ赤に見えては消えた。近づくまでこの状態であった。近くまで行くと、それが群れをなす鵞鳥であるらしいことがわかった。一万羽、二万羽ではきかぬきわめて多数の群を成す鵞鳥であった」（『バーブル・ナーマ』2　間野英二訳、東洋文庫、92頁）と記され多くの研究者を引き付けた。この鵞鳥はホセイニー鵞鳥と呼ばれている。この地域では春に66種の水鳥が繁殖する。ダシュテ・ナーワル（ガズニ州）には、約31種類の鳥が環境保護庁に登録されている。ダルカド島（タハル州）は、州都であるタラカン市の北約80キロメートルに位置している。野生生物、鳥、自然環境、森林のため、重要なエリア。イマーム・サーヘブ郡（クンドゥズ州）は珍しい植物が存在する地域の一つ。ヘシュマト・ハーン湖（カーブル市南近郊）は、鳥の渡りの中継地となっている。シャー・フォウラーディィ谷（バーミヤン州）は、海抜約3000〜5220メートルで、約300種の植物と100種の野生動物が環境保護庁に登録されている。アジャール谷保護区（バーミヤン州）はヤクオラング郡にあり、バンデ・アミールの北方、バーミヤンから75キロメートルの距離にある。ハビブラ・ハーンの狩猟場であった。ハームン・プザック保護区（ファラー州）はシースタン盆地の三つの淡水湖の一つで、イランとの国境に位置している。

（関根正男）

40

バーミヤン

★光り輝く土地★

アフガニスタンの中央部やや東より、北東から南西方向へと伸びるヒンドゥクシュ山脈の山中に忽然と現れる谷、それがバーミヤン、つまり「光り輝く土地」と呼ばれた谷である。アフガニスタンの首都カーブルの西方約１２０キロメートルにあり、現在、カーブルからバーミヤンに向かうには空路と陸路がある。空路では、飛行時間はわずか約30分、カーブル空港を飛び立った飛行機は瞬く間に高度を上げ、聳え立つヒンドゥクシュ山脈の山々を越え、バーミヤン空港に到着する。かつては、土と砂利の滑走路で、空港ビルといった施設も一切なかったバーミヤン空港は、２０１２年に開始された日本の無償資金協力で改修がおこなわれ、今では見違えるほど立派になっている。

他方、陸路には二つのルートがある。一つは北ルートで、一旦カーブルから北へ向かい、ゴルバンド川に沿って西へ進み、シバル峠（標高２９８７メートル）を抜け、バーミヤンに至る。もう一つは南ルートで、カーブルから西へ向かい、マイダーン渓谷、そしてウナイ峠（標高３３５４メートル）とハージガク峠（標高３５６７メートル）を抜け、バーミヤンに至る。また、バーミヤンから北のバルフ、マザーレ・シャリフへと抜けるには、アク・ラバート峠（標高３１１７メートル）、ダンダーンシカン峠（標高３３８１メートル）を越えることとなる。バーミヤンが位置するハザラジャード、つまり「ハザラ人の土地」は険しい山岳地帯であり、いずれの方向に抜けるにも３千メートル級の峠を越えなくてはならず、かつては、冬季にはほぼ完全に道が閉ざされ、人の往来が途絶えてしまうという厳しい自然環境にあった。

　諸説あるが、このバーミヤンに仏教が栄えたのは５世紀から８世紀にかけてのこと、その頃、名高い２体の東西大仏や色艶やかな仏教壁画で飾られた千をも超える石窟が造られた。経典を求めてインドへ向かった玄奘が訪れたのは、最も仏教が繁栄していた頃のことであった（６３１年頃）。玄奘は『大唐西域記』のなかで、「伽藍は数十か所あり、僧徒は数千人」、「王城の東北の山のくまに立仏の石像がある。高さは百四、五十尺ある。金色にきらきらとかがやき、宝飾がまばゆい。東に伽藍がある。この国の先代の王が建てたものである。伽藍の東に鍮石（とうせき）の釈迦仏の立像がある。高さは百余尺ある。身を分って別々に鋳造し、すべあわせて成り立っている。（王）城の東二、三里、伽藍の中に仏が涅槃に入る臥像がある。長さは千余尺ある」と書き記している（桑山正進訳）。

　「高さ百四、五十尺」の立仏は、いわずと知れた西大仏（高さ55メートル）、そして「高さ百余尺の釈迦仏」とは東大仏（高さ38メートル）のことである。この２体の大仏がタリバンによって爆破されたのは２００１年３月のこと、世界を震撼させると同時に、深い悲しみをもたらした。２００１年11月にタリバン政権が崩壊し、アフガニスタンを苦しめた20余年にわたる内戦が終結した後、２００２年９月にバーミヤンを訪れた私たちの目に飛び込んできたのは見るも無残に砕けて落ちた大仏の破片だけであった。大仏だけでなく、仏教石窟に残されていた壁画もまた破壊され、かつての20％しか残されていなかった。破壊された文化遺産を救おうと国際社会が立ち上がり、日本やドイツ、イタリアのチームが中心となってバーミヤンの文化遺産の保護に乗り出すこととなった。

この活動の過程では、いくつもの大きな発見があった。玄奘が「金色にきらきらとかがやき」と記した西大仏は赤色に、釈迦仏とされる東大仏は白色に塗られており、西大仏は7世紀初めに、東大仏は6世紀の半ばに建立されたことが明らかとなった。仏教石窟を彩っていた壁画のなかには、いわゆる「油絵」の技法が用いられているものがあることもまた明らかとなり、油絵の起源はヨーロッパにあると考えてきた研究者たちに大きな衝撃を与えることとなった。また、東大仏と西大仏が彫り込まれている大崖の前面に広がる斜面でおこなわれた発掘調査によって、この場所に地上に建てられた数多くの仏教寺院が存在していた証拠が見つかり、玄奘が見たかつての仏教王国が地中に埋もれていることが明らかとなった。その一方で、いつの時期かに忽然と姿を消した「千余尺（380メートル）」の「大涅槃仏」の痕跡はいまだに見つかっていない。東大仏と西大仏の間にあったとする考えが有力であるが、その一方でシャーレ・ゴルゴラの西壁に彫り込まれていたという意見もある。

ところで、耕地が少なく、夏が短いために農業の生産力は非常に低く、急峻な山々に囲まれ、冬には雪で閉ざされてしまうバーミヤンで、これほどまでに仏教が繁栄し、歴史の表舞台に登場したのには理由がある。5世紀に仏教の中心地の一つであったガンダーラが荒廃し、四散した僧侶や仏教徒が次なる仏教センターの一つとして選び、仏教徒の巡礼地となったのがこのバーミヤンであったようである。現世への不安、その一方で大乗の信仰が広まるなかで、この地に来世における救済をテーマとした仏教芸術が花開き、一大仏教センターとして発展した。それにつれて、バーミヤンがヒンドゥクシュ山脈を南北に結ぶ交易路の要衝となり、それがさらなる経済発展をもたらすこととなり、いつしか二つの大仏を生み出すほどの経済力を手にするに至った。はるか遠くからでも見える輝く2体の大仏、谷に響き渡る僧侶の読経の声、大仏の頭上からの散華、救済を求めて礼拝に参列する人びと、まさにこの地上に現出した来世ともいうべき世界がこの地に登場したのである。

バーミヤンの秋。背景に見えるのは東西大仏が彫りこまれた大崖。（安井浩美撮影）

バーミヤンで花開いた仏教も、9世紀頃には、イスラム教の広まりに伴って急速に衰退していったが、それでもこの地は歴史の表舞台に留まり続けていた。しかしながら、13世紀初め、バーミヤンを大きな悲劇が襲うこととなる。それはモンゴル軍の侵攻であった。この地の戦いで最愛の孫を失ったチンギス・ハーンは「人間であろうと、獣であろうと、あらゆる生き物を殺せ、町の住民のうち誰も捕虜とすることなく、母親の腹の胎児に至るまで生きて残すな」と命じたと伝えられる。この戦いの場となったとされるシャーレ・ゴルゴラ（「嘆きの町」）の傍らでおこなわれた発掘調査では、これが史実であったことを裏付ける証拠が見つかっている。このの ち、18世紀にヨーロッパ人の旅行者によって再発見されるまで、バーミヤンは歴史のなかに深く埋もれることとなった。

（山内和也）

41

カーブル

★国の激動の歴史を体現している都市★

カーブルは世界で最も古い都市の一つで、5千年以上の歴史があるという。『リグ・ヴェーダ』では「カブハ」、『アヴェスタ』では、「コバハ」の名称で言及されている。歴史家の考証では、カーブルはサンスクリット語で、「カムブージャ」である。「カープラ」の名称は、アケメネス朝ペルシアの支配者によって編集された文書のなかにあり、のち、プトレマイオスによっても使われた。「そこ（カーブル）は、ゾロアスター教の中心で仏教徒やヒンズー教徒と共存していた」。

アレクサンドロスは、アケメネス朝ペルシアに勝利した後に偵察をしたが、何も記述を残していない。なぜなら、カーブルは当時、誰もが言及したことのない小さな町であったのである。この地域はその後、マウリヤ朝が支配し、セレウコス朝の一部とみなされた。

ササン朝時代は「カープール」の名称で呼ばれている。ヘジラ暦81年に、イスラム教徒がカーブルを攻撃し、その後イスラム教が広がる。

やがてガズニ朝に併合され、隆盛はガズニ市に移った。チンギス・ハーンの略奪にあい、その後ティムールの支配下になった。カーブルが再び隆盛を取り戻したのはバーブルがこの地を平定した1504年以降に修復してからである。

アフマド・シャー・ドゥラニが、1747年にアフガニスタンを「統一」し、息子のティムールは1775〜76年に首都をカンダハールからカーブルに移し、以降アフガニスタンの中心都市となった。

現在のカーブル市は、カーブル州の州都で、アフガニスタンの首都でもある。カーブル州は、山梨県より少しばかり面積が広い。カーブル市の人口は推定で520万人（統計情報省、2020年8月）。海抜は約1800メートルである。四季があり、夏は暑く、冬は雪が降る。また、春先にはヒンドゥクシュの雪解けでカーブル川が氾濫することもたびたびである。

カーブル空港（2014年秋より正式名称はハメド・カルザイ国際空港）から、ビービー・マフロの丘、ワジール・アクバル・ハーン地区、大統領府（旧王宮）、アースマイ山を結ぶ地区を見てみよう。

ビービー・マフロの丘の名となったのは、このあたりに住む敵対する部族長の娘、ビービー・マフロとアジーズという若者の悲劇の恋がもとになっている。この悲劇はアフサーナ（民話）となり、アフガニスタンの人びとによく知られている。この丘には、2014年にインドから贈られた国旗が翻っている。その大きさは、横40メートル、縦26メートル、国章は直径20メートルにもなる。また、この丘の西の下には、イギリスの外人墓地があり、著名な探検家オーレル・スタインとデンマークの民族学者ヘニング・ハズルンドなどが眠っている。スタインはアフガニスタンに入る長年の希望がやっとかないカーブルに入るが、風邪がもとでまもなく死去する。

ワジール・アクバル・ハーン地区は、ドスト・ムハンマド・ハーンの息子の名にちなむもので、日本大使館を含む各国大使館が集まるところであり、ワジール・アクバル・ハーン病院や、ダウド病院などがある。

大統領府は旧王宮で、アースマイ山は、ソビエト侵攻前に日本の援助によるテレビ放送のアンテナが立っているところである。

アースマイ山とカーブル川を挟んで、大統領府の南にあるのが、シェール・ダルワザ（ライオンの門の意）山である。ここには、防御の壁が、山の背に沿って築かれている。山の東には、バラ・ヒサル（高い城砦の意）がある。ここはかつての王宮で、王の息子同士、ときには王も含め、権力争いを繰り広げた場所でもあった。バラ・ヒサルは、最近インドの資金提供で修復が決まった。

そして、この山の西には、バーブル庭園が斜面の下部にある。カーブルをこよなく愛したバーブルは『バーブル・ナーマ』で次のように記述している（中途略）。「カーブルの大黄はすばらしい。まるめろとプラムもよい。……一種のぶどうがあり、〈水ぶどう（アーブ・アングール）〉と呼ばれている。まことにすばらしいぶどうである。強いワインも生産される。……〈酒の楽しさは、酔うた者のみが知る。正気の者にどんな楽しみがあるというのか〉。……気候はまことに快適である。カーブルの気候のような気候を持つ土地は世界中で他に知られていない。夏でも夜は毛のコートなしでは眠られない。冬は雪がほとんどの場合大量に降るが、極端な寒さはない。サマルカンドとタブリーズも快適な季候で名高いが、そこには厳寒がある。……カーブル地方は堅固な地方である。外敵がこの地方に侵入することは困難である。バルフ、クンドゥズ、バダフシャーンとカーブルの間にはヒンドゥー・クシュ山脈がある。この山脈を七つの交通路が越えている。」（『バーブル・ナーマ』2　間野英二訳、東洋文

庫855、38〜40頁、平凡社）

バーブル庭園のやや北にカーブル動物園があり、ここから南南西に直線の道路が、ダルラマン宮殿と、国立博物館に通じている。これまでアフガニスタンについて、「アフガニスタンには鉄道が1キロメートルもない」と書かれたものがあった。しかし、アマヌラ・ハーンの時代には、この直線道路に鉄道が走っていたのである（写真参照）。現在アフガニスタンはイラン、トルクメニスタン、ウズベキスタンと結ぶ鉄道建設が進んでいる。アム・ダリアに架かる「友好橋」を越えて鉄道がハイラタンまで延び、イランのハーフ市からヘラートまでの225キロメートルの鉄道は138キロメートルがまもなく完成する。

ドイツ製の汽車と車両

ダルラマン宮殿は修復が終わり、国立博物館として活用が計画されているが、現在コロナ・ウイルスの対策施設として使われている。バラ・ヒサルのやや南に、ショハダイエ・サレン墓地がある。ここには人気歌手のアフマド・ザーヒルや、歴史家で思想家のゴバールなど著名人が眠っている。

20年に及ぶ戦闘で荒廃した国立博物館は、修復が終わった。タリバン政権崩壊後、博物館の入り口には「歴史と文化が生き残れば、国もまた生き残ろう」と、ファルシ語と英語で幕が掲げられた。決死の作業で「ティリア・テペ」の黄金の遺物などを守った館員の努力は世界に平和の尊さを伝える。

カーブル市周辺の名所としては、市の西にカルガ湖がある。人造湖だが、休みの日にはカーブル市民のレクリエーションの場所となっている。その近くには、ゴルフ場がある。

さらに、その西には、避暑地のパグマンがある。ここには、１９１９年の独立戦争で戦死した人を記念した凱旋門があり、紙幣の図案にもなっている。

（関根正男）

コラム7

駐アフガニスタン日本公使館のはじまり

古曳正夫

日本公使館の開設について、戦前の公使館と戦後の大使館に勤務された斉藤積平さんに雑誌『ハルブーザ』を主宰された古曳正夫さんが聞き取りしたものが残されている(『ハルブーザ』第43号、1975年5月)。以下はその抜粋である。

＊　＊　＊

アフガニスタンに日本公使館が設置されたのは、たしか1934(昭和9年)のことだったと思います。

この年に私(引用者注:斉藤積平さん)は拓殖大学を卒業して、幸運にも公使館のメンバーに加えてもらいました。

船に乗ったのは8月です。一行は豊原幸夫書記官、飯田書記生、今川平次医官と私、そのほかにコックの浅葉さん夫婦がいて、全部で6人でした。初代公使に任命されたのは北田正元氏です。北田公使は前任地がエジプトのアレキサンドリア総領事だったので、私たちとはインドのボンベイで落ち合うことになっておりました。

ボンベイに上陸したのは9月末頃でした。北田公使は夫人とお子さんを連れて、ほとんど時を同じくしてボンベイに到着しました。打ち合わせの結果、北田公使は家具を調達するため、しばらくボンベイに滞在することになり、私たちがカーブルに先行することになりました。

私たちは汽車でペシャワールに向いました。乗ったのは、CIP鉄道の特急「フロンティア・メール」でした。フロンティア・メールというのは「辺境への郵便列車」とでも申しますか、郵便というのは政治上・軍事上重要なものを運ぶ列車であるために、急行よりも速いのです。

ペシャワールで私たちが泊まったのは皆さんもおなじみのディーンズ・ホテルでした。

私たちの乗った2台の乗用車はディーンズ・ホテルを出発しました。目指すはカーブルです。カイバル峠、ついで国境です。アフガニスタンは今ではパキスタンと境を接していますが、当時はインド、つまり大英帝国と隣合っていたんです。国境を越してアフガニスタンに入ったところがトルハムです。1本の柳の木の下にテントを張って、兵士がパスポート業務をやっていました。そりゃのんびりしたものです。アフガニスタンに入ったとたんに道が悪くなりましたね。悪くなったというよりも道がなくなってしまって、私たちは川原を走りました。

私たちはジャララバードを通りこして、ニムラに泊りました。ここは涼しい所で、国王の別荘があるところです。最近はジャララバードに泊まる人が多いようですが、当時はニムラに泊まるのが普通でした。

翌日は前の日とちがって、山の中の道でした。やがて道はカーブル平原に向かって下っていきました。私たちは無事カーブルに入ることができました。宿舎はカーブル・ホテルでした。当時のカーブル・ホテルは今と同じ場所にありましたが、建物は現在のものとちがって、下がバザール、上がホテルというこの地域でポピュラーな形式のホテルでした。

公使館の設置

（引用者注：1919年に即位した）アマヌラー・ハンの急進的近代化政策に反対して各地に叛乱がおこってきました。バッチャ・サカオの一派もその叛乱勢力の一つでした。バッチャ・サカオというのは「水運び人の息子」という意味です。水運びという職業はアフガニスタンでは一番低い仕事とされています。彼らは1929年1月13日カーブルを占領し、アマヌラー・ハンはしばらくカンダハルで抗戦していましたが、同年5月ついに国外に逃亡してしまいました。

コラム７
駐アフガニスタン日本公使館のはじまり

時のフランス駐在アフガニスタン公使はナーディル・ハンという人が、祖国の急をきくや急遽帰国し、この年10月叛乱を平定してカーブルに入城し、王位につきました。

我が国はアマヌラー・ハンとの間でやりかけた条約交渉を、ナーディル・シャー政府との間で継続して行い、１９３０年ついに条約批准（ママ）（引用者注：調印で翌年に批准）となり、アフガニスタンと正式に国交を樹立するに至ったのです。１９３３年10月早くもアフガニスタンは日本に公使館を開きました。わが国は少し遅れて翌１９３４年11月アフガニスタンに公使館を設置したというわけです。アマヌラー・ハンがイギリスから外交権を回復してから15年たっていました。

こういう次第で、私は日本公使館の最初の一員として、アフガニスタンの地を踏んだのです。

私が赴任する前年、１９３３年11月にナーディル・シャーは暗殺されていて、私たちが着任したときはザーヒル・シャーの代になっていました。ザーヒル・シャーはつい最近１９７３年（昭和48年）の革命で王位を失った人で、アフガニスタン最後の王様になりました。

日本公使館の建物は、アフガニスタン政府が建てて、私たちが賃借することになっていました。私たちがカーブルに着いたとき、この建物はほとんど完成していて、私たちはカーブル・ホテルにほんの数日間いただけで公使館に移りました。この時の公使館は、今の場所とはちがって、カーブル河の上流のマスジェド・シャー・ド・シャムシィラーという長い名前のモスクの近くにありました。これは「二つの剣の王のモスク」といういみです。

公使館は本館と別館とから成っていて、別館が私たちの住居です。別館は２階建で、６つの部分に分かれていて、各部分にはそれぞれ２、３部屋がありました。だから全部で16、７部屋があるわけです。家具はベッド、机、洋服ダンスなど最小限のものを揃えることにして、マシン・ハナという政府の直営工場で造ったものを買いこみました。マシンというのは英語の機械、ハナはチャイ・ハナのハナで家という意味、結局マシン・ハナは機械の家つまり工場のことです。マシン・ハナはもともと武器工場で、お役所に納める家具も造っているんですが、安い代わりに粗末なものでした。

＊　＊　＊

北田公使の次女倫子（みちこ）さんによると、北田夫人の俤さん（濱口雄幸首相の次女）と倫子さんの3名がアフガニスタンに渡った。それに北田家の手伝いとして、山本兼寿（かねじゅ）、専属看護師として、総山（ふさやま）あいさんがいた。

なお、斉藤積平さんの聞き書き全体は、アフガニスタン文化研究所の叢書41で読める。（付記　関根正男）

コラム8

カーブルの日々

土谷遙子

カーブルで過ごした日々は　約12年といえよう。1965年にカーブルで結婚し、1979年12月に日本に帰国したが、その間、カナダに17ヵ月、日本に20ヵ月出掛けていた。正味12年間は永い月日のようでありながら、一方では、ほんの一時のようにも感じられる。温かく、自由で、充実した日々であった。辛さや苦しみの記憶はほとんどないことに、気づかされる。夫の家族に護られ、また、職場の恵まれた環境のなかで、日々、豊かな時を重ねていったことに、帰国して40年過ぎた現在、改めて感謝している。

リベラルで合理的で、柔軟な考えを持つ夫、モタメデイの配慮もあったが、それ以上に私は素晴らしい守り神に恵まれていた。それは、私の姑で夫の母、ココグルが特別な人であったからだった。長男の嫁として現れた見たこともない日本人の女性を、一体どう受け入れようとしたのであろうか。ココグルはすべてを飲みこんで、私を受け入れてくれたのだ。

なにもかも、ココグルにとっては、破天荒なことであったと今になって思う。ココグルはカンダハールで育ち、16歳の時にカーブルのグラムアリの元へ嫁いだ。子どもは8名。国立銀行に勤めていた夫と、パキスタンのペシャワルに滞在したこともある。お使いをしたことも、ひとりで外出したことも一度もなかったと語ってくれたことがあった。外出するときは、幼いときは、父親や親戚の男性、結婚すれば夫、息子や孫が、かならず同行した。これが常識であった。

そこに現れた新しい日本人の嫁は、新婚早々、飛行機でカナダに向かい、仕事をするという。1965～1966年にかけて、北アメリカ大陸の四つの博物館で開催される予定であった日本の国宝23のほか、ほとんどが重要文化財で構成された「日本美術展」が、勤めさきのカナダのトロント市のロイヤル・オンタリオ博物館でも開催されるので、仕事が待っていたからである。たぶんココグルにとっては想像を絶することであったろうに、何一ついわずに送り出してくれた。

1967年、2月カーブルに帰着の翌日から降り出した雪は、60センチメートルにも達し、私のカーブルでの生活が始まった。実家から車で7分の新居は未完成であったため、実家に落ち着いた。グラムアリ・ココグル夫妻と、妹ふたり、弟ひとり。暖かい家庭で、微笑みが絶えない家だった。その中心は常にココグルだった。華奢なほっそりした、小柄なココグルが、家族を和ませる力をどのようにして得ているのだろうか。

長男が生まれたときも、育児の方法のすべてが目新しいものであったろうに、じっと見ていて、決して「このようにしなさい」とはいわなかった。俯けに寝かしたときも、一日中つきっきりでお守りをしていたが、私には、一言もいわなかった。ある日私がたまたま子どもを仰向けに寝かし付けていると、そっと近寄ってきて、「俯けのほうが、良いのでないかしら。空を掴んで怖がることもないでしょう」といった。何気ない言葉であったが、私にとって、千金にも増して有り難い、貴重な宝となった。

特に、ココグルが育児をした頃のアフガニスタンの風習では、赤子を四角い厚い布でしっかり包み込み、その上、首から胴、足まで、紐でミイラのように締め付けたそうだ。そうしなければ、赤子が動くにつれて、首や足など、骨がはずれるのを防ぐことができないと信じられていたといわれていたそうだ。ミイラ結びが常識であったココグル時代の育児方法からみて、あまりにもかけ離れた俯け方法でさえ、ココグルは受容することのできる広い心の持ち主だった。

コラム8

カーブルの日々

カーブルに居住していた12年の間、ココグルから否定的な言葉を聞いたことがなかった。すべてを受容し、すべてに耐え、すべての人に満足を与えることに、喜びを感じる人。円満な優しい人柄で、接するすべての人びとを魅了してしまう。

口数も少なく、もの静かなココグルの一日は、5回の祈りの時でめぐっていた。祈りの前に、白い、幅広いレースの縁取りをしたショールを丹念に広げて掛け直した優雅な仕草を懐かしく思い出す。頭も肩も、手もショールの下に被せてから、囁くような声で祈り始める。祈祷用の絨毯の上にぴったり平伏して祈る姿、ショールの下で微動だにしない姿が、「献身」を象徴しココグルの人柄をそのまま表していた。ココグルをはじめ夫の父、敬称ジョノロ（グラムアリ）や弟や妹たちとの会話には、私のたどたどしいペルシア語（アフガニスタンではダリー語と呼ばれる）が使われた。掃除、洗濯と炊事は、新居に落ち着いたときに、住み込みで家事の手伝いの正直そうで健康そうな女性とその家族が見つかった。子どもは12歳くらいの、いかにも聡明そうな娘と幼い男の子がふたりいた。息子が生まれてまもなく、この娘は、母親の手伝いをするようになり、そのうち私の育児方法に大変興味を持って、じっと観察をしていたが、そのうち私の考えをいち早く感じて、育児を巧みに手伝うようになった。まったく予期しなかった幸運に恵まれた。子どもの生まれる3ヵ月前に、カーブルの国連ユニセフ事務局から、緊急の計画のため手伝いに来て欲しいとの要請があり、1、2ヵ月の予定で出掛けていたのだが、出産後に正職員として勤務することになった。育児になるべく支障を来さないことを配慮して、職員が昼休みを自宅で過ごすなか、弁当をオフィスで食べて、一時間はやく帰宅することで、昼間は、ココグルが、実家で見てくださることになった。ココグルのところにも、手伝いの人はいたが、この12歳の娘が同行することになり、朝夕、夫の送り迎えで、一大オペレーションが開始された。ココグルは、「育児が私の最大の趣味」と、嬉々として、毎朝孫の一行を迎えていたそうだ。それは娘が生まれた後も続いた。

カーブルの生活はペルシア語のほかに、英語が中心の国際社会と、日本大使館を中心の日本の社会があった。三つのそれぞれ独特の世界に出たり入ったりしていた。歴代の日本大使ご夫妻をはじめ、大使館の皆様、邦人の方々には、大変お世話になった。息子が生まれた日の夜、大使館から、重箱が病室に届けられた。4月29日、天皇誕生日の宴会に大使館で用意されたお祝いの日本食が、真崎大使夫人のお心遣いだった。

ユニセフの事務局は職員が20名足らずであったが、常に10ヵ国以上の国籍をもった人たちで活気づいていた。アフガニスタンの女性、ひとりはハワイ大学、もうひとりはロンドン・スクール・オブ・エコノミックス出身の才媛たちであり、そのほかにも、優秀なアフガニスタンのスタッフが揃っていた。

春先の日光がまばゆい朝の仕事前の一時、スウェーデン人の女性は庭の芝生に椅子を持ち出して読書を楽しみ、一方インドのケララ州出身の男性は、オフィスの分厚いカーテンを全部閉めて、太陽の光線を遮るのに大騒ぎしていた。

アフガニスタンの中央部チャクチャラン（現名はフィローズ・コー）で飢饉が起こり、緊急援助隊が編成され、インド人の隊長が、書類の作成が遅いと、オフィスのなかを「ハバハバ、ハバハバ」といいながらかけずり回っていた。しかし、誰ひとり「ハバハバ」（早く早く）の意味を理解する人はいなかった。その時突然私に子どもの頃の記憶が蘇ってきた。終戦直後に駐留したアメリカ兵たちが盛んに「ハバハバ」と口にしていたのだ。「ハバハバ」は、一説にはハワイ諸島のカナカ族の現地語で、第二次世界大

コラム8

カーブルの日々

国連児童年　カーブルの子どもたち（1979年11月、ユニセフ事務局構内）

戦後に進駐軍によって日本でもひろく使われた。隊長は、アメリカ軍人ではなかったがイギリス軍の一員として、広島に短期駐留したときに知ったのだといわれた。1940年代に日本で流行ったハワイの言葉を、1970年代にカーブルでインド人が口走ったということで、大笑いになった。アフガニスタンの母子の福祉のために、オフィスのスタッフ一同が協力して、明るく心を合わせて働ける環境がここにはあったのである。

カーブルでの生活のなかで家庭をもち、ふたりの子どもの育児、そして国連での仕事を、恵まれた環境が与えられたために、無事果たすことができた。感謝のみである。そして、私にはもう一つの一番重要な使命があった。国立博物館における、アフガニスタンの考古学についての研究である。博物館には、研究の場を与えられた。しかし、なかなか思うように捗らなかった。

そこに強力な圧力が与えられた。カーブルの唯一の英字新聞、カーブル・タイムスが国立博物館の連載を依頼してきたのだ。毎週水曜日に、A4で3枚の原稿の締め切り。やらなければならない。仕事から帰宅して、子どもたちと遊び、夕食を食べさせ、お風呂に入れて、本を読み子どもが寝付くと同時に自分も寝てしまうのだが、私の時間は、夜中の12時から始まった。「過去は、かく語る」と、私のカナダでの恩人がくださったタイトルでの連載は、2年10ヵ月間、1971年10月10日から1974年7月28日まで、週1回の連載で、135回重ねることができた。このささやかな試みも、カーブルで出会うことのできた、多くの方々の協力と援助の賜物によるものであった。

カーブルの日々の豊かな思い出が尽きることはない。あれから激動の時代を経て、変わってしまったカーブルに、過去には、平和な和やかな日々があったのだ。そのような平和の日々が一日も早くカーブルに戻ってくることを願うばかりである。

42

マザーレ・シャリフ

★白鳩舞う紺碧の墓標★

バルフ州の州都マザーレ・シャリフ mazar-e sharif は「アリー墓所」のことをいう。アリーとは、イスラム第四代ハリーファ（カリフ）、アリー・イブン・アビー・ターリブ（600？～661年）のことを指している。mazar は「（詣でるべき）墓」sharif は「貴やか」と訳せる。街はこの「高貴なる墓所＝聖廟」を中心として東西南北に拡がっている。そこは北部アフガニスタンの経済・交通の要衝の地でもある。聖廟の東門をダルワザ・タシュクルガーン、南門をダルワザ・シャーディヤーン、西門をダルワザ・バルフ、北門をジャーデ・メウラナ・ジャラルディーン・バルヒーと呼ぶ。聖廟の四方を囲み犇くバザールは、どこも門前街の活気に満ち溢れている。

首都とウズベキスタンを結ぶ交通拠点

東門先は幹線道路76号（至カーブル）に合流する。そこから6～7キロメートル東進して右に分かれる道に入ればマザーレ・シャリフ国際空港がある。右折せず76号を10キロメートルほどさらに東進すると、左に分かれるハイラタン道路に出会う。ハイラタンはウズベキスタンとの国境の地である。アム・ダリア

(オクソス河)南岸に位置し、そこから北岸のウズベキスタン側に架かる「友好橋」で両国は結ばれている。近年ハイラタンとマザーレ・シャリフ国際空港の間の鉄路も敷かれた。この鉄路の開通によってマザーレ・シャリフは、北はロシアと、東は中国と、西はユーロ諸国と、切れ目のない鉄路で結ばれたのだ。今どきのシルクロードである。また、北門先には62号道路が整備されつつある。ハイラタン道路と平行して北に延びる62号道路もアム・ダリア南岸に達している。そこからアム・ダリアに臨めば、ウズベキスタン側のテルメズ中心部は眼前にある。このようにウズベキスタンを結ぶ動脈を整備するマザーレ・シャリフは、今後ますます北部的作風の交易拠点となっていくのだろう。

ヒンドゥクシュの水とオアシスの恵み

南門先には国技であるブズカシ(高度な乗馬術を駆使する屈強の馬手たちが、剛腕を以て山羊の躰を競い合いつつ引き奪い、一瞬のチャンスで山羊を摑み、一気にもみ合いをすり抜け見事疾走してゴールに落とす、人馬一体の極めてスリリングな騎馬競戯)競技場がある。その先はヒンドゥクシュ山脈の裾である。そして西門先(ダルワザ・バルフ)には豊かなオアシスの地が拡がっている。北西に20キロメートルほど離れた旧都バルフの歴史と富に、マザーレ・シャリフは深い恩恵を受けてきた。エジプトはナイル河が与えた賜物だといったのはヘロドトスであるが、その言葉はバルフにも当てはまる。バルフの南10キロメートルほどのところにイマーム・ブクリ橋がある。ヒンドゥクシュ山中のハザラジャードからうねり下ってきた川水は、奔流となってバルフ(オクソス)平原に灌(そそ)いでいる。この橋近辺が山地と平原の境で、この奔流の源はバンデ・アミール湖にある。地元ではバルフ川と聞いたが、近頃は川全体をバンデ・アミール川と呼んでいるようだ。

ヒンドゥクシュの岩の稜堡を引き裂いて湧き出た奇跡の水は、少なくとも3千年、優にそれ以上、バルフの人畜と耕地を潤してきた。川が平原に流れ入るや否や主なる幾筋もの水路に分けられ、それら動脈筋はさらに枝分かれして広がり、またそれぞれの枝は無数の小川となって、万遍とバルフの平原に染み入る。川の主流はイマーム・ブクリから徐々に左に下り、すなわち西進してバルフの西60キロメートルほどのアクチャの手前で大地に消える。東に振られた水路はデェダディ集落を貫きマザーレ・シャリフの南に至り、これも地中に消える。水路はイマーム・ブクリを起点にバルフを囲むようにして、北に向かって美しく扇を開いている。この組織された扇状平原は、円形外郭の都バルフをオアシスの賜物として引き立てる。それは人の手を介した灌漑技能が、荒ぶるヒンドゥクシュの石清水を鎮めたということを見事に示しているのだ。治水の連綿たる継続がバルフの自然と富を支えてきた。悠に3千年を超えるバルフの平和とは、治水と灌漑という人の努力によって耕された古代技術の精華にほかならない。

マザーレ・シャリフ（アリー廟）の謎

アリーは661年にナジャフ（現イラク）にあるクーファで暗殺された。その亡骸はナジャフに埋葬されたと思われている。しかしながら、その埋葬地は明らかにされていない。次のようないい伝えはある。アリーの亡骸を奪われることを恐れた同朋は、人知れぬ場所に葬ろうと思案した。その柩は白い雌の駱駝の背に乗輿された。駱駝は巡行して、また彷徨しながらそして迷い、その力の果てに崩

アリーの廟、ブルーモスク（関根正男撮影）

れるやいなや、その場所がアリーの墓となった……と。1136年頃バルフ近郊の村の住民らが「夢枕に立つアリー」を領主に訴えた。夢が示す場所を掘るとアリーの亡骸と証拠たる煉瓦が出たという。時はセルジューク朝の再興者、ニシャプール（ネイシャブール）のスルタン・アフマド・サンジェルの絶頂期であった。夢の啓示の場所にアリー聖廟を建立する。しかし、墓は13世紀モンゴル軍に破壊され消し忘れ去られた。そして15世紀後半のティムール朝期、ヘラートのスルタン・フサイン・バイカラのもとに、墓の在処を示す書を持った者が現れた。第二の天啓である。墓は見付かりバイカラは壮大な聖廟の建設を命じた。1481年といわれる。

イラクのクーファから遠く離れたバルフ近郊に「アリーの墓所」があるというのは不思議だ。それも没後470年余りも後に発見されるとは理解しがたい。1130年代はサンジェルが大セルジュークの復興を成し、東漸支配を回復した時期であった。

第42章
マザーレ・シャリフ

また、１４８０年代後半のティムール朝はバイカラのもとに周辺諸朝と平和共存を図り文化的絶頂を迎えていた。「夢のお告げ」と「記された地書(ナクシャ)」に示された事情とは、サンジェルとバイカラというホラサンのふたりのスルタンが描いた「白夢」にあるのかもしれない。このトルコ、モンゴル遊牧系出自のスルタンは、野に暮らした川向こうの地(マーワラーアンナフル)ではなく、アム・ダリア南岸・下流域のイラン（ペルシア）の故地ホラサンに興った新しいスンナ派の王朝である。その長がバグダードのハリーファからの王権（スルタン）の承認やイラン文明の受容と耽溺でもって帝国を建立しても、なおも足りないものがあった。すなわち王権の正統性である。

ムハンマドをつぐ誠のハリーファ「偉人(ハズラト)アリーの墓所」の謎は、ホラサンの「夢」のなかで解かれるべきだろう。それはアリーの亡骸を乗せた駱駝練行のいい伝えを想起させる。ホラサン（日の昇る所）の東方アム・ダリア南の旧都バルフ、そのまた東20キロメートル先、オアシスの水が切れる場所にアリーは眠っていた。アリーの柩は白い雌の駱駝の背に輿がれて、クーファから練りさ迷って鎮まったところは、遥か東方バルフのオアシスの果て、荒野の寸前だったということだ。そこで輿(マフメル)は美しき紺碧の廟へと輿され、その廟に棲む白い鳩は駱駝の化身となって空を舞う。建立者のバイカラも「高貴なるアリー」とともにこの廟に弔われて眠っているという。

「夢」が描いたアリーのマザーレ・シャリフは、１８６６年にアフガン・トルキスタンの世俗の首都となった。それ以来、街は北部の近代的中心として大いに繁栄している。

（安仲卓二）

43

ヘラート

★文化香る古都★

ヘラートに入ったのは2011年。それまでの17年間は東部の町ジャララバードで女性と子どもの支援を続けていた。内戦中やタリバン時代はカーブルへの移動も危険で、ましてヘラートへ行くことは不可能だった。束の間の平和だったある時、友人の旦匡子さんの紹介でカーブルの映画監督セディク・バルマク監督に出会った（『アフガン零年』）。彼は友人のイランのモフセン・マフマルバフ監督とともにカーブルの職業訓練校アシアナの孤児たちの描いた絵のプロジェクトを始めていた。私はそれを手伝い、絵を日本に持ち帰って、私の報告写真展の片隅に置いて売った。1枚3千円とか5千円。翌年、カーブルで彼らに売上を直接手渡すということを続けた。ある年、素敵な細密画を描く少年がいた。「ペルシアのミニアチュールね」と私がいうと「ノー、アフガンミニアチュール！」と彼は叫んだ。アフガニスタンにもミニアチュールがあった！ 私はインターネットを検索し、国立ヘラート大学の美術学部にのみ細密画学科があることを知った。そこに出ていた電話番号に国際電話をかけると主任教授のアブドゥル・ナセル・サワビイ氏の携帯だった。私は即ヘラートに飛び、国立ヘラート大学の細密画学科との出会いが始まった。初めて見る教授の描いた細密画の美しさに圧倒された。ジャララバードは危険でずっと入れないでいた。思い切って支援の軸足をヘラートに切り替えた。

というわけで私はヘラートの魅力にはまることになった。

マスジェド・ジャム　金曜日のモスク

ヘラートについて何も知らない私をサワビイ教授はまず金曜日のモスクへ連れて行った。

ヘラートは15世紀、ティムール朝の王都になったことを知った。教授は少年の頃、ヘラートの誇る芸術家サイード・マシュアルに弟子入りして細密画を習った。金曜日のモスクの一角には師マシュアルが作った白いアラバスター製の祭壇がある。サワビイ少年の名もそこに記されている。

金曜日のモスクは堂々たる青のタイルが光る正面にまず圧倒される。10世紀には既に建っていた。11世紀にはスーフィ（イスラム神秘主義者）として、また宗教指導者として尊敬されていたアンサリがこのモスクの聖壇に立っていた。たびたびの大火により破壊され、13世紀にはゴール朝のゴーリーによって復元されたがモンゴルのチンギス・ハーン

上／ヘラート大学のサワビイ教授
下／金曜日のモスク

により徹底的に破壊された。その後いくつかの王朝による修復がおこなわれ、15世紀のティムール朝後期、スルタン・フサイン・バイカラ王の時、首相で詩人のアリシール・ナワーイは１４９８年自らモスクの再装飾を指揮したという。ティムール朝崩壊後には荒れ果てたが、１９４３年に復興計画が始まって今に至る。タイル職人の仕事場には石焼き釜があり、塗料の入った容器が数多く並ぶ。私を案内してくれたサワビイ教授は「ここは私の一番好きな場所だ」といった。本当にこのモスクにはあらゆる時代のタイルがあり、見飽きることがない。また、広大な中庭には静かに坐って祈る人びとの姿がみられる。

14世紀に作られた銅の大釜は今ガラスのケースに納められている。

ガーゼルガ寺院

次に、サワビイ教授が弟子たちとともに私を連れていったのはヘラートの町から約5キロメートル北東にあるガーゼルガ寺院であった。

そこは11世紀の偉大なスーフィであるアンサリの住まいでもあった。聖人の死後そこは礼拝の場となった。寺院中庭の突き当たりにはこのアンサリの墓がある。絶えず巡礼の人びとが坐って祈りを捧げている。

ティムールの四男シャー・ルフは父亡き後ヘラートで王位に就き、このアンサリの寺を大切にして、寺の外、西南の角にスーフィたちのための祈りの場「飾られた家」を造った。ザルニガルと呼ばれる建物の天井と壁は金と藍を使ったデザインで装飾され、今も鮮やかな色を見ることができる。

広大な中庭には白や黒の大理石の石棺が並び、2本の長い参詣者用カーペットが左右に敷かれている。左が女性用、右が男性用。入り口で履物を脱ぐ。

一段と高くなっている土壇には、ティムール朝の王子たちの黒い箱型の大理石石棺がいくつか並んでいる。有名な詩人の墓もある。

この寺院に残されているティムール朝の王族の石棺4本を選んで、サワビイ教授は修士論文を書いた。そこに彫られている唐草文を分析し比較研究したのは、研究者として彼が初めてである（参照『ガーセルガーの黒い真珠』三帆舎）。

ガーゼルガ寺院の中庭

中庭を囲む建物の一角にはスルタン・フサイン・バイカラの愛した王子の石棺が置かれ、「ハフトカラムー（7本のペン）」と呼ばれている。黒い石棺に刻まれた見事な唐草模様は細密画家であるカマルッディン・ベフザードのデザインで、彫ったのはシャムスッデイン・ハカック。国宝級ということでアガ・ハーン財団がガラスのケースを作った。今は許可がないと見ることができない。

また、建物の外には宰相アリシール・ナワーイが作った「ザムザム」という名の貯水池がある。「塩壺」と呼ばれる建物もあり、内部には美しい水が流れ、アリシール・ナワーイは夜、ここで人を集めて詩を朗読したという。

墓地の一角に参拝客のために冷たい水を売る老人がいて、傍には猫が1匹静かに坐っている。

ムサラ　小礼拝堂

ヘラートに都を置いたティムールの四男シャー・ルフの妃ゴーハルシャッドは多くの建物を造った。特にこのムサラと呼ばれる礼拝堂の青いドームは美しい。５００年経った今も人を惹き付けてやまない。内部には王子や孫たちの石棺が置かれそのいずれにも精緻な唐草模様が刻まれている。建物の周囲には９本のミナレットが立っていたが、現在は５本が残るのみ。車の振動で倒壊の恐れがあるので、近くの道路は車の通行が禁止されている。

国立ヘラート美術館・資料保存館

１９２５年にアマヌラ・ハーンが創設。その後の戦乱を経て２０１１年、砦の大規模修復がおこなわれ、その一翼に美術資料館が開館した。国立博物館による収蔵品の整理などの協力、ドイツ外務省やアメリカ大使館、そしてアガ・ハーン財団の支援もあって小ぶりながら魅力的な美術館となっている。青銅器時代、先史時代、イスラム期、ティムール朝時代からサファビー朝に分けた展示物が階ごとに並ぶ。

砦の見学も可能で優雅な浴室が残されて壁にはうっすらと壁画が残る。捕虜たちを放り込んだ巨大な穴もあった。

砦の裏手には小部屋が並ぶ。市の管轄で床も壁もむき出しで電気もない。その一室で「ヘラート絹」を再現しようとハザラの女性がふたり、カタンカタンと織機を動かしていた。

（西垣敬子）

44

カンダハール

★アフガニスタンの古都に2004年に訪れる★

アフガニスタンの最大民族パシュトゥン人の拠点ともいうべき都市である。古来要衝の地で、現在はアジア・ハイウェイの路線上にある。

1747年に、サーベル・シャー・カブリーというサイードが、アブダリ族の若き英雄アフマド・ハーンの頭に麦の穂でつくった花冠を置き、シャーと宣言したことで、今日のアフガニスタンの基盤ができた。国章に小麦の穂が描かれているのはこれによる。以後アフマド・ハーンはアフマド・シャー・ドゥラニと名乗り、カンダハールを首都と定め、アフガン族の統一をめざした。後継者のティムールが1776年に首都をカーブルに移した。

カンダハールはアフガニスタンの古都といわれ、アレクサンドロス大王東方遠征時のアラコシアと呼ばれた古市跡があり、先史時代からの歴史がある。アルガンダーブ川水系にある地域は開拓されて葡萄や果物の農産地として有名である。1760年代に初代国王によって旧市街地に造られた城壁は1940年代までに壊されてほとんど残っていない。郊外は耕地に岩山が点在し景観が美しい。カンダハールはタリバンの地といわれ、

アフマド・シャー・ドゥラニの霊廟

内戦の傷跡と復興が始まった時期に訪れた。最近の情報では見違えるほど都市化し、観光地は整備され、バザールは活気にあふれている。

２００４年はタリバン政権が崩壊し落ち着きを取り戻した時期であったが、容易に入国できる状態ではない。２００４年6月に来日したアフガニスタン政府要人の講演会で、駐日大使はカンダハール市に２００２年7月開設したＮＧＯカレーズの会診療所があり、施設整備のためにその一員として同行するならビザを発行するといった。行程は２００４年7月16日から26日で成田、パキスタン経由でアフガニスタンへ、カーブル市内、バーミヤン渓谷の建築を視察してカンダハールに向かう。当時はテロの危険があるので都市間の移動は飛行機で、市内はレンタカーで移動した。車は日本語が書かれている中古車が丈夫で故障が少ないと評判が良かった。

7月22日にカーブル空港を10時に出発、45分後にカンダハール空港へ、滑走路の脇には爆撃された飛行機の残骸が残っており、アメリカ軍の戦闘用ヘリコプター十数機を見て緊張が走った。空港から市内にあるカレーズの会診療所へ直行した。診療所は高い塀に囲まれ頑丈な鉄の扉で守られていた。日本から持参した医療器具などの荷物を届けると、レントゲン技師はすぐに荷ほどきしてＸ線防護服を胸に当ててお礼をいわれた。診療所の話では、1日の患者は老人や子ども連れ女性が２００人ほど来る。待ち時間に子どもには教育を、親には保健衛生を学べる施設も造りたいといっていた。平屋の診療所は室内外の壁を白く塗られ清潔な感じであった。街に出ると、クレーンを使った中高層ビルの現場が多くみられ建設ラッシュが始まっていた。建設作業者はパキスタン人で、アフガニスタン人はその手元として働いていた。バザールに行くと結婚用に飾り付けをしている車が数台あり、イスラム教でも新婚さんは同じだと、戦争の傷跡が残っている街が華やいで見えた。

市内外には新しい手押しポンプの井戸がみられたが、歩道に蛇口のついた1メートルほどの高さの素焼きの壺が所どころ置いてあり、道行く人が壺の水を自由に飲んでいる。素焼きの壺から滲み出る水の気化熱でなかの水が冷えているといわれ、一杯を勧められたがお断りをした。壺の管理は前の家の人が水を補充しており、富める人は施しをするイスラムの教えは素晴らしい。カンダハールは壺の生産で知られ、大中小の白い壺が所狭しと置いてある店や、彩色を施した陶器を棚に並べた店が多い。その近くに1747年にアフガニスタン王国を創設したアフマド・シャー・ドゥラニの霊廟を塀の外から眺めた。青果バザールに行くと露店の台の上には5、6種類の葡萄が一房ごとに置かれ秤売りをしていた。旧市の中心の絨毯、刺繍、香辛料などを扱うバザールは見学できなかった。

翌朝はホテルの前を、朝市に向かって野菜や大きな袋をいくつも載せた荷車が何台も通っている。市外はタリバンの残党がおり、治安

道端に蛇口のついた大きな水壺

観光地40階段よりオマルモスクを望む

オマルモスクの内観

が比較的良い市の西方向にある独立運動の指導者ミール・ワイス・ホタキの霊廟に8時到着。霊廟の床は大理石造りで中央部に棺が置かれ、天井と壁はモザイクタイル貼りでその装飾は精密で美しい。外観はアフマド・シャー・ドゥラニ霊廟と規模、デザインがそっくりに造られていた。30分ほど見学して、アルガンダーブ川の河原では自車を洗っている風景、岩山が点在している長閑な景色を眺めながら葡萄園に9時到着。葡萄畑は胸の高さほどの木々に品種の違う房が実っていた。葡萄園の学校は夏休みで教室のテントが畳まれていた。収穫作業をしていたが、子どもたちが集まってきた。顔立ち、肌の色、目の色、髪の色が異なり、アレクサンドロス大王、アショカ王、チンギス・ハーンなどの影響を受けていた地域だと思った。ひとりの子どもは将来医者になりたいと話す。名産の干し葡萄を作る小屋で作り方を見学した。その小屋が1年後に爆撃されたと聞き、いまだ内戦が続いていることを実感した。1時間ほど交流して、観光地の史跡チェヘル・ジナに10時半到着。三角錐状の岩山にある40階段を登ると頂上の祠に先人の碑文がある。階段の北東の奥に白いドームが見え、タリバンのオマル師の生誕地区に建てたオマルモスクだと説明を受けた。近くの遺跡をめぐり市内へ食事に戻り、見学許可を得てオマルモスクに16時到着。モスクの手前にはカンダハール大学の校舎が10棟ほど建設中であった。オマルモスクは単一ドームで、四隅の4本の塔は竣工直前であった。内部に入る日本人は初めてだといわれた。外観と違い内部は半球状の天井で直径50メートルほどあり大きい。中央部には蓮花の幾何模様が、円周状にメッカのカーバ神殿などを図化した絵が、その外側にアフガニスタンの名所の絵が描かれていたが、仏教遺跡のバーミヤンは描かれていなかった。メッカの方向にはコーランが書かれていた。イスラム形式とは違い質素で華やかなモスクであった。後にこのモスクはイドゥガーモスクと名を変え、オマルモスクは市内に別に作られたと知らされた。

24日は帰国のため8時に診療所に行くと、門外には患者が遠くから来て並んでいた。地域の期待が大きいことがわかった。診療所から空港へ行く途中、アメリカ軍の車両が爆破されて道路、空港が封鎖された。診療所に戻り空港の再開を待ったが、陸路で翌日のイスラマバード空港21時35分発の成田空港便に乗ることに決めた。近くのレストランで昼食をしている間に、車の点検整備、予備のタイヤなど積み込み、13時にカンダハールを後にした。陸路のアジア・ハイウェイはまだ全舗装されていなくて、猛暑のなか、ガソリンスタンドで休憩しながらカーブルに21時到着。翌朝6時にホテルを出発し、途中で大型トラックの渋滞があったが、ドライブインで昼食を取り、国境のハイバル峠で車を返した。国境は無事に通過でき13時半にイスラマバード空港ゆきのバスに乗った。途中に2回の礼拝のための降車があったが、やっと飛行機に間に合い帰国ができた。

（山田利行）

45

ガズニ

★かつての文化センター都市★

ガズニ州は、面積は2万3378平方キロメートル、アフガニスタンで8番目の広さで、日本で2番目に広い岩手県の1万5275平方キロメートルよりもだいぶ広い。ガズニ市が州都で、カーブル市より300メートルほど高い標高2190メートル。砂塵が舞う高原の街で、中世の街の面影を残している。『世界の旅』（兼高かおる著）の「アフガニスタンのスナップ」編で1967年当時の風情が映されている。夏は暑く冬は寒い。ガズニ川が街の中心を北から南に流れ、カーブルとカンダハールの幹線道路の間に位置している。ガズニの名称は、古代イラン語の「ガズン（宝庫）」に由来すると考えられている

古代においては、ホラサンの主要都市のニシャプール、ヘラート、バルフと、インドを結ぶ交易の都市として重要な位置を占めていた。

住民の主要民族は、パシュトゥン、ハザラ、タジクである。かつてはシーク教徒やヒンドゥー教徒も多く住んでいたが、現在では、ヒンドゥー教徒は1名という状況になってしまった。州の現在の人口は200万人を超えているという資料もある。

前6世紀はアケメネス朝ペルシアの領土で、7世紀には中

央アジアにおける仏教の中心地の一つになり、タパ・サルダールはその代表的な寺院である。玄奘もインドからの帰途「大都城の鶴悉那（がずな）」に立ち寄っている。そして、「人の性質は軽率で、心に詐りが多い。学芸を好み、技術に多能である。よく耳を傾けるけれども道理には暗く、日ごとに数万言の文句を暗唱する。……言葉を飾ることが多く、内容のあることは少ない」と、記している（『大唐西域記3』水谷真成訳）。遺跡はイタリア隊によって発掘された。

隆盛を極めたのはガズニ朝（977〜1186年）の時で、特にスルタン・マフムードの時代ペルシア文学の中心は、ブハラのサマン朝宮廷からガズニ朝の宮廷に移り、学問・文学の中心となった。フェルドゥシの『王書』も、この地で完成された。今日、アフガニスタンで、春分の日に新年を祝うナウ・ローズ（イランではノゥ・ルーズと発音される）は、マザーレ・シャリフとカーブルが有名であるが、この時代はガズニで祭典が数日間続き、今日のイランやインドから、政治家、軍人、文化人がやって来て、宮廷で「ナウ・ローズ賞」を受賞するために競ったという（『アーリアィーのお祝い』サルワリー著）。

しかし、ゴール朝を創建し「世界を焼き尽くす者」という称号をあたえられた、アラウッディーン・フサインによって1151年に徹底的に破壊され、さらにチンギス・ハーンによって1221年再度破壊され、再びかつての隆盛を取り戻すことはできていない。1504年にガズニを征服したバーブルは『バーブル・ナーマ』で次のように書いている。「私はいつも、ヒンドゥスターンとホラーサーンをその支配下に収めた君主たちが、ホラーサーナートがあるというのに、どうしてこのように貧弱な土地を首都に選んだのかと不思議に思っていた」（間野英二訳）。

主要な史跡としては、二つのミナレットが有名である。東側のものはスルタン・マスード3世によって戦勝を記念して建てられたものだが、残念ながら１９０２年の地震で、上部の円柱状の部分が落ちてしまった。もとは60メートルあったという。もう一つは、スルタン・バフラム・シャーによるもので、もともとはイスラム寺院の一部であったという。このミナレットはアフガニスタンで最初に世界遺産に登録されたゴール州にあるジャムのミナレットのモデルになったといわれる。２０１８年、この二つのミナレットを中心に、約７００ヘクタールの古代モニュメントを守るために約40万ドルをかけて壁を建設することになった。

バラ・ヒサル（城砦）は、市の北にある。バラは「高い」の意、ヒサルは「城、砦」の意味で、街

1841年に描かれたミナレットとバラ・ヒサル（奥）。手前のミナレットが、バフラム・シャーによるもの。現在は上半分がなくなっている。高さ60メートルあったという。奥が城砦。（Bodleian図書館蔵）

現在のマスード３世のミナレット。途中で折れてしまったが屋根を付け足して保護している。

が見渡せる。第一次アフガン戦争の時、イギリスによって破壊された。

ガズニ州のジョゴリ郡では、スルタン・マフムードの宮殿跡とマフムード廟碑文が、2020年5～6月にかけて発見され、新たにバクトリア語の碑文発見のニュースが世界に伝わった。この地域の8世紀に関するものとされ、碑文解読とともに、ガズニ地域の歴史がさらに明らかになることが期待される。

ガズニが隆盛を極めたとき、この都市には千のモスクがあったという。マフムードは繁栄と拡張に努め、学者、詩人などの文化人が集中する文化センターとなった。特に、11世紀の最初の数十年はペルシア文学の最も重要な中心であった。学者・詩人として、アブー・ライハーン・ビールーニー（歴史、物理、数学、天文学に優れた大学者。『古代国家年表』、『インドの書』を著す）、フェルドゥシ（マフムードに献上された『王書』で著名）、サナーイ（ガズニ生れの頌詩詩人、『サナーイ詩集』、『真理の国』を著す）、ウンスリ（桂冠詩人。『ヴァーミクとアズラ』、バーミヤンの巨大な仏像にまつわる伝説をテーマにした『白い像と赤い像』を著す）などがある。

現在のガズニ州は治安が悪く、また民族問題も絡み、2018年の下院選挙ではガズニ州だけが実施できなかった。2013年にはイスラム世界の文化都市に選ばれ、文化復興の期待が高まったが、治安面と予算面で大きな成果を上げていない。2014年にガズニ大学が開校し、教育、経済、法律、医学などの学部がある。最近ガズニ市内に女性によって、女性のためのカフェがオープンした。従業員も女性だけで運営されている。

（関根正男）

46

改宗の光があてられたヌーリスタン

★山の伽藍、光の国の饗宴★

ヌーリスタンという呼ばれ方は比較的新しい。1895～1896年にアブドゥル・ラフマーン・ハーン（バラクザイ朝アミール）はクナル地方とラグマン地方の両域のカーフィリスタン（不信仰者の地）に兵を進め、その地域を征服しイスラムに改宗させた。勝利した彼の軍隊がカーブルに着くや、アブドゥル・ラフマーン・ハーン（アミール）は「これからカーフィリスタンは、光の地＝ヌーリスタンとして知られるであろう」と宣言した。

ヌーリスタンはクナル州やラグマン州の一部として扱われたが、1988年7月に州として独立した。ヌーリスタン州は国土の東北部に位置しヒンドゥクシュ山脈の山中にある。州都はパールンで標高は2500メートルを超え、東はパキスタンと接している。水系はクナル川に合流する筋とタハル側に落ちてカーブル川に合流する筋がある。人口は14万人ほどで六つの主要部族があり、多い順にカタ族、カルシャ族、アスコリ族、カム族、サトラ族、パルスーン族となる。五つの大きな谷といくつもの小さな谷があり、それぞれ独自な言語が話される。これらヌーリスタン語群はインド・イラン語派内の独立した一グループとみられている。

青い目と赤毛や金髪の人びと

ヌーリスタンが人目を引き付けるのは、深い大きな谷を懐にして、4千メートルを超すヒンドゥクシュの山々に住む人びとの姿である。ここの人びとは、身体的にも文化的にも、明らかに周辺のアフガン人とは異なる。外見上の特徴として、彼らの多くが青い目、赤毛や金髪であることだ。男女ともに膝下足首には羊毛のゲートルを巻いている。男は膝下までの白い羊毛のズボンを穿き、女は長いスカートか刺繍を施した長いマントを装う。

そして、彼らが敷物よりスツールを好むのもアフガン人の伝統スタイルと異なる。ワージと呼ばれる琴＝ハープも特徴がある。共鳴胴は舟形で中央がくびれている。腹面は皮で覆われており、弓形の腕木が腹面の中央に縫うように差し込んである。弦は弓に4線張られ、響孔は胴表に二つ、ほか8ヵ所に各四つ開けられている。この竪琴もアフガニスタン風ではないようだ。また、改宗以前から彼らが作ってきた騎馬肖（神）像は、彼らの先祖が遥か遠い昔に山向こうのステップで、馬を乗り回していた記憶の表象なのであろうか。

ヌーリスタンの木彫像
（江藤セデカ撮影）

これらの話はほんの一例に過ぎない。目の色も、髪の毛も、言葉も、装いも、音楽も、祭礼も、ヌーリスタンというところは謎だらけの隠れ里なのである。

ティムールを阻んだ深き頑迷な山中

ヌーリスタンは切り立った断崖と山が連なり、極めて困難な道のりが続く。この地の危険性を劇的に体験したのは、13世紀末の世界の征服者ティムールである。1398年から1399年にかけてティムールはアフガニスタンからインドへの軍事遠征をおこなった。このインド遠征の時にヌーリスタン（カーフィリスタン）が登場してくる。遠征の初動時、部下の兵をインドに進めながらも、ティムール自身の軍勢は後方の安全を確保するため、ヒンドゥクシュ山中（現在のヌーリスタン州）に駒を進めた。大義名分は山賊的なカーフィル（不信仰者）への改宗の戦いである。

この山賊的なカーフィルへの軍事行動について、ティムールは彼の自叙伝のなかで「確信をもって出征した」と語っている。ティムール朝創建者かつ強大なる征服者にとって、ヒンドゥクシュ山中の賊を征することなどは、たかが知れたことの筈であった。しかし、氷雪が積もる高山の進軍は困難を極めた。加えて地形が進軍した彼の身動きをも阻んだ。狭く深い幾重にも連なる谷と山壁が、彼の確信を絶望にかえたのである。彼は「……今度は籠に乗って崖を降りた。予のこれまでのさまざまな戦法に比べて、この撤収はなんと落ちぶれたことだろう」と語る。しかも自分の馬さえも同じ方法で降ろされねばならぬ事態に至っては、彼の心はさらに痛むのだった。

ティムールはカーフィリスタン（ヌーリスタン）戦役の叙述の終わりに、荒涼たるヒンドゥクシュ山中からの無事の脱出を感謝する、神へのおごそかな祈りを記している。

山という神殿＝ゼウスのメロス（大腿）

またそれよりも1700年余りも前、もうひとりの名高い征服者がヌーリスタンを訪れている。前4世紀にインドに入る途上のアレクサンドロス3世である。このマケドニアの大王は前334年アケメネス朝ペルシアの王ダレイオス3世を破り、10年に及ぶ東方大遠征を開始した。前327年の春の終わりに、アレクサンドロスは自ら陣頭に立って、バクトリアよりインドに向けて軍を起こした。ヒンドゥクシュ（パロパミサダエ）山脈を越え、その山中南麓を東に進んで行く。カーブル川がインダス河に至るように。

アレクサンドロスは途中、ニサの町に出会う。ニサの首領アクフィス（アクビィ）はアレクサンドロス大王に、ここはディオニュソスが築いた町だと説く。それは大王が各地でアレクサンドリアを築いたことと同等のおこないであると言い、またディオニュソスは町の名を自分の乳母ニサにちなんで命名し、加えて近くの山にはメロス（大腿）の名を付けたと語った。ゼウスの太腿から生まれたディオニュソスが開いたニサに自由と独立を与えたまえと、アクフィスは大王に懇願したのであった。

アレクサンドロスはメロス山に興味をそそられて、近しい兵を連れて山に入った。そこには蔦や葡萄が自生していた。蔦をみたマケドニア人の兵たちは歓喜した。すぐに蔦の蔓を作り、頭に戴き、ディオニュソスを讃えて勧請した。犠牲を捧げ、葡萄酒を交わし、ディオニュソス神に憑かれて酔い狂い、バッカイたちの如くの饗宴に浸ったという。

アレクサンドロスはニサに自由と独立を与えた。ニサの町がどこに当たるのかいまだ霞んでいる。おそらくニサはプトレマイオスがナガラ（あるいはディオニュポリス）と呼んだところ、梵名でいうナガラハーラのことだろう。現在形ではヌーリスタンの南にあるナンガルハル州のことである。ならば、ヌーリスタンの山はメロスの山といえる。

ヒンドゥクシュの光＝ヌーリスタン

前327年のアレクサンドロスも、1398年のティムールも、1896年のアブドゥル・ラフマーン・ハーンも、ヌーリスタンの今を語るには遠い存在である。カーフィル時代（イスラム以前）の偶像や祖霊や葬送のあり方も、今や大幅に変化している。近年までヌーリスタンの支配層は牛飼いだった。山羊と羊を伴って山腹で自給自足していた。バリと呼ばれる職人が大工、細工師、金物屋として共同体を支えてきた。木工彫刻はとりわけ優秀だった。過去バリは牛飼いの奴隷だったが、もはや稼ぎを求めて麓のジャララバードや首都カーブル、隣国パキスタンに出て行ってしまった。山の過疎化は深刻な事態となっている。

どこまでいっても、ヌーリスタンの財産は山である。神が与えた山の伽藍をもう一度見直すこと。度肝を抜く自然は何が可能だろうか。豊かで珍しい植生と清らかな水とかけがえのない大気と清涼な食肉。このヒンドゥクシュが育むピュアな岳人の生が、柔軟な発電と蓄電の携帯性——データ通信の大容量化とＡＩ制御——それらによってもたらされる移動体（ドローン）の家畜化、という先端技術との親和性を獲得するとしたら……。それは来るべき客人に特上のホスピタリティーを醸し出すだろう。そう考えるとアレクサンドロス大王の山中饗宴は、今にこそ始まるのかもしれない。（安仲卓二）

47

ワハン回廊

★今も生きるグレート・ゲームの狭間★

アフガニスタンの地図を眺めると、北東部にカブトムシの角のような格好をした、細長い奇妙な出っ張りがある。この細長い地域の北側はアム・ダリアの最上流部がタジキスタンとの国境をなし、南側はヒンドゥクシュ山脈が連なり、その稜線がパキスタンとの国境をなす。さらに、東北の最先端部は中国の新疆ウイグル自治区と接している。この幅20キロメートルから30キロメートル、長さは300キロメートルに及ぶ河谷は、古来パミールを越えて東西を結ぶ主要な交通路だったため、ワハン「回廊」と呼ばれていた。

この回廊を通過した旅人は数知れないが、旧石器時代からの岩絵も見え、ゾロアスター教の遺跡や仏教の遺跡もある。また、中国から仏典を求めてインドに旅した僧侶たちは沢山の旅行記を残している。6世紀の北魏の人宋雲、恵生らの記録、また7世紀の唐の僧玄奘は帰路にワハンを通りタシュクルガンへ出たと思われ、著した地誌『大唐西域記』などは名高い。8世紀には唐の将軍高仙芝が1万の軍勢を率いてタリム盆地北辺のクチャを出発し、ワハンからバロギール峠を越えてギルギットを攻めたとの記録がある。13世紀のマルコ・ポーロはワハンを

ゾルクル（ビクトリア湖）

通って中国まで赴いたが、その旅行記『東方見聞録』のなかにもワハン回廊の詳しい描写がある。

しかし、なぜこんな形でパミールの一角にアフガニスタンの領土とされるものが食い込んでいるのだろうか？　19世紀には、東へはシベリアへと膨張しまた暖かい海を求めては南下を企てるロシアと、インドを足がかりに周辺の国々を固めようとするイギリスとが、このあたりで角逐を繰り返した、いわゆる「グレート・ゲーム」のまっただなかにあった。

そのなかでは、多くの記録を残したヨーロッパ人たちも周辺を渉猟し、例えば1891年、イギリスの陸軍将校ヤングハズバンドがカシュガルからインドへ帰る途中、ワフジール峠からワハンに入り、ボザイグンバーズでロシア騎兵と遭遇した際、ロシア軍の将校ヨノフ大佐から清朝領内へ戻るよう強制されるというような事件も起こった。

つまり、ロシア側はこのワハン一帯を最近ロシア領と宣言したといい、イギリスはそんなことは知らなかったし、認められないというわけであった。

中国の清朝もまたかつてパミールに出兵し（乾隆帝の時代1759年。その紀行碑がアリチュール谷に残っていた）、ヒンドゥクシュ山脈の南側のフンザに朝貢させたりしていたので、この争いに加わっていた。また、アフガニスタンも、元来の領有権を主張しイギリスの後押しでこの争いに加わっていた。

この各勢力のつばぜり合いは、結局１８９５年のワハンのビクトリア湖でおこなわれたイギリス・ロシアによるパミール分割協議によって終わり、北は当時のロシア領、南側はインドで現在のパキスタンすなわちイギリスの領域、さらに東は当時の清朝、現在の中国に挟まれたワハン回廊を緩衝地帯としてアフガニスタン領とするということで落ち着いた。

ワハンは標高５千〜６千メートルの山々を水源とする大パミール川と小パミール川を挟んだ細長い土地で、両川が合流しパンジ川と名を変えるランガル（標高２８００メートル）から１００キロメートルほど下ったパンジ川が北流するイシュカシム（標高２５００メートル）までしか、大きな耕地はない。ここでは小麦と豆がとれる。あとはほとんど牧畜のみである。

ランガル岩絵の仏塔

住民は主に下流の農耕地に住むワヒ族（ワヒはワハンに住む人の意）と、上流の山岳地帯で放牧をするキルギス族である。ワヒ族の前はサカがいたという。また、最近ではアーリア人の祖先はこのあたりから拡散していったという説が出ている。金髪碧眼の人も多い。また、ワヒ族はヒンドゥクシュ山脈を南に越えたパキスタンのフンザやチトラル周辺、またタリム盆地のヤールカンドにも住む。これは19世紀末頃、ファイザバードに居たバダフシャンの王（ミール）が、貢納として奴隷を要求し、その横暴さに耐えきれないワハンの住民が周辺の地域に移動したためといわれている。

あまりにも遠隔の地であり標高の高い荒れた土地で産物もほとんど

中国のトラック

ないため、ソビエト軍のアフガニスタン侵攻時にもワハンはほとんど平穏であったが、逆にアフガニスタンで盛んになったケシの栽培から作るアヘンのロシアへの密輸ルートなどに使われた。

観光などの面では、同じワハンのなかでもパンジ川の対岸のタジキスタン領に比べ、アフガニスタン側は道路などの開発がずっと遅れていた。２０００年代初めまでにはアフガニスタン側への秘境を求める観光も徐々に始まっていたが、９・11事件の後、アメリカ軍のアフガニスタンへの介入とその後の混乱で減少している。しかもそのルートはアフガニスタンの首都カーブルから入るのではなく、タジキスタン側から入りワハン回廊の起点イシュカシムでパンジを渡りアフガニスタン側に入って、小パミール川を遡るものであった。

ごく最近では、中国の一帯一路という新経済進出計画にのっとり、ワハン最奥のタジキスタン領内に中国軍が駐屯地を作ったり、新疆ウイグル自治区からワハンを通りイランへとつながる道路建設を計画したり、なかなか静穏の地とはいえなくなってきている。

（本多海太郎）

コラム9

チェル・ボルジ紀行

入澤　崇

バーミヤン石窟から西へ75キロメートル行くとアジア屈指の湖バンデ・アミールが見えてくる。この湖を源としてバンデ・アミール川が西北に流れ、途中バルフ川と名称を変えてバルフへと至る。バンデ・アミール川上流域左岸、約100メートルの絶壁に崩れかけた石のタワーが30数基立っている。これがチェル・ボルジ。イスラム期の城砦遺跡である。チェル・ボルジとは「40（チェル）の望楼（ボルジ）」という意味。このイスラム城砦がもともとは仏教寺院であった可能性が出てきた。

城砦下の西南部には九つの窟から成る石窟がある。一つの窟には龕（がん）があり、礼拝像を安置していた構造を示している。石窟を背にして城砦部に登ると城砦東側頂上近くにイスラム建造物とは明らかに異なる祠堂群がある。大量の土砂が堆積していて調査は容易でない。祠堂の壁画のなかには稚拙ながらササン風の冠帯（コスティ）を着けた人物像が描かれている。こうした像はバーミヤン石窟の第330窟（K窟）の天井にみられ、そこでは弥勒菩薩として表現されている。この遺構はイスラム城砦建立以前には仏教寺院であった可能性が高く、下側の石窟も仏教石窟とみなされる。仏教寺院の上にイスラム建造物がみられるという構図。仏教伝播の研究においてイスラム建造物までも視野に入れなくてはならなくなったのである。

バーミヤン石窟から西へ約150キロメートルの地点ケリガン村では仏塔と祠堂群が確認された。チェル・ボルジはケリガン仏寺跡から西北7キロメートルのところに位置する。仏塔といえば、ケリガン仏寺跡から南25キロメートルのタンギ・サフェーダックという村から出土したバクトリア語碑文には、8世紀前半に地方領

仏教遺跡が埋もれているチェル・ボルジ

主によって仏塔が建立されたことが記されている。興味深いことに、碑文には「アラブの支配者」がこの地に及んでいることを示していて、「イスラムと仏教との邂逅」という問題に新たな光を与えてくれる。従来、アフガニスタン中央部ではバーミヤン渓谷の仏教遺跡が仏教伝播の西限とみられていたが、２００３年以降、バンデ・アミール川上流域に仏教の痕跡が見つかり始めたのである。

２００５年、２００６年と、龍谷大学はアフガニスタン国立考古学研究所とユネスコ・カーブル事務所の協力を得てバンデ・アミール川上流域の調査をおこなった。かつて、バーミヤン地域の望楼に注目したフランス人考古学者マルク・ル・ベールは、7世紀以降、仏教が全盛のとき既に望楼は建造されていたことを明らかにした。バンデ・アミール川上流域においても、望楼の近辺に未知の仏教寺院址が存在するのではないか。

予測は的中し、バンデ・アミール川上流域の南、ダライ・アリ渓谷に望楼が遠望でき、近づくと二つの石窟が確認できた（クシャ・ゴラ石窟、ムシュタック石窟）。

望楼の存在からも仏教の痕跡がみられることからも、バンデ・アミール川流域がかつて交易路であったことが判明する。かつてバーミヤン王国には仏教時代より望楼が多数存在した。7世紀にバーミヤンを訪れた玄奘は『大唐西域記』で、「天神はこの地を往来する商人に徴祥（奇瑞）や祟変（たたり）を示して、福徳を求めさせる」という。天空を指向する望楼は単なる見張り塔ではなく、宗教的機能を兼ね備えたものであったかもしれない。

イスラム勢力がアフガニスタン中央部に及んでも望楼は受けつがれ交易路の確保に努めたことは、チェル・ボルジにみられるように城砦の望楼が明らかに示している。仏教からイスラムへ。望楼は仏教商人からイスラム商人へ変わっていく様を見守ったはずである。

チェル・ボルジ最大のボルジ

VII

日本とアフガニスタン

48

日本とアフガニスタンの出会い

★なぜか心かよう二つの国★

この章では、アフガニスタンと日本の交流について、筆者がまとめた『日本・アフガニスタン関係全史』（明石書店）と、その後見つかった資料をもとに、特に戦前（1945年）の関係・交流を中心に記述する。

江戸時代以前、現在のアフガニスタンの地からの文物の伝来としては、正倉院に残る「ラピス・ラズリ」や、遣唐使が持ち帰った『大唐西域記』でバーミヤンの大仏の存在を知った程度であろう。それらは、ごく一部の者しか知らなかった。日本がアフガニスタンについては知るよしもなかった。アフガニスタンという国名が成立したのは早くても19世紀末であり、1874年発行の最初の切手にはアフガニスタンという文字はなくて、カーブルとなっている。

文物の交流では、日本の衝立、象牙付き花瓶、機織り機械、マッチ製造機が、国立博物館の前身に展示されていたことが後述の谷壽夫の報告にあり、また、日本の駕籠（写真）が「ジャパン」の名で、嫁入りに使われていたことが興味深い。

19世紀に入ると、日本周辺には、イギリス、フランス、ロシアなどの船が来航し、なかには測量をしたり、通商を求めることもあり、幕府は海外諸国について早急に事情を知る必要があった。そして、1845（弘化2）年、箕作省吾によって『坤輿図識』が書かれた。その『坤輿図識補』巻二のなかで、アフガニスタンに言及がされている。この書は幕府の鍋島斉正や井伊直弼らの外交の指針となり、また吉田松陰や桂太郎なども読み大志を抱いたといわれる。

明治に入り新聞記事でも、時折海外の紛争が取り上げられ、アフガニスタンについての記事もみられるようになった。そのなかでバーミヤンの大仏を絵入りで紹介したのは、大阪朝日新聞であった（1887年）。しかし、当時新聞を購読できたのは、ほんのわずかの人だけであった。

やがて、欧州列国などとの不平等条約解消、アジア解放の動きのなかで、アフガニスタンの国名が「壮士節（愉快節）」のなかで歌われ、乾坤独歩著による『冒険小説　青年英雄伝』（1904年刊）では、主人公の張出秦一とその妻やす子がカーブルに乗り込み、北のロシア、南のイギリスの圧力に苦しむアフガニスタン国王を助ける趣向になっている。

アフガニスタンで使われていた日本の駕籠

このような時代背景のなか、アフガニスタン入りを図ったのが、陸軍情報将校の福島安正であった。彼は1896年クエッタから入国しようとしたが、かなわなかった。ロシア・イギリスのアフガニスタンにおけるグレート・ゲームの実態調査、将来の日本のアジア進出を見越した調査であったろう。福島以外に入国を図った人物に、宗教家の鈴木真静（しんせい、しずか）や、建築家の伊藤忠太がいる。

日露戦争の日本の「勝利」が、アフガニスタンの目を日本に向けさせた。「アフガニスタンに紹介された日本」（回教事情4巻3号、1941年、筆者は小川亮作と思われる）で、次のように書かれている。「アフガニスタン最大の新聞イスラの論説には、最近殆んど毎日のように、日本は僅か60年にして今日の隆昌を築き上げた。我々も日本に倣って撓まず努力するならば日本の如き偉大なる躍進を遂げることが出来るとか、アフガニスタンが自然の景勝に恵まれていることは日本に似ている。斯くの如き形勝の地を占めている国は、亜細亜は勿論世界広しと雖も我が日本とアフガニスタンあるのみである。我々も自然に恵まれて日本人の如き勇敢なる気性を持っている。国民はこのことを大いに自覚しなければならぬとか、その他色々の方面から日本を引用した啓蒙的文章が掲げられている。」

両国の人の往来は、まずアフガニスタンからだった。第二次アフガン戦争で、カンダハール郊外のマイワンドでイギリス軍を破った、アイユーブ・ハーンが1907年に来日した。

アマヌラ・ハーンの近代化政策に貢献したマフムード・タルズィーは、詩や論文で日本を礼賛し、トルコ語の『日露戦史』4巻を訳し、当時のアフガニスタン人に感激を持って読まれたという。日本との修好条約についても、アフガニスタン側からの熱意が上回っている。

そして、日本からは、軍人の谷壽夫が1922（大正11）年に初めて入国した。谷は、報告書と提言を残し、貴族院でも講演をした。続くのが田鍋安之助で、「アフガニスタン倶楽部」を設立し、のちに、「アフガニスタン協会」と改称、戦後の「日本・アフガニスタン協会」へと引きつがれる。田鍋は初めて12月の冬のヒンドゥクシュ山脈を越え、バーミヤンに至り、日本人で初めて大仏を拝み、「我宿は千年前の御仏前」の句を詠みさらに、マザーレ・シャリフ、バルフを訪れアム・ダリアを渡りテルメズに至っている。

1928年の修好基本条約締結後に入国し長らく柔道指導に当たったのは高垣信造であった。美術家の尾高鮮之助がバーミヤン調査に赴いているが、高垣とも現地で会っている。

アフガニスタンが初代公使のハビブラ・ハーン・タルズィを1933年に着任させ、日本からは翌年北田正元が着任したが、特に注目されるのはアフガニスタンからの留学生6名の派遣である。1936年の2・26事件の直前に来日し、一時帰国したが、1943年までザーヒル・シャーの激励で「学芸と技術」習得に励み、各々日本の大学で学んだ。

この6名は戦後、アフガニスタンに入国した日本人が何かとお世話になっており、岩村忍がモゴール族調査で訪れたときに再会し、専売局長になっていたヤフタリのおかげでガソリンの配給券を確保できた。6名と戦後アフガニスタン入りした日本人との交流はソビエトの侵攻前まで続いたのである。

アフガニスタンが日本に期待する現れは経済使節団の派遣で、また日本も将来の「大東亜」の布石とすべく、この使節団に空前の待遇を持って応えた。

アフガニスタンは第二次世界大戦中「中立国」を維持したが、それでもイギリス・アメリカから、ドイツ、イタリア人の国外追放を求められた。日本人は留まり、敗戦による公使館員の引き揚げにあたっては、現在のパキスタンとの国境トルハムまで軍隊が護衛したほどである。

最後に、井上靖の言葉を紹介する。「アフガニスタンを一度訪ねた人は、二度三度と、この遊牧民の国を訪ねたくなる。不思議な魅力のある国である」（『AFGHANISTAN 日本語版』日本・アフガニスタン協会発行の「アフガニスタンの魅力」より）。どこか両国の人びとの心には通い合うものがあると思う。

（関根正男）

49

裸の眼で都市文明を射る

★東松照明著『サラーム・アレイコム』をめぐって★

東京オリンピックが開催された1964年。4月には制限付きながら観光目的での渡航が可能になり、海外への関心は高まっていった。この年、雑誌『太陽』5月号は、当時ほとんど知られることのなかったアフガニスタンを特集で紹介した。巻頭を飾る写真は、カラー20ページ、モノクロ4ページに及ぶ。撮影は、前年『太陽』特派員としてアフガニスタンに派遣された東松照明。東松は愛知大学を卒業後1954年から1956年まで岩波写真文庫のスタッフとして活動、その後フリーランスの写真家となりアメリカ軍基地や長崎をテーマにした取材・撮影を続けていた。このアフガニスタン取材が彼にとって初の海外での仕事であった。

『太陽』の表紙はパシュトゥン人の男、特集扉は遊牧民と羊の群れ、次ページの見開きでは西大仏を中心に据えたバーミヤン遺跡、ついで首都カーブルの町並みやバザールの風景、さまざまな民族の男たち、チャドリを身にまとった女性や子どもたちの姿が続く。この取材で撮影された、主にモノクロの写真は、同年7月、東京・富士フォトサロンで開催された写真展「泥の王国」で公開され、さらに1968年10月、『サラーム・アレイコム』のタイトルで自らが設立した出版社「写研」より写真集として刊行された。

『サラーム・アレイコム』に収められたのは、表紙のカラー写真を除き、すべてモノクロの101枚。キャプションもなく、撮影日時や場所も明らかにされない。見知らぬ土地を訪れた写真家は何に目を向けていたのか。荒涼とした風景、バザールに並ぶさまざまな品々、チャドリを被った女たち……。とりわけ砂漠を自由に動き回る遊牧民をじっと見つめている。「土ぼこりを舞い上げて、ひょうひょうと砂漠のかなたに消えていった自然の民を、ぼくは忘れることができない……家畜を飼いならしている遊牧民と、家畜のように飼いならされている現代人と、どちらが人間としてしあわせだろうか。自然の民の存在は、文明の混沌に鋭い反省の矢を射る」(「まえがき」)。そしてタイトルの「サラーム・アレイコム」。「あなたの上に安らぎがありますように」といった意味で、街角で男たちが出会ったときに最初に交わす挨拶の言葉である。アフガニスタンを訪れた人ならかならずや耳にし、最初に覚える言葉でもある。東松もまたこの言葉で人びとと挨拶を交わしたに違いない。旅人たる東松がこの言葉を投げかければアフガニスタンの人たちは人なつこい態度で応じてくれたであろう。そのためか写された人たちは、カメラを、写真家を見据え、何の警戒心も持っていない。女たちもチャドリの奥で微笑んでいるかのようである。

『サラーム・アレイコム』(1968年、写研)

『サラーム・アレイコム』を刊行した翌1969年、東松は『アサヒカメラ』の特派員として初めて沖縄を取材する。

当時の沖縄は、アメリカによって四半世紀にわたって支配されていたので、すべてがアメリカナイズされているに違いないと思っていた東松は強烈なカルチャーショックに襲われる。「アメリカナイズがほとんど起こってない。日本よりさらにひどいだろうと思って行った沖縄がそうじゃなかったんですね」。東松にとって一番の大きな驚きは「とにかく良質の文化というのかな、良き時代の日本が沖縄の中に残っていた」ことであり、「そういうものに触れるとね、ささくれ立ったとげとげしい気分が、マイルドになっていくわけですね」（岡井輝雄との対談「東松照明の写真世界」）。この思いはアフガニスタンを初めて訪れたときの思いと通じる。「1963年に取材で行ったアフガニスタンと、沖縄とは、共通したところがありましたね。そういう地域に行くと、僕はくにゃくにゃっと武装解除しちゃう。……都市化していない裸のエリアに接すると、こちらも裸の眼になってしまうところがあるね。都市では武装しないと生きていけないけれど、アフガニスタンや沖縄は、僕に武装解除を促す」（飯沢耕太郎との対談『撮る』ことと『撮られること』」）。

東松の関心は「基地の沖縄」から沖縄そのものへと向かい、島めぐりをするようになる。そこで東松は、人びとから「ひもじくないか」とか「さびしくないか」といった言葉を投げかけられ驚く。最初は本当に「ひもじさ」や「さみしさ」を心配してくれていると思ったが、やがて「よい天気ですね」といった類いの挨拶であり、「旅びとに対するやさしい心配り」（『太陽の鉛筆』）だと気づく。これも東松がアフガニスタンで「サラーム・アレイコム」に感じたものであろう。

1978年、『サラーム・アレイコム』は再編集され『泥の王国』に姿を変える。『サラーム・アレイコム』に収録されたうちの44枚と、新たに加えられた59枚の未発表写真から成る。再度収められたものも、コントラストが抑えられディテールがよくわかる写真となり、一枚一枚が作品として自律度を増している。『サラーム・アレイコム』にはなかったバーミヤン遺跡や墓などの写真も加えられている。この写真集では、現地の人びとと接して「くにゃくにゃっと武装解除しちゃ」った東松は遠のいている。69年の沖縄取材の後、東松は73年までたびたび沖縄を訪れ、代表作『太陽の鉛筆』（1975年）を世に問うた。アフガニスタンの衝撃は、沖縄と関わることで確信となり、「裸の眼」というもう一つの眼を東松に与えたのかもしれない。東松は裸のエリアから都市文明を射るという視座からアフガニスタンをもう一度反芻し、15年前に撮影した写真を再構成した。この写真集の「まえがき」は『サラーム・アレイコム』と同じだが、こう付け加えている――「まえがきは『サラーム・アレイコム』を出版するとき、5年前の感動を、生まれて初めて外国へ行き、ひとり旅をしたときの新鮮な驚きを、記憶をたどりながら書いたものである」と。

『泥の王国』（1978年、朝日ソノラマ）

２００２年、『サラーム・アレイコム』はアフガニスタン支援を目的に写真展「アッサラーム・アレクイン」として全国を巡回し始めた。２０１２年、東松照明は沖縄で82年の生涯を終える。２０２０年、巡回展は今も続いている。

（森國次郎）

50

アフガニスタンの陶器作り

★古代からつづく伝統的な製法★

アフガニスタンの焼き物の歴史は極めて古く、かつ長きにわたる。古い民家や茶屋を訪れると、日の当たらない一隅に大きな素焼きの壺が置いてあるのを目にする。高所アジア乾燥地帯では必須のものであるクーゼと呼ばれる水壺である。クーゼを焼く竈の煙はいまもあちこちに見ることができる。アフガニスタンには素焼きの古器からやがてペルシア陶器の開花へと至る古く長い歴史がある。2千年前のバクトリアの都市、アイ・ハヌムの遺跡から発見されたものとまったく同じ構造の窯が、現在はトーシュ窯と呼ばれて存在している。

この窯を使う焼き物作りの製法がおこなわれた最初の場所はサマンガンという。サマンガンから徐々に周りの地域のムンディガク、ヤムシク・タパ、チャクラク・タパ、クンドゥズでも作られ始める、まだ土から食器を作っていた時代であった。古人が食事を温めようとしたところ食べ物が載っている食器が変色し、丈夫な綺麗な色の食器に変わったことが窯焼き物の始まりだった。土からできていた食器は人気を失っていった。ガザヴィヤン、ヘラートのテムリヨンとグリヨンで初めて染色が始まり、それとともにデザインの技術も進んでいった。土はパルワンから、特別な砂はロガールから、普通の砂はイスタリフから運ばれた。この三種の土から窯焼き・サフォリが作られた。窯焚き温度は千度にも及んだ。窯に5時間放置される。この時間は何度も試行錯誤を繰り返した後に決定された時間で、その後二、三日冷まし陶器への染色に励む。バルフでしか見つからないアシュカルボッタの葉を何百キログラムも乾燥し、小刻みにしたものを使い草木染めをした後、また１１００度の窯でさらに5時間焼かれた。サフォリの皿２００種類以上が、ヨーロッパやアメリカ、イギリス、カタールで見つかっている。ロンドンの博物館には、この種の焼き物を売買できる場も設けられている。

アフガニスタンの北の町クンドゥズを中心に１９５６年から17年間にわたって陶磁器指導にあたった橋本亮一は瀬戸（愛知県）の人で、長年の指導を通じてアフガニスタンの陶器作りについての貴重な見聞を残している。それによると、土の面からは、陶磁器には向くものは見つからないという。陶器の発色には、金属酸化物を使い磁器や陶器の下絵（染付け文様）を描く顔料のことを日本では呉須（ごす）と呼んでいる。中国の呉の国から我が国に伝わったためで、その先は「胡須」であったようで、ペルシアから中国へ伝わったもの。陶器は溶ける温度を低くするために多くの場合、二酸化鉛を使う。アフガニスタンでは昔、火縄銃でも使ったような鉛弾を集めて大鍋で焼く。最初は黄色の一酸化鉛ができ、しばらく焼くと目的の赤い二酸化鉛に変化する。酸化錫も電池の極板を焼いて作り、一定の珪長石と調合して陶器窯で焼いて一日粉に砕いて白色の釉薬にする。酸化銅は、バザールで水瓶を作っている鋳掛屋から叩き屑を集めてきて混入すれば、トルコ・ブルーのモスクのタイルになる。混入比によっては緑色のイスタリフ焼きとなる。窯焚きは、「円窯」に作品を詰め、葦の枯れ草を積んで上に土を

アフガニスタンの陶工

載せ窯の蓋をし、下から8時間ほど葦を燃やし続ける。温度は70０～８００度。翌日、窯出しをすると商人が来ていて、製品をラクダや驢馬の背に載せて運び出して行く。有釉陶器はある程度の設備が必要で原料も多少制限を受け、火度も高いから燃料も枯れ草というわけにはいかないので定住の陶器村があり、今もマザール、ヘラートではモスクのタイルを焼いている。クンドゥズ城跡には、昔のペルシア陶器の破片が出土し青呉須を使ったものも出ている。茶色の素地に白色の化粧がけをして青いコバルト色の染付けをしているもので、その城跡の下にある古い寺院の塔の唐草のタイルと同じものである。素地土はクンドゥズ川の堆積土だが化粧がけの白色土は遠くバダフシャンのイシュカシムの土が使用されている。職人については模様を付ける折れた櫛、叩き出す木槌も廻す轆轤も代々の陶器師が考えた自慢のもので、愛着を持って使っている姿は、昔の作風の清々しさを感じさせる（「アフガニスタンの17年」、『ハルブーザ』第61、63号、１９７５年の要約）。轆轤は大半が蹴り轆轤である。

かつてクンドゥズ州の陶器市場は非常に良好で数百人が従事していたが、今では一、二の窯場が残っているのみで、古代産業の停滞は陶工をほかの仕事に就かせることになった。

バルフ州の陶器産業も不況にあり、マザーレ・シャリフではダウラットアバド区製品やイスタリフ製品も売られている。マザーレ・シャリフの人びとは陶器を使用しない。

長い歴史があるヘラート陶器は、数千年の間この土地の人びととのニーズに経済的に応えてきたが、ここ数年でこの産業は衰退し人びとの記憶から徐々に消えていった。最も有名な工房では70種類以上

第50章

アフガニスタンの陶器作り

の陶器が作られたといわれているが、現在は一つの小さな工房で数種類のみ製造している。

　イスタリフの陶器作りは、数世紀も前に陶工がサマルカンドから来て以来、今日まで続いている。陶器の伝統は千年であるが、イスタリフ自体は古代の村で、その名はギリシア語の葡萄・スタフィルに由来している。タリバンとムジャヒディン間の長い内戦によってトーシュ窯や作業場はほとんど破壊されたが、元の盛んな状態に戻ることはアフガニスタン自体の回復にもつながると、国際支援を通じてイスタリフの町は陶器作りを復興した。現在の人口は約3万8千人。長い年月、焼き物の文化を守り抜いてきた人びとの姿は努力の象徴で、美しく丈夫な製品は人気があり海外にも送られ販売されている。

　イスタリフ焼きは、72の工程を陶工の手により大変な労力と時間をかけて完成する。ある陶器会社では男性は力の要る仕事を、女性は繊細なデザインを担当している。イスタリフで採取した土とロガール産のとても上質な土、ラスの二種を使用している。制作はまず轆轤に陶土を載せ千個もの食器を成形後、乾燥させた後にデザインの工程に移る。染付け作業後に「アルチャ」という名の木材を使用し窯焚きを7時間続け完成する。所狭しと並んだこれらの製品は店頭販売される。

　この地域のほとんどの家には窯があり今でも伝統を守っているところがある。ワークショップは常に家庭のなかにあって、年長者・父親がチーム責任者として全部の工程を管理している。彼らは、現代のテクノロジーを使用していない。陶工が積み重ねた技でも自然のものを使い計算通り作るのは難しい。妥協のない並々ならぬ努力や精神で作られた製品には、伝統色の温かさを感じさせ、時代を超えて美しさと感銘を与え続けている。


（横山時代）

51

NGOの支援活動

★子ども・若者・成人への教育支援を中心として★

学習はまるで海のようです。どんなに読んでも、十分ということはありません。（アフガニスタンの女性）

日本のNGOと緊急・復興支援のあゆみ

アフガニスタンで活動する日本のNGOの多くは、2001年9月にアメリカで起きた同時多発テロ事件以降の緊急人道支援としてアフガニスタンへの支援を始めた。NGO・政府・経済界の共同による緊急人道支援組織であるジャパン・プラットフォーム（JPF）に加盟するNGO5団体は、国内避難民（IDP）支援のニーズ調査を9・11同時多発テロ発生前にアフガニスタン国内でおこなっていたが、9・11後のアメリカの「対テロ戦争」によりアフガニスタンはさらなる人道危機に陥った。JPFを通じた資金援助により、NGO10団体が地雷回避教育、食糧配布、医療、越冬支援などをアフガニスタン国内およびパキスタンなどの周辺国でおこなった。また、アフガニスタンの人びとの声を復興プロセスに反映するため、JPFはアフガニスタンから28のNGO・ネットワーク代表を東京に招き、「アフガニスタン復興NGO東京会議」を2001年末に開催、支援アピールを表明した。

2001年末にタリバン政権が崩壊し、暫定政権が発足すると、復興に向けた国際社会の支援の必要性がさらに高まった。タリバン政権下では女子・女性の教育が（一部例外を除き）禁止されたほか、多くの地域で学校教育が機能していなかったため、教育は復興プロセスの優先課題の一つとされた。このため教育支援に力を入れるNGOも多かった。この時期の教育支援の象徴的事例として、日本のNGO6団体の職員11名がユニセフ（国連児童基金）に出向して協力した「バック・トゥ・スクール・キャンペーン」がある。本事業では、6年ぶりに政府が学校を再開するに当たり、子どもと教師を緊急的に学校に戻すため、教材や仮設テントの配布、教員研修などを現地教育省とともにおこなった。

NGO独自の支援としては2002年以降、日本人職員が駐在し、学校修復・建設、教員研修、図書館活動、地雷回避教育、教育機会を逸した若者・成人への識字教育など、多岐にわたる支援をおこなってきた。行政の補完としての教育サービスの提供のみでなく、2010年には国際協力機構（JICA）による教育省識字局の能力強化支援に参加したNGOもある。現地政府が識字教育を適切に実施したり、関係団体と調整をおこなえるよう、識字教室のモニタリングや学習者の学習達成度の評価などについて国としての制度構築と全国の識字局職員の研修などに貢献した。

しかし、2007年にキリスト教の普及を目的とした韓国人が拉致された事件以降、日本政府の邦人保護の方針により、日本のNGOの多くは駐在員の退避を余儀なくされた。2013年以降は一時出張のための渡航すら難しくなり、日本あるいは第三国において現地職員や行政と協議し、日本人の指導にもとづき、現地職員が中心となり事業を実施している。現地に独自の事務所・職員を持たず、現地NGOとの協力により支援をおこなう団体もある。

国際協力NGOセンターのホームページから検索すると、アフガニスタンで支援活動をおこなう日本のNGOは22団体ある（教育分野以外の支援をおこなう団体も含む）が、近年の治安状況の悪化や資金調達の困難に伴い、実際に現地で支援をおこなう団体は減少傾向にあると考えられる。日本のNGOが立ち上げた日本・アフガニスタンNGOネットワークの登録団体で、2019年7月時点で支援を実施していたのは13団体である。

長年の紛争に加え、2020年3月以降は新型コロナ・ウイルス感染症（COVID－19）という新たな緊急事態が発生し、NGOの人道的役割の重要性がさらに高まっている。

アフガニスタンの教育状況とNGOによる支援事例

日本のNGOを含む国際社会の支援と現地政府・人びとの努力により、2000年以前は90万人程度であった就学者数が2015年には920万人以上になるなどの成果がみられるが、長引く紛争や貧困、社会的慣習などにより2018年時点で370万人の子ども（6割が女子）が不就学であった。さらに、2020年3月にはCOVID－19危機により学校を含むすべての教育施設が閉鎖され、多くの子どもたちが十分に教育を受けられていない。読み書きができる15歳以上の成人は43％（女性29・8％）に過ぎない。国際NGOセーブ・ザ・チルドレンの分析では、アフガニスタンは持続可能な開発目標（SDG）4（すべての人への質の高い生涯学習機会の提供）の達成が著しく困難であるとされ、教育支援は引き続き重要である。

表　日本のNGOによる教育支援

団体名	支援内容
アフガニスタン山の学校支援の会	子どもの就学支援（教材配布・教師給与など）
シャンティ国際ボランティア会	学校校舎建設 図書館活動 仮設校舎建設・保健・衛生教育 不就学児童の教育、女性のためのジェンダー研修 識字・縫製（2020年7月終了）
難民を助ける会	障害児のためのインクルーシブ教育 地雷回避教育（56章参照）
日本国際ボランティアセンター	成人識字教育（平和・保健教育含む）
日本ユネスコ協会連盟	コミュニティ学習センターを通じた識字教育など（59章参照）
平和村ユナイテッド	平和教育

２０２０年７月現在、アフガニスタンで教育支援を継続している主な日本のＮＧＯ６団体の支援は表の通りである。子どもの学校教育、図書館活動、地雷回避教育のほか、若者・成人のための識字教育など、学校教育と学校外（ノンフォーマル）教育の支援が重視されている。障害者やＩＤＰ・帰還民などのより困難な立場にある子どもや成人を対象とする団体もある。また、若者や女性などを含む地域住民とともに平和や非暴力の学び合いをおこなうＮＧＯもある。活動のなかにはＣＯＶＩＤ－19により活動に影響を受けるケースもある。

シャンティ国際ボランティア会（ＳＶＡ）は、２００３年より学校図書室の普及を通した教育の質の向上や、公共図書館や子ども図書館を通じた読書推進活動をおこなっている。アフガニスタンでは長年の紛争により児童図書が圧倒的に少ないため、絵本の出版・配布、図書館の整備、図書館員の研修などをおこなってきた。読書習慣の促進により、例えば学校での子どもの欠席率の減少、学習意欲や読み書き能力の向上、国語の学習達成度の改善などの変化が報告されている。本活動の持続化のため、関係省庁の能力強化、図書館員の育成などをさらにおこなう予定である。

また、教育機会のなかったIDP・帰還民の女性を対象に、COVID－19危機下においても教育省規定（感染予防のため屋外で、一度に5人の学習者）にのっとり識字・縫製コースを継続した。学習者の女性（15歳）は、「以前は人生においてさまざまな困難があったが、今は読み書き、支出の記録ができる。家で服を縫い、その収入で教育を継続したい」と述べている。事業は終了したが、地域住民が無償で活動を継続している。これは、教育機会が非常に限られているほか、地域のニーズにもとづいた活動であるからといえる。修了者のなかには、「ほかの非識字者に教えたい」と意欲を持つ者もいる。

NGOによる教育支援の課題

より脆弱な立場にある子ども、若者、成人の学習ニーズにもとづき、日本のNGOによる教育支援が引き続き必要とされるが、迅速な教育サービスの提供とともに、持続化に向けた制度化や行政および地域住民の能力強化が重要である。現地人材の安全確保と能力強化も欠かせない。また、紛争の長期化とともに、日本政府や人びとのアフガニスタンへの関心が一時より薄れ、資金調達が課題となっている。COVID－19危機の発生後は、国際的に教育分野の資金が減少すると推定されており、日本、アフガニスタン、国際レベルでの働きかけがますます重要である。

（小荒井理恵）

52

日本に住むアフガニスタン人

★千葉県に４割以上★

旧ソビエトのアフガニスタン侵攻以来40年以上が経過するが国外に住むアフガニスタン人は多い。パキスタンには現在も200万人、イランにも100万人が住むとされている。BBC Persian は、2005年12月から2010年1月まで『想い出と歌』と題し、主に歌手などの音楽家を中心とした文化人182人を取り上げた。対象となった人びとの当時の居住地を見ると、ドイツが37名、アメリカが36名、カナダが16名で、本国に留まっている人は28名となっている。残念ながら日本居住者の名はなかった。

第二次世界大戦以前、1930年に日本とアフガニスタンが修好条約に調印し、翌1931年に公布されてから5年後の1936（昭和11）年1月5日にアフガニスタンから6名の留学生がやってきて国際学友会館に居を定めた。彼らは7年間を日本で過ごしたが、43年に満州・シベリア経由で全員帰国し、日本に留まる者はいなかった。しかし、彼らの多くは戦後アフガニスタンに赴いた日本の学術調査団に支援の手を差しのべ、活動の便宜をはかってくれた。1954年に民族調査に赴いた岩村忍は旅行記『アフガニスタン紀行』（朝日新聞社）でその模様と名前を列挙し詳しく語っている。

アフガニスタンが日本に大使館を開設（再開）したのは1956年。それ以後に日本に在住し、活躍されている方々の幾人かを紹介しておこう。

バハドル・アーセフィは1948年ファリヤブ州マイマナ生まれで、1967年に日本政府の国費留学生として来日し、最初は東京外国語大学、ついで静岡大学文学部で学び、のちにアメリカのアリゾナ大学に留学する。1975年再来日をし、東京都立大学法学部で日本の政治・外交を研究。外務省研修所語学講師を務めた。日本で初めての『ダリー語――アフガニスタンのペルシア語』を、1979年に著した。弟のファールク・アーセフィも創価大学に学び、今日は日本とアフガニスタンを結ぶ通訳として活躍している。

港区麻布台の駐日アフガニスタン大使館

レシャード・カレッドは1950年カンダハールの名家に生まれた。1969年、カーブル大学の1年生の時、文部省の留学試験に合格し、国費留学生として来日し、千葉大学留学生部に入学。1972年京都大学医学部に編入し、1976年卒業。医師免許を1977年に取得し、1984年には京都大学医学博士号を取得する。医師活動を積み重ね、1963年に静岡県島田市に「レシャード医院」を開設する。内戦の時代、毎年のように自費で現地に赴き、難民医療に取り組み、その治療に従事する。2002年に、アフガニスタンの人びとの顔がみえる形で復興の手助けをするという目的を掲げ「カレーズの会」を発足させる。2003年に、社会福祉法人「島田福祉の杜」、特別養護老人ホーム「あすか」を開設する。2004年に京都大学医学部臨床教授に就任、2008年には島田市医師会長に就任。コロナウイルス感染症の対策も現地で指導している。

バシール・モハバットは1956年カーブル生まれ。1976~1977年に、拓殖大学で日本語を学び、1983年中京大学で経営学教養学士を取得、さらに1985年、名城大学で国際法学修士を取得、名古屋市内の各大学で講師などを務め、通訳、翻訳者として活躍。2003年から、駐日アフガニスタン大使館で二等書記官・領事を務め、2004年からは一等書記官・領事となり、その後大使特別補佐官、代理公使などを歴任し、2017年からはアフガニスタン・イスラム共和国大使を務めている。この間、拓殖大学で社会人向けにダリー語を教えている。ムジャヒディン政権時代、東京・原宿にあったアフガニスタン大使館で公使を務めたアミール・モハバットは、従兄弟に当たる。

シェル・アフザル・レカは1948年カーブルに生まれた。来日する前に日本語を習得。1970年代に日本からの留学生や探検隊と交流し、日本への関心を深め、1976年に日本国際交流基金によって来日した。岐阜大学農学部と名古屋大学医学部で学び、人体寄生虫の研究を続けつつ、名古屋でアフガニスタンを支援する「アリアナ平和基金」でダリー語を教えたり、変転するアフガニスタンの現状を報告したりして、日本とアフガニスタンの交流に尽力している。

江藤セデカは1958年カーブルに生まれ、カーブル大学を卒業、貿易省に入省する。1983年に日本人と結婚、それ以来日本に住む。2002年アフガニスタンにおいて、国際NGO「イーグル社会福祉協会」を設立、2003年には、東京にも「イーグル・アフガン復興協会」を設立し、アフガニスタンの子どもたちへの支援を続けている。カーブルのマイワンド通りにある、マイワンドの戦いの勝利を記念する塔の復興支援にも尽力した。在日するアフガニスタン人の女性を代表する活躍はめざましい。

占いで「渋谷のパパ」と親しまれている虎山アミン（アミン・コヒー）は、日本国籍を取得した第1号という。また、東京・神田でアフガニスタン料理店「カーブル食堂」を開いていたヨネス・エマミー、吉祥寺で民族衣装などを販売しているラウフ・アライ・アリー、名古屋・車道で「アリアナ・レストラン」を経営するバハロール・アリファの諸氏が知られている。

東京・東中野のパオ（包）ビルにはアフガン料理店「パオ」があり、国際交流に大きな役割を果たしている。その8階には新たな交流の場「シルクロード文庫」が開設され、アフガニスタンを中心としたシルクロードに関する書物が集められている。

法務省がまとめている「在留外国人統計」（表参照）によると、2020年の日本に住むアフガニス

表　在日アフガニスタン人人口

都道府県	人口	都道府県	人口
北海道	79	滋賀	11
青森	20	京都	62
岩手	2	大阪	77
宮城	30	兵庫	52
秋田	12	奈良	24
山形	1	和歌山	1
福島	26	鳥取	0
茨城	300	島根	4
栃木	76	岡山	20
群馬	46	広島	60
埼玉	125	山口	1
千葉	1,534	徳島	28
東京	78	香川	0
神奈川	41	愛媛	1
新潟	10	高知	0
富山	1	福岡	114
石川	1	佐賀	15
福井	4	長崎	0
山梨	1	熊本	25
長野	2	大分	35
岐阜	32	宮崎	76
静岡	11	鹿児島	13
愛知	251	沖縄	91
三重	63	未定・不詳	53
		合計	3,509

（法務省「在留外国人統計」（2020年12月調査））

タン人の人数は、３５０９人である。都道府県別にみると、トップは千葉で１５３４人、なんと全体の4割を超えている。ついで茨城の３００人、愛知の２５１人が続く。ゼロは鳥取、香川、高知、長崎の4県となっている。在留目的を見ると、永住者は２４３人、日本人と結婚している人は、25人となっている。

アフガニスタン人だけではなくイスラム教徒の人口が増えている日本では、モスクの数も増えつつある。店田広文教授（早稲田大学人間科学学術院）の調査によると、２０１８年現在、日本には大小のモスクが36都道府県に１０５ヵ所あり、礼拝のほか交流や教育の場としても利用されているという。

イスラム教徒のための料理はイスラムの掟にのっとった「ハラール」と呼ばれるものだが、取り扱う店は全国規模で広がっており、千葉県のＪＲ幕張本郷駅周辺の店にはアフガニスタン人が多く買い物に来る。イスラム教信者の葬礼は、日本の火葬とは異なり土葬であるのが通例である。そのイスラム墓地も徐々に増えつつある。

タリバン政権崩壊後の駐日大使にアミン・ハルン氏がいた。日本とアフガニスタンの外交関係の歴史を記述した著書『アジアの二つの日出ずる国』（２００７年・英語版・日本語版）がある。氏は代々木上原のマンションにあった小さな大使館を、港区麻布台に建築移転させるべく、日本語が自由に話せるバシール・モハバット書記官（当時。後に大使）と共に尽力した。氏はまた新大使館内に「アルビルーニ図書館」を開設し、日本語で書かれたアフガニスタンに関する著書などの蒐集に努め、公開し、日本とアフガニスタンの文化的関係強化の土台を築いた。残念ながら、帰国間もなく病に倒れ逝去された。

（関根正男）

53

文化遺産を護る

★平山郁夫画伯の取り組み★

「シルクロードを歩くようになったのは、日本文化の始まりである仏教伝来の道をたどることが目的だった」と語った平山郁夫画伯。シルクロードに仏教伝来の道を辿る平山画伯の旅は1968年のアフガニスタンから始まった。

1979年のソビエト軍侵攻によって、アフガニスタンは激しい戦場となり、ソビエト軍撤退後も混乱と内戦が続いた。やがてイスラム原理主義勢力タリバンが勢力を伸ばし、1996年には首都カーブルを制圧しタリバン政権が誕生した。指導者オマル師は偶像崇拝を禁止、2001年2月26日には、バーミヤンの大仏を含むすべての彫像や仏教遺跡を破壊せよとの布告を出した。

この事態にユネスコ親善大使であった平山郁夫画伯はイギリスの大英博物館長、フランスのギメ東洋博物館長たちと共同声明を発表し、大仏破壊の即時停止を求める署名活動とアフガニスタン文化財救済のための募金活動を始めることになった。

しかし、2001年3月イスラム過激派は遂にバーミヤンの東西二つの大仏を爆破し、世界に衝撃を与えた。

4月、平山画伯は国立博物館収蔵品など、破壊や盗難の危機に瀕しているアフガニスタンの文化財を救出すべく、まず日本が立ち上がるべきだとのアピールを発することになる。平山画伯はシルクロード周辺の文化財の保護に力を入れ、ユネスコ親善大使に就任してからは、人類が残してきた文化財・文化遺跡を後世に伝える「文化財赤十字構想」を提唱していた。なかでもアフガニスタンは何度もこの地に足を運んではバーミヤン遺跡など各地を精力的にスケッチして歩いた所縁の地である。シルクロードの要衝であり、仏教伝来の道でもあるアフガニスタンを愛してやまなかった平山画伯は流出文化財の救済活動の先頭に立つことになった。

「アフガニスタンはいわば日本にまで及んだ仏教文化の源流です。アフガニスタンの文化財の保護は、われわれ日本人にとっても大切なことなのです。私たちは、今回流出したアフガニスタンの文化財をなんとか難民として救出しようと考えています。人間に例えれば、不法出国して、日本に入国してきた難民です。私がユネスコ親善大使の責任において、アフガニスタン流出文化財を文化財難民として保護することにしました。」

タリバン政権崩壊後の2002年5月、戦闘機の残骸が散乱するカーブル空港に私達は平山画伯とともに降り立つ。ユネスコとアフガニスタン政府が主催する「アフガニスタン文化財復興国際会議」に参加するためだった。ユネスコ関係者、考古学者、文化財保護の専門家などが世界から集まった。

ユネスコ代表団は最初に国立博物館に向かった。出迎えてくれたオマラ・ハーン・マスーディ（前館長）の案内で、一行はアフガニスタン文化財の悲劇を目の当たりにする。1993年5月、ロケット弾が国立博物館の屋根を直撃した。博物館にも近づけなくなっていた館員たちは、この博物館被弾のニュースをBBCのラジオ放送で聞いたという。

国立博物館で、破壊されたダルラマン宮殿をスケッチする平山画伯（2002年5月）

「1993年の5月12日の夜、BBCラジオのニュースがこう伝えていました。〈アフガニスタンの国民は、今日自らの歴史を葬った。それはまさに、自分の子どもを自分で葬るような悲惨な出来事である〉と。とてもつらいニュースでした。ロケット弾の砲撃を受けて博物館の2階が火事になり、家具や絨毯（じゅうたん）が焼けてしまいました。倉庫の品々も灰になりました。このことは私の人生で最も悪い知らせとして記憶されるでしょう。」

博物館はそれから数ヵ月にわたって攻撃にさらされ続けたという。ロケット弾の直撃を受けた博物館の2階は柱だけを残す廃墟となっていた。博物館に隣接する丘に建っていたダルラマン宮殿も瓦礫の塊のように無残な姿を晒していた。

博物館の正面玄関を飾っていたカニシカ王の立像は、粉々に砕かれていた。カニシカ王も破片となった仏像もその破片が一つ一つ拾い集められ、木箱に納められていた。半分に割れた仏の貌や合掌する手だけの破片もあった。地下の倉庫や廊下に並ぶ木箱は、あたかも棺のようにも思え、平山画伯も考古学者たちもあまりの惨状を前に黙り込んで静かに涙を流していた。

一方で博物館員の尽力で情報文化省の倉庫に密かに運ばれ、隠された収蔵品は奇跡的に無傷のまま残されていた。カクラックの壁画、タペショトールの王侯王妃像など国立博物館の名品がマスーディ（前館長）の手で取り出されるたびに歓声と安堵のため息が漏れた。マスーディは一行を前に次のように語った。

「国立博物館の収蔵品は、3割が壊され、盗まれ、失われました。でも私たちはあの悲劇のなかで、7割の名品を守り抜くことができたともいえるのです。」

カーシャパ兄弟の仏礼拝図（流出文化財保護日本委員会）

ユネスコのセミナーはカーブル市内を見下ろす高台のインターコンチネンタルホテルで開かれ、このセミナーで平山画伯は次のように訴えた。

「過去20年間の戦乱で多くの文化財がこのアフガニスタンから持ち出されて、今でも文化財の略奪が進んでいます。略奪は止めなければいけません。しかし、その動機は貪欲というよりは貧困にあることにも気づかなければなりません。アフガニスタンの人びとの生活の安定が文化財の保護には欠かせないのです。」

この時の体験が画伯をして、より熱心にアフガニスタン流出文化財の保護活動に向かわせた。バーミヤン大仏破壊後の2001年から2002年にかけて、画伯が中心となって資金を集め、「文化財難民」として緊急保護したアフガニスタン流出文化財は102点を数える。このなかには「ゼウス神像の左足」「カーシャパ兄弟の仏礼拝図」など、かつて国立博物館に所蔵されていた国宝級の文化財も含まれていた。

「アフガニスタン流出文化財」は、2016年4月、東京国立博物館と東京藝術大学大学美術館で開催された「アフガニスタン特別展」で展示された後、同年8月に故国アフガニスタンに返還された。帰ってきた国の至宝は、アフガニスタン国立博物館で開催された「アフガニスタン流出文化財帰国展」で祖国の人びとに披露された。そして故平山郁夫画伯の功に報いるために、開会にあたってアフガニスタンの文化勲章ともいわれる「サイード・ジャマルディーン（Sayed Jamaludin）勲章」が贈られた。

（井上隆史）

54

アフガニスタンとメディア

★どう伝えてきたのか★

私たちは「シルクロードの十字路」といわれたアフガニスタンの魅力的な文化遺産に関心をもち、いつかはバーミヤンの二つの大仏を拝み、あの優しい微笑みを持ったハッダの仏たちの故郷に佇んで、アレクサンドロス大王の遠征によってもたらされたギリシア文化を凝縮した都市遺跡アイ・ハヌムをアム・ダリアの畔に訪ねたいと夢見ていた。

アフガニスタンには1971年に日本の皇太子夫妻が訪問し、1970年代には京都大学や名古屋大学の調査隊がバーミヤンやハッダ（Hadda）、ハイバク（Haibak）、クンドゥズ（Kunduz）地域などの調査をおこなった。その成果はさらにアフガニスタンへの憧れを掻き立て、アフガニスタンは人びとを惹き付ける観光地になろうとしていた。シルクロードの華ともいわれたアフガニスタンへの憧れが、まさに序章から本章に移ろうとしていた矢先の1979年12月、突然のソビエト軍侵攻に世界は驚いた。

NHKが制作し、1980年に放送されて一躍ブームを醸し出したドキュメンタリーシリーズ『シルクロード』もソビエトのアフガニスタン侵攻によって取材の断念を余儀なくされる。

破壊された国立博物館（マスーディ元館長提供）

クンジュラブ峠を越えたところで、アフガニスタンの地を空白に残したまま、イランからローマに至る道にスキップしたのだ。20年を超える動乱の時代はあまりにも長かった。こうしてアフガニスタンは「忘れられたシルクロード」となってしまったのである。

そして、２００1年3月大仏爆破の報と相前後するように、アフガニスタンの文化財の新たな危機が伝えられてきた。偶像崇拝を忌み嫌う過激派集団タリバンが国立博物館にまで侵入して、貴重な収蔵品を打ち壊しているというのだ。破壊と同時に略奪がおこなわれ、国宝級の収蔵品が次々と盗み出されていた。盗掘の被害も大きかった。パキスタンのペシャワルのバザールを経てパキスタンのコレクターの手元に収まり、遠くロンドンや東京に持ち込まれて、マーケットで売られていた。この流れを追ったのがＮＨＫスペシャル『消えた国宝・戦禍のなかのアフガニスタン』である。

アフガニスタンの文化財の危機を訴えた『消えた国宝』の放送の後、２００1年の夏、さらに私たちはタジキスタンとの国境に近いアイ・ハヌム遺跡の取材を試みた。アイ・ハヌムは１９７８年にフランス隊に発見されたギリシア遺跡で、ヘレニズムを語るには無くてはならない重要な文化遺産だが、戦乱で荒れ果て盗掘の被害も甚大だと聞いていた。アイ・ハヌムにはタジキスタンから国境を越えて行くことになり、北部同盟のアフマド・シャー・マスード司令官たちがヘリの手配まで整えてくれた。しかし、8月後半になって、国境地帯が急にきな臭くなってきたという現地からの報告が入り、9月上旬の現地入りは急遽延期することになった。その直後の9月10日、マスード司令官が自爆テロで暗殺され、9月11日のアメリカ・ニューヨークの大規模テロへと繋がっていく。現地入りを強行していた場合にはどうなっていたのか……延期は適切な判断だったともいえるが、歴史の大きな転換点を私たちも肌で体感した事件だった（アイ・ハヌム取材は、その後NHKの『文明の道』〈2003年放送〉で実現したが、映像が記録した盗掘の跡は痛々しかった）。

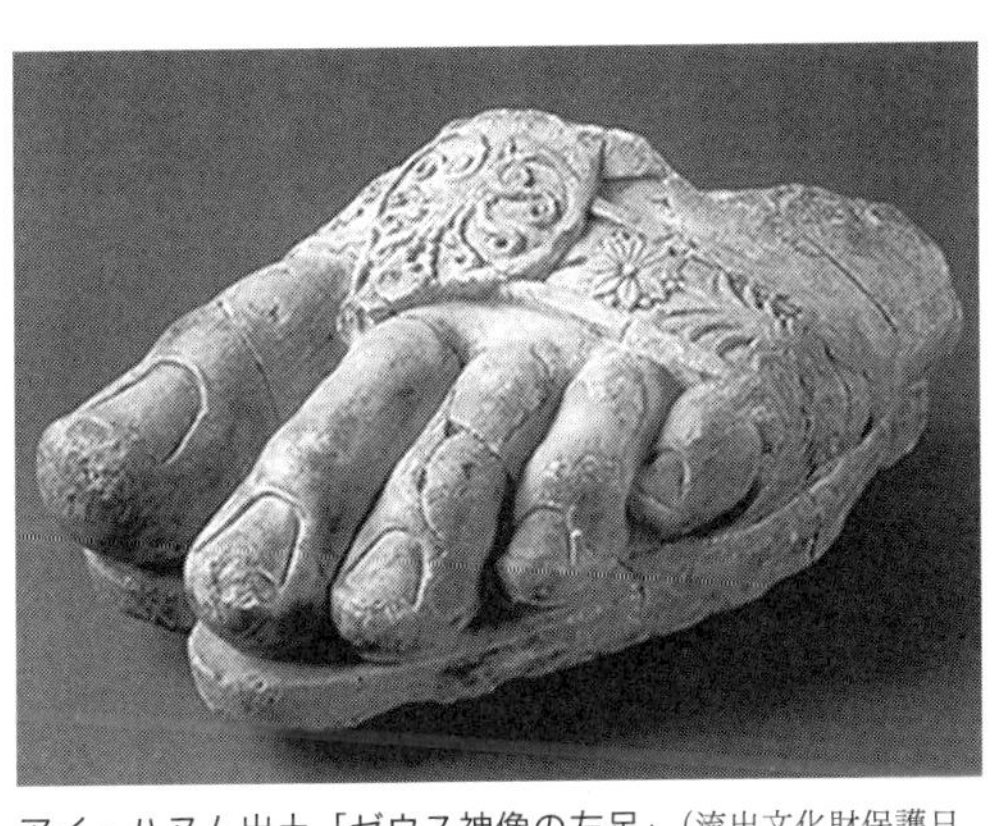
アイ・ハヌム出土「ゼウス神像の左足」（流出文化財保護日本委員会）

2002年タリバン政権が崩壊した直後、私たちはユネスコ代表団に加わって、戦禍の跡も生々しい首都カーブルに入ることができた。NHKスペシャル『アフガニスタン・至宝はよみがえるか』では国立博物館や各地の遺跡に残された破壊と略奪の無残な爪痕を目にし、奇跡的に守られた博物館の収蔵品も映像で記録することができた。

タリバン政権の崩壊後、メディアは頻繁にアフガニスタン情報を伝えた。NHK報道のチームが制作したNHKスペシャル『バーミヤン大仏はなぜ破壊されたのか』（2003年）は大仏破壊に至るまでの経緯を当事者の証言で描き

東京藝術大学が復元したバーミヤン東大仏天井壁画「天翔ける太陽神」（東京藝術大学撮影）

大きな反響を呼んだ。しかし、治安が再び悪化し始めると報道は途絶え始めた。特に、日本においては外務省が発信する危険情報に合わせて、大手メディアは「安全第一」を理由に現地の取材を控え、日本におけるアフガニスタン報道は欧米と比べても極端に少なくなった。

平山郁夫画伯が中心となって救済したアフガニスタンの流出文化財の返還と「黄金のアフガニスタン」展の開催が２０１６年に実施されることが決まり、アフガニスタンへの関心が高まった。東京藝術大学はこの機会にあわせて、爆破されたバーミヤンの東大仏天井壁画「天翔ける太陽神」を京都大学に保管されていた膨大な画像データを基に、洞窟も含めて原寸大３Ｄ復元に挑戦し、「黄金のアフガニスタン展」と同時に東京藝術大学陳列館で展示した。

このときに制作したＮＨＫＢＳ特集『アフガン秘宝の半世紀』は10年以上の「アフガニスタンの文化遺産情報空白期間」の後にやっと成立したドキュメンタリーだったが、アフガニスタンへの取材班派遣は認められず、現地クルーを遠隔操作する形での取材となった。

前編の『バーミヤン・それは大仏爆破からは始まった』では、世界遺産バーミヤン石窟の惨憺たる破壊の状況を４Ｋカメラで記録し、今はむき出しの壁しか残っていない東大仏の天井壁画が東京藝術大学の特許技術で甦るまでのドキュメントを描いた。そして後編で放送した銅鉱山開発と文化遺産保護の間で揺れる『メスアイナク・危機に瀕する仏教遺跡』の物語は、改めてシルクロードの要衝アフガニスタンの重要性を思い起こさせた。

治安がますます悪化していくアフガニスタンの情報は疎になりがちである。しかし、シルクロードを通じて日本の古代文化にも大きな影響を与えたアフガニスタンを再び「忘れられたシルクロード」としないように、われわれは常に情報の網を広げておかなければならない。

撮影機器や各種ＩＴメディアの発展で、取材の方法も変わってきた。アフガニスタンのような治安悪化の状況下では現地スタッフとの綿密な情報交換のもと、遠隔操作での取材やインターネットを使った配信も積極的におこなうべきであるが、まずは現地の撮影チームの教育が必要である。外務省や大手メディアの協力で、日本に招聘するといった研修システムを構築していくことが喫緊の課題であろう。

（井上隆史）

55

アフガニスタンにおける日本の学術調査

★自らの目で現地を見る★

既に1920年代から、幾人かの日本人がアフガニスタンへの入国を果たしていたが、外交や政情調査ではなく、明確に学術調査という目的を持って現地を訪れたのは、美術研究所（現・東京文化財研究所）の尾高鮮之助が最初であろう。尾高は1932年の4～5月にかけて、美術研究のためにハッダやバーミヤンを訪れ、多くの写真を撮影した。この貴重な調査行の概要は、彼の没後に公刊された『印度日記　仏教美術の源流を訪ねて』にまとめられている。また、吉川逸治や山本智教といった美術史学者たちが、同じ1930年代にアフガニスタンに入り、バーミヤンに関する研究をおこなっている。

戦後になって国交が回復すると、多くの日本人技師がアフガニスタンで技術指導をおこなうようになったが、なかには自身の専門的な見地から現地の状況を調査する者もあった。例えば、建築家の牧野正己は、1957年にアフガニスタンに滞在してバーミヤンの現地調査などもおこなっており、その成果を著書の『土胚子』に記している。この頃には、大規模な総合的学術調査も計画されるようになった。そのなかでも、1955年に京都大学が組織した「カラコラム・ヒンズークシ学術探検隊」

は特筆に値しよう。木原均を隊長に、今西錦司、岩村忍、梅棹忠夫らが参加し、人類学（歴史学・考古学を含む）、生物学、地質学などの広範な学術領域に関する現地調査を実施した。その成果は各隊員の著作などで公表されているが、特に調査に同行した映画班による記録映画『カラコルム』は、当時のアフガニスタン・パキスタンの様子をカラーで伝える極めて貴重な映像となっている。

この探検隊に参加した岡崎敬から、アフガニスタン周辺の各国において欧米の調査隊が盛んに発掘調査を展開している様子を聞いた京都大学人文科学研究所の水野清一は、1959年に新たに「京都大学イラン・アフガニスタン・パキスタン学術調査隊」を組織して、考古美術・地理・歴史言語・人類技術といった各分野の総合的な現地調査を実施した。しばしば「イアパ」と呼ばれるこの調査隊は、その後、名称を変えながら樋口隆康、西川幸治が隊長を引きつぎ、1989年まで継続した（アフガニスタンの調査は1978年まで）。各学術領域の調査成果は、論文や報告書の形で次々と出版され、人類学的調査については1966年の報告書『西アジアの技術』に、地理学的調査は1967年の報告書『西南アジアの農業と農村』にまとめられている。そして、この調査で最も長く継続したのが、考古美術班であった。アフガニスタンにおいては、チャカラク・テペなどの居住址のほか、ハイバク遺跡やハッダのラルマ遺跡といった仏教遺跡、タパ・スカンダル城塞址など、多様な遺跡を踏査・発掘し、多くの報告書を公刊した。そのなかでも、バーミヤン遺跡における大仏や主崖の測量、壁画の写真撮影と描き起こし図の作成は重要で、1983～1984年に刊行された報告書『バーミヤーン』全4巻は、内戦中に大規模な遺跡破壊がおこなわれてしまった今となっては、研究のための根本的な基礎資料となっている。

　また、京都大学学士山岳会のメンバーが中心となった「パミール学術調査隊」は、1960年にカーブル、ファイザバードを経てワハン渓谷の入口に達し、アフガニスタン最高峰のノシャック岳（7492メートル）の初登頂に成功している。この成果をまとめた『ノシャック登頂』が出版されており、アフガニスタン最北東部の地理・気候や民族誌のほか、地質学的な知見なども報告されている。

　名古屋大学も、1964年と1969年の二度にわたり学術調査隊を派遣した。美術、宗教哲学、地理、医学、音楽といった幅広い分野の専門家が現地調査を実施しているが、とりわけバーミヤン遺跡に関しては、京大の調査隊に先んじて美術史・建築史の立場から詳細な調査・研究がおこなわれた。小寺武久・前田耕作・宮治昭による報告書『バーミヤン――1969年度の調査』には、多くの石窟の測量図とともに壁画の描き起こし図が掲載され、現在も世界中の研究者に利用されている。

　この時期、1967年には、東京大学学術調査探検部による調査がおこなわれている。基本的に学生で構成された調査隊は、ロガールおよびパルワン地方において、水利と灌漑のあり方や、農業と村落での生活に関して約3ヵ月にわたり現地調査をおこなった。その報告書は『アフガニスタンの水と社会』と題して1969年に刊行されている。

　1970年代は、京都大学の調査が継続するとともに、新たに成城大学がバーミヤン遺跡において壁画の調査を実施している。また、在野の蝶類研究家である酒井成司は、1971～1974年にかけて現地での採集・調査をおこない、その成果は1981年に『アフガニスタン蝶類図鑑』として出版された（コラム10を参照）。しかし、この時期、アフガニスタン情勢は徐々に緊迫の度合いを増しており、1979年12月のソビエト侵攻によって、現地での学術調査は不可能となったのである。

内戦が終結した直後である2002年に、日本政府はユネスコに対して「文化遺産保存日本信託基金」の提供を表明し、バーミヤン遺跡を中心として文化遺産の保存事業を開始した。日本は東京文化財研究所・奈良文化財研究所を中心として、バーミヤン壁画の保存や予備的マスタープランの作成のための測量調査および遺跡分布調査をおこなっている。一方、文化財研究所独自の調査として、バーミヤン遺跡における地下探査や石窟構造の建築学的研究、壁画下塗りの年代測定などをおこない、『アフガニスタン文化遺産調査資料集』としてその成果を公刊するとともに、カーブル周辺においても遺跡分布調査を実施している。

2003年には、バーミヤン西方のハザラジャード北部地域で新たな仏教寺院址が発見され、2004年から2006年にかけて龍谷大学の調査隊が測量調査および周辺の遺跡踏査をおこなった（コラム9を参照）。また、東京外国語大学は、2004年からカーブルの国立公文書館が所蔵する膨大な資料群の調査・保存をおこなっている。

文化財研究所によるバーミヤンの発掘調査
（東京文化財研究所提供）

以上のように、日本は多分野にわたる学術調査をアフガニスタンにおいて実施してきた。それはひとえに、アフガニスタンが多様な自然環境をもち、それに適応したさまざまな生活様式があり、複雑かつ濃密な歴史を背負っているからにほかならない。われわれは、この豊かな国についてさらに深く知るために、今後も多面的な現地調査をおこなっていくことになるだろう。

（岩井俊平）

コラム10

ヒンドゥクシュ山脈に蝶を追って

酒井成司

動物地理区分で旧北区と呼ばれる地域で最も美しいといわれるアゲハ蝶の一種がアフガニスタンのヒンドゥクシュ山脈に生息している。パルナシウス属の一種でアウトクラトールウスバと命名されている。

パルナシウス属の仲間は通称アポロチョウと呼ばれ、その多くがタクラマカン砂漠を取り囲む地域一帯すなわちチベット、カシミール、ラダック、パミールやテンシャン山脈の標高4千メートル前後に分布している。現在40数種が知られているが、そのなかでも特にアウトクラトールウスバは極度に乾燥した急峻な岩場を飛翔するため採集が難しい。1911年にパミールで発見されたが謎の蝶であった。1936年ドイツ人の標本商ハンス・コッチュ夫妻により北東ヒンドゥクシュ山脈で再発見され翌年、学会誌でその詳細を明らかにした。斑紋形質がほかのアポロチョウの仲間とまったく異なり、特にメスの後翅にみられる大きなオレンジ色斑の美しさは目を見張るものがある。

1971年、筆者は蝶仲間3人とこの蝶を採るべくアフガニスタンに3ヵ月の大採集旅行を試みた。この時、22歳、そして最も若いメンバーは19歳であった。パンジシール渓谷の入り口の村で馬10頭に荷物を乗せて出発した。馬にまたがり切り立った渓谷に沿って標高4225メートルのアンジュマン峠をめざした。途中、道幅は狭く馬上から谷底を見るのが恐ろしかった。

峠を無事に越え出発から3日後の夕方に目的地のバーラークラン村に着き早速テントを張った。ここで村人から情報を収集し、過去のヨーロッパの蝶探検隊がどの辺りの山に登ったか探った。

アウトクラトールウスバのオス（左）とメス

翌日から村の裏山に登り探査を開始した。谷底には雪解け水が流れ柳類もみられたが、山の斜面は極度の乾燥で風化しズルズルと崩れやすく大変登りづらかった。また、落石も頻繁にあり油断できなかった。

ようやく岩場の急斜面の一角に登り着いたが危険で身動きできなかった。付近の岩場に目を凝らし注意深く観察していると1頭の白い蝶が飛んで来るのが見えた。捕虫ネットを低く構え一振りで決めないと取り逃がす。ネットからガサガサという音がし、震える手で取り出すとアウトクラトールウスバのオスであった。しかし、このような採集方法ではオスしか採れずメスの行動はオスとはまったく異なっていることが次第に判明してきた。

急斜面をよく見ると黄色い花を咲かせた多肉質の葉を持ったケシ科植物の一種が自生していることがわかった。アウトクラトールウスバの幼虫はどうやらこの植物を食草にしているらしいことが次第に判明してきた。早朝、斜面に目をこらすとこの植物の付近に翅を広げて静止するメスが確認できた。

しかし、メスのいる斜面には足場など無く、登るのに大変苦労した。この辺りの蝶類は珍しい種類ばかりでほかの蝶類も一所懸命採集した。さらに、高度を上げ４千メートル前後に分布するほかの蝶類も採集し大きな成果を上げた。

１９７４年に三度目のアフガン遠征を敢行。今度は筆者ひとりの単独採集行だ。６月はアフガニスタン各地において採集したが、７月はパキスタンに行き、カラコルム山脈のゴマ村からK12をめざして氷河を登ったが岩と雪の世界であり植物相が貧相で蝶類は少なかった。８月に再びアフガニスタンに戻り、中央部のコーヒ・バーバ山脈を調査することにした。ここで何種類かの新種を採集することに成功した。そして、１９７８年にドイツの学会誌に発表した。

アフガンコシジミ

このコーヒ・バーバ山脈には世界で一番小さな蝶が生息している。その名はアフガンコシジミ。化石に近い一属一種の種類である。拡大してみると紋様がとても美しい。地面すれすれを蠅のように飛ぶらしい。

このようにアフガニスタンは蝶類の宝庫でまだ新種が期待できそうである。また、いつか調査に訪れたいと切望している。

戦後復興

56

「地雷」と生きる

★被害の現状と課題★

Aさん（44歳）は高等学校の校長先生である。彼女は数年前に娘さんを地雷の事故で亡くしている。現在は地雷の被害に遭わないための教育（回避教育）の地域指導員として、子どもたちに適切な行動について教えている。

Bさん（34歳）は9歳の時に自宅の近くで爆発性戦争残存物（Explosive Remnants of War, 通称ERW）による事故に遭い、両腕と右目の視力を失った。左目の視力も非常に弱い状態である。子どもの頃は障害のために、大変厳しい生活を強いられた。その後、幸運にも彼はさまざまな支援に恵まれた。現在、彼は難民を助ける会で会計の担当として働いている。多くの同僚が彼をサポートしている。腕から先がないため、パソコンは足で入力している。

アフガニスタンでは家族や親戚、友人を地雷の被害で失った人や自身が被害に遭った人が大勢いる。地雷被害や対策についての国際的な報告書『ランドマインモニター2019』によれば、1999年から2018年の間に確認された地雷被害者数はアフガニスタンが世界で最も多く、2万7670人となっている。これは2番目に被害者数の多いコロンビアの2・5倍

第56章

「地雷」と生きる

以上、3番目に多いカンボジアの3・1倍以上である。しかも、コロンビアやカンボジアは被害者数が減少傾向にあり、2017年の被害者数はコロンビアが56人、カンボジアが58人である。他方、アフガニスタンの2017年の被害者数は2300人である。この違いは戦闘が続いているか、否かである。コロンビアやカンボジアでは戦闘が停止もしくは終結している。しかし、アフガニスタンではいまだに各地で武力衝突が生じている。

アフガニスタンは地雷による被害も多い一方で、地雷対策活動が最も重点的におこなわれている国の一つでもある。軍隊ではなくNGOなどの民間団体がおこなう人道的地雷除去は、1980年代末からおこなわれている。国際的な地雷対策NGOのヘイロー・トラスト（THE HALO TRUST）は職員数が2500人以上、極めて大きな規模で活動している。OMAR（地雷除去とアフガニスタン復興のための組織）をはじめとするアフガニスタンのNGOも地雷対策には精力的に取り組んでいる。これらの団体は90年代前半の内戦中も、タリバン政権の時代も活動していた。除去活動の結果、多くの土地が安全となり、カーブル市西部には多くの人が住み、カーブル大学では多くの若者が学び、カーブル動物園で人びとは憩いの時を過ごしている。

アフガニスタン政府は2002年9月11日に「対人地雷の使用、貯蔵、生産及び移譲の禁止並びに廃棄に関する条約」（通称：オタワ条約）への加入書を寄託、翌年の3月1日に同国で効力を生じている。ただし、オタワ条約で禁止しているのは対人地雷だけであって、対戦車地雷は禁止の対象に入っていない。

私が初めてアフガニスタンを訪問した2001年12月初旬、カーブル国際空港を利用することは

パルワン州ベグラム周辺で埋設されていた対人地雷。除去作業により、地雷の一部が見えている。（2002年1月）

できなかった。当時、空港の周辺には地雷が埋設されていたのである。２００２年1月に首都カーブルから車で1時間半ほどのパルワン州を訪問した際には、地雷除去現場を視察した。その村では住宅のすぐそばの葡萄畑に、旧ソビエト製の対人地雷が埋められていた。私自身、過去にヘイロー・トラストに出向し、当時のコソボ自治州で地雷と不発弾の除去に従事した経験からいえるが、地雷は埋められたら、まず、気がつかない。どこに埋められたのかわからない。被害が発生して初めて、その場所に地雷が埋められていることに気づくことすらある。

地雷対策の現場では対人地雷や対戦車地雷だけでなく、ＥＲＷや即席爆発装置（Improvised Explosive Devices, 通称ＩＥＤ）も除去している。なぜならば、これらも人びとを死傷させるからである。アフガニスタンの地雷問題の深刻さがここにある。既に、２０１７年のアフガニスタンの被害者は2300人と述べた。実は被害者のうち「対人地雷」による被害者は62人、「対戦車地雷」による被害者は21人である。ERWによる被害者は1124人、IEDによる被害者は1093人である。つまり、多くの方は、ERWやIEDで死傷している。また、地雷被害者のうち、約55％に相当する1270人が子どもである。性別は男子が1082人、女子が188人である。女子の被害が少ない理由として、女子は比較的家に留まっていることが多いことなどが考えられる。

今日、特に深刻なのがIEDによる被害である。アフガニスタンでは2006年にIEDによる被害者が記録されて以降、次第に被害者数が増えていった。2010年代に入って被害者数は激増、同年代半ば以降はIEDによる被害者数だけで千人を超えている。非政府の武装勢力（Non-State Armed Groups）がIEDを使用している。地雷除去はコツコツ続けられているが、IEDが新たに使用されているのが現状である。

回避教育をおこなう上で、IEDの扱いはとりわけ厄介である。対人地雷などと異なり、IEDの色や形は決まっていない。ある時は灯油や水を入れるポリタンクがIEDとして利用され、また、ある時は路上にある圧力鍋がIEDとして、仕掛けられている。従来の回避教育では「地雷にはこんな色やこんな形があるよ」と教えていたが、それでは通用しない。ついで爆発する際のメカニズムも頭の痛い問題である。地雷のように被害者が踏んで爆発するものもあれば、携帯電話を利用して遠隔で爆発させるものもある。さらに、回避教育をする団体が危険にさらされるということもある。IEDは非政府の武装勢力が使用しているため、回避教育をおこなう団体は政府と同類だと考えられ、攻撃対象にされることもある。

被害に遭った人びとの生活は、極めて厳しいものだといわざるを得ない。アフガニスタンでは社会福祉も十分ではなく、医療面でも遅れている。適切な身体的リハビリテーションも受けられない。学校に行くことも難しく、教育の機会も失われる。さらに、障害があることでさまざまな差別を受ける。

このような状況を未然に防ぐために、難民を助ける会では回避教育を、主に子どもたちを対象におこなっている。講習会で子どもたちにパンフレットを配ったり、ゲームをおこなったりして望ましい行動を教えている。テレビやラジオで3分程度のミニドラマを作成し、全国向けに放送もしている。また、仮に地雷の被害に遭っても、その他の理由で障害があっても差別を受けずに暮らしていけるように、障害者について理解を深めてもらう啓発活動もおこなっている。

今後のアフガニスタンにおいて地雷の被害をなくすために必要となるのは、現在以上のペースで地雷対策活動を続けること、そして、何よりも国内の政治が安定することである。そのためには、国際的な支援も欠かせない。アフガニスタンの人びとが安全に暮らせる日が少しでも早くくることを願って、多くの団体が今日も現場で活動を続けている。

（紺野誠二）

57

難民問題と国連組織の活動

★帰還民とIDPへの支援★

アフガニスタン人の越境には長い歴史がある。国際連合難民高等弁務官事務所（ＵＮＨＣＲ）によれば、現在でも約２５０万人のアフガニスタン人難民がおり、全難民のなかで２番目に多い。ただこれはあくまでも難民として登録された数であり、登録をせず国外に住んでいるアフガニスタン人もまた同数程度いると考えられている。例えば、出生証明を持たずに国外にいるアフガニスタン人もおり、彼らはアフガニスタン国民だということを証明できないので、アフガニスタン以外に住んでいるからといって外国人だということすらできない。筆者がカーブルに駐在している間にも、安全のために家族を隣国に逃がしたという人びとに多く会ったことがあり、国境を越えることはアフガニスタン人の人生の選択肢の一つだといっても過言ではないだろう。

難民が受入国に定住するまでの苦難など、国外でのストーリーはメディアなどでも取り上げられる。しかし、アフガニスタンを知るという本書の目的により適うのは、アフガニスタンに戻ってきた元難民である帰還民や、国内で住居を転々とせねばならなかった国内避難民（Internally Displaced Person：ＩＤＰ）

の状況について説明することであろう。特に、２０１６年から２０１８年にかけて増えた、アフガニスタン難民の９割が居住するといわれるイランおよびパキスタンからの「自発的な」帰還には、約２６０万人いると言われる国内避難民と合わせ、アフガニスタン政府や国際コミュニティは早急な対応を迫られた。彼らに対し国連は多岐にわたる支援をおこなってきたが、そのなかでも国内で持続可能な統合や再定住をめざし支援をおこなった国際連合人間居住計画（国連ハビタット）の活動を紹介したい。

帰還民やＩＤＰは、偏在するさまざまな資源や機会を求め都市部に流入することが多い。国連ハビタットは都市において活動をおこなっており、例えば安全安心な都市造り事業（Afghanistan Urban Safety and Security Programme）では国内８都市において、直接住民から聞き取ることによる生データにもとづいて事業を展開している。そこでコミュニティにおける帰還民やＩＤＰの数を正確に把握しようとすると、紛争だけでなく自然災害などによっても避難を繰り返す住民も多いため、住民のほとんどが帰還民やＩＤＰであるというコミュニティも少なくない。また、何年故郷から離れていたらＩＤＰとなるのか、もしくは10年以上そこに住んでいるがまだＩＤＰと呼ぶのかなど、国内移動が常態化していることにより自らの境遇を定義できなくなる住民もいる。

また、２０１８年から２０１９年にかけて同機関が他団体とおこなった首都カーブルにおける調査では、帰還民やＩＤＰが住む54のインフォーマル居住地（informal settlement）においては、居住の権利（例えば賃貸契約など）を持っている住民は50％程度に留まり、そのほかは常に強制退去の可能性におびえていることが明らかになった。その上、冬の間もテントしか持たないなど家屋の状態も劣悪であり、屋内で過ごすことの多い女性は特に不安を抱えていた。生計手段に及んでは、世帯主が女性

立ち並ぶIDP居住テント（ヘラート）

である世帯（Female-headed Family）の12％は物乞いが主な収入源であると回答し、男性・女性世帯どちらにおいても物乞いが生計手段の第2位を占めていた。また、貧困を理由として自ら本居住地に移住したと回答した人びとは0・6％となっており、そのほかの大多数は紛争や自然災害により移住を強制された人びとである。彼らはすべて何らかの困難によって故郷を離れることとなったが、移住した先でも、将来の見えない、日々の生活不安と戦うこととなっているのである。

このような状況に対するアプローチは二通りあるが、どちらも土地の確保が大きな鍵となる。一つは、現在居住する土地に対して占有許可などを手配し、その上で居住地の状況改善をおこなうこと。そしてもう一つは、新たに定住地を用意し、そこへの移住を促進することである。国連ハビタットは、土地区画調査を通して公的な占有証明書（Occupancy Certificate）を発行したり、コミュニティ開発委員会（Community Development Committee: ＣＤＣ）の活動を通して帰還民やＩＤＰのホストコミュニティにおける統合を促したりすることにより、現住居においてより安定した生活基盤を築く支援をおこなっている。また、他機関連携による大統領令第３０５号の発出に始まる、新規再定住地の選定ガイドラインなどの作成から、再定住地における移住事業まで、帰還民やＩＤＰの安心安全な居住環境整備を一貫して支援している。

前者において重要であるのが、ホストコミュニティにおいて既にひっ迫している水や日雇い雇用などの資源や機会が、流入した帰還民やＩＤＰとの競合により、さらなる奪い合いの危機に晒されないようにすることである。そのためにＣＤＣを中心としてコミュニティのニーズを把握し、ＣＤＣと国連ハビタットが直接契約をおこなうことにより、必要なコミュニティインフラを建設する事業をおこなっている。コミュニティ自らがメンテナンスをおこなうことができる上水システムや教育の基礎を作る幼稚園の建設などコミュニティのニーズは幅広いが、彼らは自分たちでその建設や維持管理が可能であることを実証している。そして、その事業にかかる人材や物資調達において、できるだけコミュニティメンバーを雇用したり、コミュニティにある小売業を利用したりするなど、コミュニティ単位の経済活動も後押ししている。また、後者においても、経済活動から遠く荒廃した土地が割り当てられないようにすることが肝心である。そのような土地は開発にコストと時間がかかるため、帰還民やＩＤＰのニーズに即応することができないばかりか、生計手段が限られることから結局は居住が根付かず、次第に人びとがまた新たな移住先を求めて難民やＩＤＰとなってしまうのである。

元難民である帰還民もIDPも、そして彼らを迎えるホストコミュニティのメンバーも皆同じアフガニスタン人である。重要な視点は、彼ら自身が彼らのための安心で安全な居住環境を整備していくことであり、それによりさらなる難民やIDPを生まないようにすることである。アフガニスタンは不安定な国内政治や国際社会の影響などもあり、まだ平和への道は半ばであるが、住民たちが帰還民やIDPという枠を超えて、もちろんそれぞれの属性にもとづくニーズはあれど、ともに住みよいコミュニティ作りをおこなっていこうという共通の目標を持つことが肝要である。そして国連をはじめとする国際コミュニティは、住民たちを直接支援することで、国としての大きな枠組みに不安がある時も、人びとがしなやかに生きていくための力をつけることが重要である。まさにこれこそが草の根からの強靭なアフガニスタン作りの基礎となるのである。

（松尾敬子）

58

アフガン女性と人権

★ジェンダー差別とジェンダーにもとづく暴力の視点から★

「女性が酷く虐げられている国」。これがアフガニスタンに対するグローバルなイメージの一つであろう。国際社会でジェンダーに関わる人権問題が議論されるときには、しばしばアフガニスタンが事例として取り上げられる。とりわけ、タリバン政権時代に女性の教育や就業の大幅な制限、ブルカ（頭から足元までを覆う女性用の衣装）着用の強制といった抑圧的政策が導入されたことが、このイメージを膨らませる要因にもなってきた。2001年10月に始まったアメリカ・イギリス軍などによる対アフガニスタン攻撃では途中から、アメリカが攻撃の理由として「アフガン女性の解放」を謳うようになった。タリバン政権の政策を利用して攻撃の正当性を国際社会にアピールした方が理解を得やすいと判断したからであろう。

人を死傷させる爆撃によって女性が解放されることはあり得ないが、仮にアメリカの主張が正しかったのだとすれば、タリバン政権崩壊後の国際社会の復興支援のもとで、女性は早々に抑圧や暴力から解放された生活を送ることができるようになったはずである。先に結論を書いてしまうと、今なお多数の女性がさまざまな形態の差別や暴力にさらされている。以下では、

表　ジェンダー不平等の5指標

	アフガニスタン	日　本
妊産婦死亡率（2017年）	638人	5人
青年期出産率（2015–2020年の年平均）	69.0人	3.8人
立法府における女性議員の割合（2019年）	27.2%	14.5%
25歳以上人口のうち何らかの中等教育を受けたことがある者の割合（2015–2019年の間で入手できる最新情報）	女性：13.2% 男性：36.9%	女性：95.3% 男性：92.3%
15歳以上人口に占める労働力人口の割合（2019年）	女性：21.6% 男性：74.7%	女性：52.7% 男性：71.3%

（国連開発計画の2020年人間開発報告書に基づき筆者作成）

国連開発計画が毎年公表する「ジェンダー不平等指数」に依拠しながら、アフガン女性の現況を概観する。

ジェンダー不平等指数は、各国のジェンダー平等の実現状況をみるための指標の一つであり、①リプロダクティブ・ヘルス（性と生殖に関する健康）、②エンパワメント、③労働市場の3分野から男女間の不平等を計ったものである（0から1の間の数値で示され、0に近いほど平等度が高い）。これらは、(1)妊産婦死亡率（出生数10万人当たりの妊産婦の死亡数）、(2)青年期出産率（15歳から19歳までの女子千人当たりの出生数）、(3)立法府（日本でいう国会）における女性議員の割合、(4)25歳以上人口のうち何らかの中等教育（中学校と高校）を受けたことがある者の割合、(5)15歳以上人口に占める労働力人口の割合の5指標に細分化され、それぞれ数値化される。

国連開発計画の2020年報告書（UNDP, "Human Development Report 2020 — The next frontier: Human development and the Anthropocene", 2020）によると、2019年のアフガニスタンのジェンダー不平等指数は0・655（日本は0・094）であり、189ヵ国中157位であった（日本は24位）。表に、5指標の数値を示す。読者の理解を促すために、比較対象として日本の数値も併せて表記す

民間団体が開講する識字や職業訓練コースで学ぶ女性たち（2015年9月）

るが、日本のジェンダー平等の達成率が高いことを意味するわけではない。

妊産婦の死亡率の高さは、栄養失調や出産時の衛生状態の悪さに加え、長年の戦乱によりインフラが破壊され安心して出産できる医療設備が整っていないこと、医療施設へのアクセスが困難であることなどが主な要因と考えられる。近年の著しい治安悪化の大きな要因となっている三つ巴（アフガン軍、復活したタリバン、イスラム国系勢力の争い）のなかで、妊産婦が通院・入院している病院を含む医療施設が襲撃されることもある。

女性の中等教育の就学率の低さは、①家父長的な社会風潮の影響で女性が教育を受ける機会が奪われてきたこと、②戦乱により家族が難民化し、教育へのアクセスが困難になったこと、③タリバン政権時代の女性教育に関する政策によるものである。現在でも、女性の教育を好ましく思わない者が女児用の学校の水に毒を盛るなどの残酷な嫌がらせをすることがあるため、娘の通学を不安に思う親もいる。一方、国際社会の復興支援の一環として教育分野への支援がなされており、また読み書きができないために苦労した経験から、子どもには教育を受けさせたいと思う親も増えている。学校の整備状況やアクセスの容易さは地域により異なるが、時間の経過とともに就学経験者の割合は性別を問わず徐々に上昇するだろう。女性用の識字コースや職業訓練コースを開講している民間団体もある。受講者は、読み書きの習得後に縫製などのスキルを身に付けることで所得につながる道を模索できる。読み書きは、例えば自分が有する権利といった生き抜くための有益な情報を得る手段となり、家族への経済的貢献になる所得は、家庭内での女性の地位の向上をもたらす手段になる。

なお、女性議員の割合が日本よりはるかに高いのは、クオータ制（あらかじめ一定の議席数を女性に割り当てる制度）が導入されているからである。紛争を経験した国々が、国際社会からの援助のもとで復興を進める際にクオータ制を導入することは多々ある。

ところで、アフガニスタンには、さまざまな形態の、ジェンダーにもとづく暴力が多発している。例えば、ＤＶや性暴力、名誉殺人、児童婚、強制婚、石打ちによる処刑、鞭打ち、バアドなどである。名誉殺人とは、女性が婚姻外の関係を持ったとみなされたり、駆け落ちをしたりした場合に、「家族の名誉」を辱めたとして自分の家族に殺されることをいう。石打ちによる処刑や鞭打ちは、例えば、婚姻外の性行為をおこなったとみなされた女性が、部族内やタリバン支配地域などで正規の裁判を経ずに科せられる非合法の刑罰である（男性もその対象になり得る）。バアドは、自分の家族がほかの家族の構成員を殺害するなどの重大な事件を犯した場合に両家族の争いを解決する方法として、加害者の家族の女性を被害者の家族の男性と婚姻させることをいう。その女性に被害家族の恨みが集中し、地獄の日々を過ごすことにもなりかねない。

ジェンダーにもとづく暴力の要因は一つではない。①女性に抑圧的な家父長的社会規範、②イスラム諸勢力や諸軍閥の構成員による暴力、③タリバン政権時代の女性抑圧政策に加え、④ソビエトやアメリカといった大国による軍事侵攻・攻撃および激しい内戦による生活基盤の破壊や難民化、コミュニティの保守化などが暴力の構造を築き、またそれらが絡み合うことで深刻さを増幅させてきた。

ただし、タリバン政権崩壊後は国際社会の支援を受けながら、ジェンダー差別やジェンダーにもとづく暴力をなくすための取り組みがなされてもいる。例えば、2003年の女性差別撤廃条約の批准（署名は1980年）、すべての国民の平等な取り扱いや両性の平等を明記する新憲法の制定（23条）、女性課題省の設置、2009年の「女性に対する暴力根絶法」の制定によるジェンダーにもとづく各種の暴力の刑事罰化を挙げることができよう。これらの取り組みの成果は芳しいものとはいえないが、それでもなお、女性に対する抑圧や暴力の問題に粘り強く挑戦し続けているアフガン女性がいることも明記しておきたい。

（清末愛砂）

59

10人のうち6人が文字を読めない社会での教育

★識字の大きな役割★

「識字」とは、多様な定義があるが、単純にいうと文字の読み書きができる能力のことであり、簡単な計算の能力が含まれることもある。文字の読み書きができない状態を「非識字」、文字の読み書きが困難な人のことを「非識字者」という。アフガニスタンの人口は推計3200〜3300万人であるが、ユネスコの2018年統計によると、そのうち成人（15歳以上）の非識字者は約1200万人、成人非識字率は57％と推定されている。ほかの国と同様、非識字の割合は女性が高く720万人で率は70％にものぼる。特に、農村部では15歳以上の女性の9割近くが文字の読み書きができない地域もあり、第58章に並ぶ諸課題とともに、識字はジェンダーの大きな課題でもある。

なぜアフガニスタンで女性の非識字が多いのか？　第23章でも触れられている、イランの映画監督ハナ・マフマルバーフがアフガニスタンで撮影した映画『子供の情景』（原題の邦訳は「ブッダは恥辱で崩れ落ちた」）を見ると、その原因の一端が伺える。

6歳の少女バクタイは、隣に住む男の子アッバスが教科書を読んでいるのを見かけて、一緒に学校に行きたくなる。家にあった卵をナンに交換してもらい、それを売ってようやく手に

入れたお金でノートだけを買うと、鉛筆代わりにお母さんの口紅を持ってアッバスの通う学校に行く。着いてみると学校で勉強しているのは男の子だけで、「お前は川向うの女子の学校に行け」と先生に追い出されてしまう。とぼとぼ歩いて行くと、タリバンごっこをしている男の子たちにつかまり、「女は勉強しない」ものといわれ「処刑」されかかる。ようやく着いた女子の学校に無理やり入ると、ほかの子どもたちに「席はない、邪魔」といわれて追い出されてしまう。

映画は2007年に製作されたものだが、現在の現実の世界でも、女子が学校なんてとんでもないというケースは多々ある。公益社団法人日本ユネスコ協会連盟では、「世界寺子屋運動」というタイトルで識字・ノンフォーマル教育プログラムをおこなっており、2003年にはアフガニスタンでプログラムを開始した。カーブルの隣パルワン州でおこなった初期のプロジェクトでは、旧ソビエト軍やタリバンと戦った元コマンダーが地元の顔役になっていて、「女の教育とかいわないように。そんなクラスなど許されない。そんなことをいっていると、あなたのためにならない」と、私たちのスタッフが脅されたことがあった。

アフガニスタンでは、小学校を無事に卒業する子どもの割合は54％で、女子の割合はさらに低く40％となっている。女性の教育に関する考え方のほか、引き続く内戦や旱魃（かんばつ）、貧困、親の病気や事故などを原因として、約半数の子ども、女子の場合は5人中3人が、勉強を終わらないままに小学校を辞めてしまう。教育を受けられない子ども時代を過ごした多くの女性たちに（もちろん男性にも）、学習の機会を提供できるのが学校以外で学ぶことのできる「識字」である。識字のクラスは、民家の空き部屋や納屋などを活用して実施されることが多い。また、コミュニティ学習センター（CLC）と呼ばれる、公民館のような施設でおこなわれることもある。外から男性にみられず学習できて、通う女性たちの父親や夫、男兄弟も安心できるという要素もあり評判は高い。「両親はとても保守的で学校に行くことを許してくれませんでした。でも女性のための識字クラスについて父に話したら、通うことを認めてくれました」とは、カーブル近郊の国内避難民キャンプで学んでいる15歳の女性の話である。

識字クラスで学ぶ女性たち

アフガニスタンでは教育省内に識字局が設置されており、識字の教科書も識字局が編集・印刷している。大人向けなので教科書も工夫されている。「子どもには適切なタイミングで予防接種を受けさせよう」とか「カレンダーの見方」とか、学ぶ人たちの日常が単元になっていて、学びながら生活の水準を改善できるようになっている。金銭の勘定をしたり時計を読んだりできるように、数字や計算も含まれている。
週6日毎日2時間、例えば午後1~3時までのクラスを9ヵ月続け最終テストに合格すると、識字者であることを証した免状をもらえる。修了した人たちの文字の読み書きのレベルは、小学校でいえば3年生修了程度である。小学校に編入して学習を続ける人もおり、さらには大学にいく人もいる。他方で、その後日々の生活で文字を使う機会、学習を続ける機会がなく非識字に戻ってしまう例もあり、大きな課題である。

センターでクラスがおこなわれる場合、収入を得るための技術を一緒に学ぶことも多い。収入を得るために仕事をすると、識字の知識が生活で実践できることになる。女性には仕立てや刺繍は一番人気が高い。スキルが身に付けば、これまで買っていた子どもの服を自分で仕立てられるし、注文を受けて生計が立てられる。髪へのこだわりはどこも同じと見え、カーブル市内では美容師コースが設けられていたこともある。

さて、映画『子供の情景』の最後では、学校に行きそこなったバクタイが再び男の子たちの襲撃に出くわし、棒切れの「銃」を突き付けられる。一緒にいたアッバスは、撃たれたマネをすれば解放されると知っていて「自由になりたいなら死ね」と叫ぶ。バクタイはバタッと撃たれた振りをして映画が終わる。アフガニスタンで女性が学ぶのが難しい状態は、今後も続くのだろうか?　ここで、私たちのスタッフを脅したコマンダーに再び登場願おう。

仕方なく私たちは、男性のためのセンターをその村に設置して、識字クラスや服の仕立てクラスを始めた。それから数年経ってそのコマンダーが私たちのスタッフにいうには、「今度は女の子のために建ててくれ」(!)。予定外だったが、私たちは女子用の建物を別途その村に建設した。その後その元コマンダーは、自ら識字クラスに入って文字の読み書きを勉強し始め、終わると出世して村の警察署長になった。

このストーリーは、北部連合に連なったタジク人たちが多いカーブル北方のショマリ地域で起こった。これが保守的なパシュトゥン人の多い東部や南部地域でも同じような展開になりえたかは、まったくわからない。しかし、頑迷な指導者や世間の人びとの存在が、女子教育の大きな阻害要因であるといわれており、女子・女性の教育を促進するには男性の理解が重要であることが唱えられるなか、この小さな逆転のストーリーは、アフガニスタンで識字教育に携わる者に希望を与えてくれる。

(関口広隆)

60

アフガニスタンの麻薬・違法薬物

――★アヘン・ヘロインと新たな脅威・覚せい剤、日本の支援★――

アフガニスタンでは、大麻、アヘン（オピウム）、アヘンを精製して造られるヘロインが主に流通している。特に、アヘンはアフガニスタンが世界最大の生産国だ。世界で違法に生産されるアヘンの80％以上はアフガニスタン産だといわれる。

国連薬物・犯罪事務所（ＵＮＯＤＣ）の統計をみると、アヘン・ヘロインの原料となるケシの栽培は過去20年のあいだ高水準を維持してきた。アフガニスタン全国のケシ生産高は、２０００年には３２７５・９トンと推定され、史上最高を記録した２０１７年には９千トンに達した。それに続く２年間は旱魃などの影響で減少に転じたが、それでも２０２０年は６３００トンと高い水準にある。

また、旧来の薬物だけでなく、近年は覚せい剤も国内で製造され、流通し始めている。２０１４年頃に始まったとみられるメタンフェタミンの国内生産は、年々急速に拡大し、アフガニスタンの新たな脅威となっている。

アフガニスタンにおける薬物蔓延の背景は複雑である。主な要因として、①およそ40年にわたる紛争によって国内治安が極度に悪化している、②中央政府の統制が全国に及んでいないため、取り締まりに大きな限界がある、③失業と貧困が蔓延し、農家や労働者が換金性の高いケシの栽培に従事せざるを得ない状況がある、④経済・医療インフラがいまだ十分に整備されていないため手に入りやすい安価な薬物に頼りがちとなる、などが挙げられよう。国内政治・経済のさらなる不安定化は、この状況を悪化させる恐れがある。

アフガニスタンの違法薬物は、国内に多くの乱用者を生み出すばかりでなく、犯罪組織によって海外に密輸され、その巨額な収益の一部がテロ活動の資金源ともなり得る。供給サイド、需要サイドのいずれにおいても、一国の努力には限りがあり、国際協力、地域協力による対策が不可欠だ。

密輸については三つの主要ルートが特定されている。①中央アジア経由でロシアに流れる「北方ルート」、②パキスタンやイランの港を経由してインド・湾岸諸国・東アフリカに流れる「南方ルート」、③イラン、トルコ、バルカン諸国を経由してヨーロッパに流れる「バルカン・ルート」だ。ただし密輸手段は日々巧妙化・多様化しているのが現状だ。犯罪者間の連絡・決済でも、ダークウェブや暗号通貨による追跡困難な手段が用いられるようになった。

2016年に開かれた国連麻薬特別総会（UNGASS）は、責任共有の原則にもとづく国際協力の強化を呼びかけた。また、2020年11月におこなわれたアフガニスタンに関するジュネーブ会合は、共同コミュニケのなかで、アフガニスタン政府及び国際社会に対し、国際協力や地域協力を通じた違法薬物の耕作・生産・取引などへの対処強化を求めた。

日本を含む国際社会は、国家薬物行動計画にもとづいて対策を進めるアフガニスタン政府を支援している。違法取引の摘発・防止については、アフガニスタン内務省と、その下部組織となる麻薬警察・国境警察が担当官庁だ。日本は、アフガニスタンの捜査官をモスクワ郊外のドモジェドヴォ・トレーニング・センターで訓練するプロジェクトに資金協力・技術協力をおこなってきた。日本・ロシア・UNODC三者協力の一環として実施されるこの訓練に、日本の厚生労働省関東信越厚生局・麻薬取締部から、専門家が講師として参加している。また、近年は、三者協力の枠内で、アフガニスタンに麻薬探知犬ユニットを創設する取組みが進められている。

アフガニスタン国内における薬物の需要削減も、重要な課題だ。

薬物依存症を含む薬物使用障害は、健康問題であるとともに犯罪や治安悪化と結びつきやすく、個人や社会全体の生産性も低下させる再発性の高い慢性疾患だ。その対策には、包括的かつ効果的な薬物予防、治療、リハビリテーションへの支援が必須だ。特に女性、若者、子どもといった脆弱なグループは、本人または家族の薬物使用による家庭内での諍いや暴力、機能不全といった負の影響を受けやすい。2021年にアフガニスタン政府により行われた路上で生活する国内避難民・帰還民の調査でも麻薬・違法薬物使用が大きな問題となっていることが確認された。

2015年にアメリカ国務省が実施した薬物使用調査では、調査された家庭の約31％で何らかの違法薬物使用が報告された。さらにアフガニスタン国民の約190～240万人（うち女性69～85万人）、約9～11万人の子どもが何らかの麻薬・違法薬物を使用した可能性があると推定された。さらに、アフガニスタンの伝統的な社会においては薬物使用に対するスティグマ（偏見）は根深く、これが、早期発見や治療アクセス・介入を妨げている側面がある。また、国際社会や援助団体においても、薬物問題に対する関心はかならずしも高くはなく、十分な連携がおこなわれているとはいい難い状況だ。

女性と子供の薬物治療センターにおけるカウンセリング風景（カーブル）
(Nick Danziger, UNODC consultant撮影)

日本からの支援のもと、２０１６年にＵＮＯＤＣが実施した女性の薬物使用障害治療に焦点を当てた調査では、薬物の使用背景が明らかにされている。それによると、伝統的な治療薬としてアヘンを使用していたことに加え、男女ともに雇用がないこと、カーペット製造など重労働による肉体的な痛みの解消、パートナーや家族からの誘い、長引く紛争や過酷な生活による身体的・精神的な苦痛・ストレスの緩和、といった理由で薬物が使用されている。地方で働く母親からは、家計を支えるために働かなければならないが、仕事中に泣き続ける子どもをあやすためアヘンを吸引させているといった報告もあった。

アメリカや日本からの継続した支援のもとで、ＵＮＯＤＣはアフガニスタンの家庭の生計がケシの栽培に依存しなくて済むよう、ケシ代替作物の製造と雇用の促進といった薬物供給削減プログラムを実施している。具体的には、日本からの支援によりカーブルやヘラート県の女性リソースセンターにおいて女性の経済・生活面の能力強化、リーダーシップやアントレプレナーシップの強化といったエンパワメントプログラムを提供している。また、アフガニスタン公衆衛生省は、他省庁や国内のＮＧＯとも協同し、科学的な根拠にもとづく包括的な薬物予防・治療・リハビリテーションプログラムの導入・拡大を試みている。ＵＮＯＤＣは薬物需要削減のための技術支援や能力強化事業をおこなっており、薬物予防活動として学校や家庭においてファミリースキルプログラムを展開し、子どもや若者への薬物予防啓発とともに家族・コミュニティでのコミュニケーションと安全な場としての機能の強化を図っている。薬物治療・リハビリプログラムとしては、治療後の社会復帰を視野に入れたプログラ

青少年薬物治療センターにおける集団治療プログラムの風景（カーブル）
(Nick Danziger, UNODC consultant撮影)

ムの拡大とその質の向上をめざし、薬物依存症の国内に存在する80施設超の薬物治療センターへ技術支援や能力強化事業をおこなっている。しかし、新たに深刻化する覚せい剤の脅威に加え、長引く紛争による治安上の懸念は絶えず、効果的な予防・治療・社会復帰プログラムを広く地域へいきわたらせるためにはいまだ多くの課題が残されている。保健医療、司法・法執行、教育、社会保障・雇用セクターなどを含めたより強く幅広いパートナーシップのもとで薬物・保健政策、教育・保健システム、予防・治療・リハビリサービスなどを包括的かつ継続的に強化していく必要がある。

アフガニスタンにおける薬物蔓延の背景が前述のとおり複雑であることに鑑みれば、薬物問題も、それだけを対象にして完全な解決を図ることはできず、アフガニスタンの国内和平と、経済・行政・社会を含めた国家の安定と自律的発展、という全体文脈のなかで解決されなければならない問題であるともいえよう。

仮に薬物対策のみを取り上げるとしても、やはり、法執行の強化だけで生産・流通・乱用・密輸のすべてを防止することはできない。ケシ栽培や薬物依存状況の実態調査、刑事司法制度の改善、ケシに代わる代替作物の開発、薬物依存の予防と治療（需要削減）、依存者の社会復帰支援、啓蒙活動の強化など、総合的かつ横断的な対策を進めていく必要があるだろう。

（樫野亘・保坂英輝）

注　本稿の文責は筆者にあり、本文の記述は、国連および日本外務省の立場を必ずしも表していないことを申し添えます。

61

学校を造る

★バーミヤンでの学校建設とその後の交流★

長く奈良で教職に就いていた私にとって、大仏で有名なバーミヤンはあこがれの地であった。私がアフガニスタンの女性教員支援に関わり始めた2003年頃は、アフガニスタンのあちらこちらでNGOによる学校建設が進んでいた。私も是非、バーミヤンでの学校建設をと願い、2004年、SCJ（セーブ・ザ・チルドレン・ジャパン）に依頼をして紹介されたのが、バーミヤンの中心から車で1時間ほど南下したチャプダラ村の丘の上にあるチャプダラ校であった。

SCJから送られてきた写真に写っていたのは、強い日差しが照り付ける丘に敷かれたブルーシートの上や、大きなぼろぼろのテントのなかでひしめき合うように座って勉強している子どもたちの姿だった。それでも、女の子もちゃんと登校していることがわかったので、この学校の校舎建設費を寄付することを決め、工事が始まった。

紆余曲折はあったが、2005年10月にオープニングセレモニーを開催することができた。「教育は自分自身のためだけでなく、国の未来にとっても大切です。しっかり勉強してください。私はこれからもチャプダラ校を訪問し、皆さんの成長を

チャプダラ校のオープニングセレモニーで挨拶をする筆者（2005年10月、筆者提供）

見守りたいと思います」と挨拶をして、チャプダラ校と私の交流が始まった。治安悪化のため、2017年を最後に訪問がかなわなくなったが、合計10回の訪問を重ねた。

2005年当時は1年生から6年生までが在籍する小学校であったが、その翌年には教育省の方針により、すべての学校が9年生まで在籍する中等学校に移行することになった。しかし、チャプダラ校で9学年までがそろったのは2009年である。アフガニスタンでは1年生から落第があり、家庭の事情などもあって高学年になるほど在籍者数は減っていく。なかでも女子生徒の減少は男子生徒よりはるかに多く、チャプダラ校で女子卒業生が誕生するのはさらに1年後であった。アフガニスタンでは、小学校、中学校、高校だけという学校はなく、1～9年生の中等学校か、1～12年生の高等学校である。チャプダラ校の生徒数は300人ほどで推移している。男女別学が基本だが、規模の小さい学校では男女が同じクラスに学んでいる。しかし、男子生徒と女子生徒は廊下を挟んで左右にわかれたり、教室の前後にわかれたりして着席する。チャプダラ校初の中卒生となった4名の女子生徒たちはその後、徒歩1時間近くかかる高等学校に通うこととなった。

2006年からは英語の授業が始まったが、英語教員が赴任したのは翌年であった。彼はセントラル男子高校を卒業したばかりの青年であった。また、2010年までは午前中はチャプダラ校で教鞭をとり、午後は高校で学んでいる非常勤教員もいた。すなわち、高卒の青年が英語を教えたり、高校生が小中学生を教えたりしていたわけである。やがて、専任教員が増えていくとともに高卒教員もなくなり、2年制の教員養成学校や4年制の大学を卒業した者が教師となっていった。最初の頃は授業

4年生のクラスで糸電話づくり
(2013年4月、筆者提供)

時間を有効に使って授業をせず、一方的に話をして20分ほどで授業を終える教師もいた。しかし、冬の間に教員研修を受ける者や、授業後に大学に通って大卒資格を取得する者もあり、カーブルのような都会の教員との差は大きいながらも少しずつ教師の質は上がっていった。2005年から2015年までJICAによる教師教育強化プロジェクトが実施され、教師用教授資料が作成されたり、教員研修が実施されたりしたことで、主要都市を中心に教師教育支援がなされたが、残念ながらチャプダラ校までその効果が及ぶことはなかった。

私は理科教員であり観察や実験はとても重要だと考えている。カーブルのような都市部では熱心な教員によって観察や実験が導入されることはあっても、アフガニスタンでは講義一辺倒の授業スタイルが基本である。訪問中には、持参した古い顕微鏡を使った細胞の観察授業や、身近に咲いている花の観察、バザールで購入できる紙コップと糸を使った糸電話づくりなども実施した。初めて自分でノートに花のスケッチをした子どもたちが「見て！　見て！」と描いた図を見せに来たときの嬉しそうな顔が忘れられない。

年に一度の訪問でバーミヤンに滞在するのは1週間ほどの短い期間。バーミヤンに到着すると文房具店に出かけ、ノート・鉛筆・色鉛筆・ボールペン・鉛筆削り・消しゴムなどのセットを生徒数分購入した。子どもたちから要望の多いボールに加えて、教師へのプレゼントとしてカバンを購入しても7万円ほどである。日本の製品に比べれば品質は随分劣るが、現地にお金を落とすことも大事なことと思っている。校舎の傷みをチェックし、雨漏り補修や窓ガラスの購入など、校舎のメンテナンスも心がけた。

たとえ年に一度の訪問であっても、つながり続け、「私はあなたたちのことを見ていますよ」というメッセージを送り続けることで、教師たちのやる気を後押しし、子どもたちの学びに役立つことがあったのではないかと思っている。治安悪化に伴って訪問がかなわなくなった今も、通訳を依頼している青年とフェースブックのメッセンジャーでつながっている。壊れた机が更新されたこと、保護者たちが労働奉仕をして通学路が広くなったことなどの知らせを写真つきで受け取れるのは嬉しいことだ。いつも「マダムはいつ来てくれるの？」と教師も子どもたちも首を長くして待っていると聞くと、飛んでいきたい気持ちに駆られる。

アフガニスタンの教育に関わり始めた頃は、カーブルでも高校を訪問して理科の授業に参加した。教師を対象にした観察や実験のワークショップを開催すると、熱心に参加する教師たちがいた。しかし、アフガニスタンの情勢が悪化するにしたがい、こうした活動ができなくなっていったのは本当に残念なことである。カーブルの友人は、朝、子どもたちを学校に送り出すと、彼らが帰宅するまで、テロに巻き込まれるのではないか、誘拐にあうのではないかと心休まる暇がないという。子どもたちが学校で学び、家族が笑いあって平和に暮らすという当たり前のことが許されない現状。再び平和が訪れる日がいつになるのか先の見えない状況のなかでも、教育は続いている。政治家をはじめとする大人たちに期待がもてない今、新しい国づくりの希望は若者や子どもたちに託されている。その子どもたちを育てる教育までもが崩壊すればどうなるのだろうか。何もできないもどかしさのなかで、見守ること、細々でも関わり続けることを続けていきたい。「微力は無力ではない」を信じて。

（中道貞子）

62

羽ばたけ、山の学校の子どもたち

★支援・現実・夢★

「山の学校」はアフガニスタンの首都カーブルから北へ車で2時間ほどのパンジシール渓谷のなかにある。本流はパンジシール川で、その支流ポーランデ川の上流部に点在する九つの集落から150人ほどの子どもたちが通ってくる小さな学校だ。

学校とサフダル校長

2002年、マスードの一周忌に参列した後、私はポーランデを訪れた。かつてマスードと何度も訪れていた場所だからだ。村人たちは食事を振る舞ってくれ、その学校に案内された。石が積み上げられただけの建物で、床は地面がむき出しの上、机も椅子もなかった。窓からは寒風が吹き込んでいる。学校の校長はサフダル。元イスラム戦士で、マスードに「教員免状があるのだから故郷で子どもたちに教えたほうが良い」といわれ、故郷で数学教師になったと話す。

翌年、アフガニスタンに行くと真っ先に山の学校を再訪した。帰国してからずっと気になっていた。日本の方から「子どものために使ってください」と預かったこともあって、学校に机と椅子を入れたいと思ったのだ。サフダルと再会を果たし、早速、

机と椅子の寸法をとって私はカーブルに舞い戻った。木工場で注文を済ますと、近くの大きな町で扉と窓の製作を頼んだ。

10日後、机と椅子がトラックで運ばれてきた日のことは忘れられない。トラックで届いた机と椅子をみんなで教室に運び込んだ。あたらしい椅子に腰かけ、瞳を輝かせる子どもたち。背筋を伸ばして座る姿に、「未来への希望」が感じられた。

支援を始める

一仕事終え安堵している私にサフダルが相談があるという。切り出しにくそうにしているので尋ねてみると、「これからも支援を続けてもらえないだろうか」というのだ。私は一介のフリーカメラマン、組織も資金もない。彼は「政府の給与が遅滞していて、このままでは先生たちが下の町のNGOで働くようになってここで教える人がいなくなってしまう」と続ける。迷っていたが、マスードが「戦争が終わってから人材を育てるのでは遅い。再建のためには今から教育を進めなければ」と話していたことを思い出した。その時、心は決まった。

学校が男女共学だったことも支援を決めた理由の一つだった。アフガニスタンでは男女別学が普通で、男女共学の学校というのは聞いたことがなかった。村人が「みんなで話し合って決めた。これが私たちの民主主義」と胸を張る姿からは、過去にとらわれない「新しいアフガニスタンの貌」が見えたような気がした。

日本に戻り、今まで写真展や講演に来てくれた方々に声をかけると29人が賛同、準備会議に集まってくれた。その場で「アフガニスタン山の学校支援の会」を発足させた。

子どもたちの現実

２００４年4月に第一回の公式訪問をおこなったが、そこでわかったのは、生徒の約半数が戦争で両親のいずれかを亡くしていたことだった。ここはソビエト軍との戦いで一番の激戦区だったのだ。それに加えて厳しい山間の生活があった。畑が少なく、家畜を売ることで生計を立てており、子どもたちもその手伝いに追われていた。

学校が始まるのは8時半だがかならず遅れて来る子がいる。朝5時に起き出して家畜を山に連れて行くが、家族の交代が遅れると、朝食も食べずに大慌てで山道を駆け出す。家族が用足しで町に行ったり、病気になる人がいると、子どもたちは学校を休んで放牧をする。学校を休むことがあっても、子どもたちは学校が大好きだ。知らない新しい世界に触れることができる場所、将来の夢を膨らますことのできる場所なのだ。医者、エンジニア、警官、パイロット……子どもたちの夢は広がる。

男性教師が多いのでサフダルと相談して、下の町から英語や化学を教えられる女性教師を採用することにした。その送り迎えに、中古の四輪駆動車を購入した。運転手は下から通っていた男性教師だ。高価な買い物だったが、急患が出たときには救急車代わりになったり、後部スペースには事故で片足を失った生徒や地雷で足を失った用務員さんも同乗するなど大いに役立った。

住民の希望で中学校を併設することにした。「中学校がある下の町まで歩いて2時間。家事の手伝いがある女の子には通わせるのが難しい」というのだ。「女の子には教育は必要ない。家事ができれ

山の学校で学ぶ子どもたち

ばいい」という親もいたが、中学が始まると、ほとんどの女の子がやってきた。それでも、家の手伝いで通えない子に会うと辛かった。

夢に向かって

毎年、訪問のたびに持参したのは子どもたちへの一年分のノートと鉛筆、三色ボールペン、成績優秀者へのプレゼント。「成績優秀者に賞品を渡すのが現地の習慣だ」と聞いたときには抵抗があったが、実際に辞書や魔法瓶、制服の布地など賞品を手渡す段には、みんな拍手を盛大にして心から祝う姿に私の心も温かくなった。日が差さない教室のために発電機と蛍光灯を購入したりもした。

支援を始めて5年目にはうれしいニュースを知らされた。「学力テストがパンジシール州で一番の成績を収めた」というのだ。当初は町の学校に負けないようにしたいと思っていたが、いつの間にか、町の学校を追い抜いてしまったようだ。きちんと教育省の審査員が来てテストをやった結果だと聞いた。椅子がわりの石を持ち込んだり、地面に座って足りない教科書を何人かで見ていた子どもたちが懸命に頑張った結果だと知りうれしくなった。思うと信じられない気持ちだったが、支援を始めた頃の1年生たちは皆成長し、地元で農民になったり、結婚して子どもが生まれたり、なかには難関の国立大学に進学、インドに国費留学したりサウジアラビアやトルコへの留学が決まった子もいる。教員大学に通いながら、山の学校で代用教員をしている女性が3人もいる。会の有志からの奨学金で助産師学校に行って免状を取った子もいた。最初の頃は、娘を学校に行かせようとしなかった親たちが「娘を高校に通わせたい」といってくるまでになった。貧しかった村々には、川の流れを利用した電気が通り、テレビ、洗濯機などの電化製品も入るようになった。それでも山道を本を読みながら通学してくる子どもたちの姿は昔と変わらない。

原理主義の過激派集団タリバンが跋扈するアフガニスタンでは、いまだに学校が火をかけられたり、市民を巻き込む爆弾テロが頻繁にある。どんな野蛮な行為をおこなおうと、子どもたちが羽ばたこうとする「翼」をもぎとることはできない。全土で子どもたちが大手を振って学校に通える日がくることを願ってやまない。

（長倉洋海）

63

井戸を掘り、水路をうがつ

★中村哲とPMSの活動★

私たちPMS（ピース・ジャパン・メディカルサービス）の現地活動は、中村哲医師が1984年にパキスタンの北西辺境州（現パシュトゥン・フワ州）のペシャワル・ミッション病院に赴任してハンセン病の診療に従事したことから始まり、のちに活動拠点をアフガニスタンに移していった。

日本では当たり前と考えられている国民健康保険制度がパキスタン、アフガニスタンにはなく、診療費はすべて自費である。例えば、手術を受けるにしても手術費の全額負担はもちろんのこと、麻酔薬、ガーゼなども自身で準備をする必要がある。このような状況のなか、ペシャワルでハンセン病だけの診療には無理があった。ペシャワルの地理的、歴史的な位置から、1978年のソビエト侵攻により、隣国アフガニスタンから戦乱を逃れてくるアフガン難民の診療にも必然的に関わるようになった。また、1989年にソビエト軍が撤退した数年後、アフガン難民が一斉に自主帰還するのに合わせて、アフガニスタン東部のナンガルハル州、クナル州、ヌーリスタン州のハンセン病多発地帯（同時に医療過疎地で結核、マラリア、腸チフスなど感染症の多発地帯でもあった）に、次々に診療所を開設し地域診療に取り組んだ。

1998年にペシャワルに、入院や手術設備を備えた独自のPMS病院を建設した。パキスタンとアフガニスタン両国の山岳医療過疎地での診療の向上を重視し、医療の恩恵を受けられない人びとへの診療をさらに本格化していこうとしていた。しかし2000年、中央アジアを襲った大旱魃がアフガニスタンで顕在化した。WHO（世界保健機関）が、アフガニスタンの人口約半数の1200万人が被災し、400万人が飢餓線上、100万人が餓死線上にあると発表するほどの深刻な旱魃であり、PMSの診療所周辺の田畑も井戸も干上がり、村の人びとは水と食糧を求めて村を捨て難民となって首都カーブルや隣国に逃れて行った。

PMSの診療所では、栄養失調の子どもが不潔な水を飲み下痢症状で受診するケースが多く、「飢えと渇きは薬では癒せない、まずは清潔な水」の確保が急務であるとし、井戸掘りを開始した。経験者はいなかったが、まずは掘ってみようと2000年6月に開始し、1年で600の井戸に飲料水を確保した。しかし、2001年1月にタリバン政権への国連経済制裁が発令され、同年3月バーミヤンの仏跡爆破と続き、大旱魃の最中アフガニスタンから多くの支援団体が撤退した。

一方、パキスタンにはアフガンからの難民が後を絶たず、私たちも医療の面から支援ができるのではないかと、ペシャワルから1時間ほどのジャローザイ難民キャンプを視察した。その結果、越境する金も持たない人たちは国内避難民として自国の首都カーブルに向かうだろうとの中村医師の判断で、2001年3月急遽カーブルに診療所を開くことになった。長年の経験から、避難民たちは同じ部族の居住区に集中するであろうことに鑑み、各部族に平等に医療を提供するよう5ヵ所で診療をしたことで目立った争いごとは起こらなかった。

カーブルでの医療活動では、当時のタリバン政権が、診療所を毎晩見回って困っていることなどがないかを尋ねた。時に欠勤する検査技師や医者の補充を速やかにおこない、診療がスムーズに進められるよう協力をした。また、彼らは、ＰＭＳが10月からおこなった食糧配給では、最も支援を必要としている人びとに必要なものを手渡していると評価し、自ら食糧満載のトラックの両脇で配給時の混乱を鎮めた。当時ペシャワルとカーブル間では定時連絡をおこない職員の安否や配給状況を確認していたが、連絡担当に長年ともに働いている職員を置いたので、少なくとも私たちＰＭＳの活動状況は手に取るように把握できた。

カーブルでの診療所は５ヵ所では足りず、中村医師はさらに５ヵ所の増設を指示した。既に機能しているペシャワルの基地病院ＰＭＳと両国合わせて５ヵ所の山岳医療過疎地での診療所の運営もあり、薬品が買えるだろうかと驚きはしたが、旱魃で食べられない人びとをはじめ国境を越えて難民にもなれない人びとが国際的にも取り残されていることを実感した。そんな中、アフガニスタンにとってさらに悲劇が起きた。２００１年９月11日の同時多発テロ事件である。主犯のオサマ・ビンラディンをタリバン政権が匿っているとのことで、事件の翌日からアメリカの大統領はアフガニスタンに報復攻撃を表明した。この事件を受けて、すでにわずかになっていた支援団体が完全にアフガニスタンから撤退した。カーブルに集中していた人びとは、10月には寒くなる標高１８００メートルの地に取り残された。日本大使館からの退避勧告で中村医師をはじめＰＭＳで井戸掘削をしている日本人ワーカーたちはペシャワルへ一旦引き上げたのである。

第63章
井戸を掘り、水路をうがつ

厳寒目前の首都カーブルで、越冬できるだけの小麦粉と食料油の配給計画を立ち上げるのに時間はかからなかった。医療の立場から考えてもＰＭＳがさらに5ヵ所の診療所増設を考えるほど逼迫した状況であり、餓死者が出ることが容易に考えられたからだ。しかし、資金が問題だった。中村医師は、「アフガニスタンの現状を日本に訴え支援を呼びかけてみる。ペシャワルでは早速食糧調達に取り掛かるように」といい残し緊急帰国をした。しかし、国際的に当時の政権が批判されている時であり、支援金が寄せられるだろうかと、半信半疑で現地では小麦粉用の袋などの準備が進められた。しばらくして日本から支援金が続々と届き始めた。中村医師の「我々は非難の合唱に加わらない。目の前の困っている人を助ける」の想いが多くの人びとの気持ちを動かしたのである。食糧の買い付け、輸送手続きが一気に進められ、ＰＭＳのパキスタン人、アフガニスタン人そして日本人、皆が、寒いところで腹をすかしている人びとに一刻も早く食糧を届けることに想いを一致させ動いた。

旱魃被災で国内各地から避難民が集中しているカーブルに、まさか爆弾を落とすようなことはないだろうとの一縷の望みは叶わず、残念ながら10月7日空爆が始まった。配給作業はアフガン人職員20名でおこなっていたが、空爆が始まると引き揚げが協議されるなか、ただひとりの職員が「ドクターナカムラが日本中を駆けめぐり実情を訴え、そして日本の多くの人びとがアフガン人に食糧をと寄せてくれた資金で準備した食糧を放置して逃げられない。ひとり残ってでも全部配給してから戻る」と言った。結局20名全員が配給作業を続行した。それでもタリバン政権陥落直後の混乱で配給は停止せざるを得なかった。新政権が樹立するとカーブルには国際支援のラッシュが始まり、大国からの医療団体も押し寄せた。ＰＭＳは役割を終えたと判断しカーブルを撤収したが、家賃の高騰や職員給与、物価の急上昇がわれわれ小さなＮＧＯに打撃を与えたことは否めない。

２００2年、4ヵ月ぶりにアフガニスタンへ戻った中村医師は、進行する旱魃を目の当たりにする。アフガン東部山岳地に3ヵ所の診療所を持ち同地の地勢を把握していた中村医師が、もうこれしかないと最終的に打ち出したのが、自給自足の農村復興をめざす「アフガン緑の大地計画」である。氷河を水源とする大河のクナル川から農地へ水を引き入れる用水路建設が２００3年3月に着工された。中村医師は土木技師ではないが、はっきりしていたことは、用水路はいつか壊れる、誰が修理するのかということだった。政情が安定していない状況で経済的にも農民に負担がかかることは避けなければならない。そこで、用水路両壁には針金で編んだ籠に石を積む蛇籠（じゃかご）工とその籠の後ろに柳の挿し木をする柳枝（りゅうし）工を採り入れた。針金が錆びて破れる頃には柳の細い根が蛇籠内の石を抱え込み用水路は守られるのである。この工法は誰もが簡単に覚えられ、さらに安価である。そして川の水をせき揚げる堰には大石を用いた。国土の大部分が山岳から成るアフガニスタンは石が豊富で一般の人びとは住居を石を積み上げて造る。とは言っても、強い川の水圧を受ける取水門や大きな谷を横断する用水路のサイフォンは鉄筋やセメントを用い頑丈に造った。この用水路建設に17年関わってきたＰＭＳの職員や作業員として長年働いている地域住民たちは一種の職能団体となっており、現在も進行している旱魃対策の良き働き手である。また、用水路により復旧した農地では住民は農作業に忙しく、家族が養えるようになり傭兵にならずに済んでいる。

ＰＭＳが用水路に通水をするたびに大勢の子どもたちが、水の流れに沿って水路内を歩く中村医師や職員、村人たちと一緒にはしゃぎながらどこまでもついて来る。一方で、彼らは同じ「アフガン復興支援」という名のもとに、上空をものものしい音を立てて飛行する戦闘機をもほぼ毎日目撃するのである。

このような中で「人びとが生きるための無私の支援なら、どうして武力が必要でしょうか？」と問い続けた中村医師が現地の人びとと造ってきた用水路で復活した農地は、1万6500ヘクタール、65万人の生活を保障している。現地での35年の活動は、対ソビエト戦争、ソビエト軍撤退後の内戦、ラバニ、タリバン、カルザイ、現在のガニ政権という激しい変化に翻弄される一般の人びとの中で進められた。困難なこともあったが、どの時代にあっても為政者や地域住民からの協力を得て、地元住民と共に時には急ぎ、時には足踏みをしながら止むことなく継続されて来た。今後も引き続きPMSの医療や農村復興支援を継続し、アフガニスタンの人びとの苦悩や喜びを分かちあって行きたい。

（藤田千代子）

64

復興への日本の貢献

★外交と安全の間(はざま)で★

本章では主に2001年11月のタリバン政権崩壊後、日本がどのようにアフガニスタンの復興へ関わってきたのか、そしてそのなかで見えてきた課題について、主に筆者もかつて所属していた公的(政府関係)機関の視点から述べていく。特に、課題については、アフガニスタン支援は、日本が国際協力分野においてそれまでとは違う「世界」へ踏み出す転機であり、その経験は日本の国際協力にとり貴重な教訓であると考える。

まず、これまでの日本の対アフガニスタン支援の概略を見ていこう。日本とアフガニスタンの国家としての関係は1930年代前後から始まり、1950〜1970年代には経済協力、文化交流などがおこなわれ、それは1979年12月のソビエトの軍事侵攻直後まで続いた。1980〜1990年代のアフガニスタンの混乱の時代にも、和平と安定へ向けた日本の外交努力は続けられた。タリバン政権の崩壊後も、2001年12月の「ボン会合」はじめアフガニスタンの復興と開発へ積極的に関与する姿勢を示し、例えば2002年1月と2012年7月には東京でアフガニスタン政府関係者、関係各国、国際機関、NGOを招いての「支援国会合」を開催している。さらに、20

16年から2020年3月まで、アフガニスタンの和平プロセスや支援事業を統括する「国連アフガニスタン支援ミッション」（略称UNAMA）の代表は、日本人である山本忠通氏が務めた。

2002年2月には、国内の混乱により1989年から閉鎖されていた在カーブル日本大使館も再開され、その後、国際協力機構（以下、JICA）による技術協力を含め、アフガニスタンの復興と開発へ支援をおこなってきた。もちろんそのような流れとは別に、民間ベースでもペシャワール会の故中村哲氏のように団体、個人での多方面にわたる支援も長くおこなわれてきた。

日本の公的援助の一例として、JICAではインフラ整備（道路、空港、電力、水資源開発）、都市開発、農業農村開発、教育、保健、ジェンダー、除隊兵士の職業訓練など、多くの専門家を派遣することで多方面にわたって技術協力支援をおこなってきた。そのほかにも現地大使館による「草の根無償」、国際機関への資金の拠出による支援もおこなわれてきた。

カーブル国際空港の日本支援による新ターミナル
(Carl Montgomery, CC BY 2.0)

例えば、もし読者がアフガニスタンへ行く機会があれば、最初に降り立つカーブル空港のターミナルは日本の援助で建設されたものである。あるいは、PEACE（正式名称、「未来への架け橋・中核人材育成プロジェクト」）と呼ばれる留学プログラムは、多くのアフガニスタンの若者を日本各地の大学院へ送り出し、帰国後に政府の要職に就く者もいる。

その一方で、日本政府のアフガニスタンへ関わる姿勢は、その外交の立ち位置に連動している。つまり、常にアメリカ政府を意識したものであった。9・11直後に、アメリカ政府への支援を惜しまない姿勢を示した小泉純一郎政権は、日本国内でも賛否両論あるなかで対テロ作戦への協力の一環として、海上自衛隊によるインド洋上におけるアメリカ・イギリスなどの艦船へ燃料補給を実施した。この活動は1年ごとに延長の国会承認が必要な「テロ特措法」にもとづくものであるが、その後、アフガニスタンの治安情勢が不安定化したことでその効果、あるいは給油がイラクでの戦闘も支援しているのではとの疑念から問題視された。そのような事情から、小泉政権後の第一次安倍晋三政権では延長が承認されず海上自衛隊は一時撤収し、続く福田康夫、麻生太郎政権下でも延長承認が政治の駆け引きの材料ともなった。また、この時期、アメリカから自衛隊の物資輸送用ヘリコプターの派遣要請がなされるなど、アフガニスタンにおける情勢が厳しくなるにしたがい、直接的な武力行使ではないものの日本へ軍事関連の貢献を求める声は強まった。

結局、2009年8月に日本国内で自民党から民主党への政権交代が起こり、「特措法」(この時の通称は「補給支援法」)は更新されず、2010年1月に海上自衛隊はインド洋から撤収した。他方、民主党政権下では、アメリカ政府への配慮もあり5年間で50億ドルの対アフガニスタン支援が約束され、オバマ政権によるアメリカ軍の増派とともに実施された民生支援の強化(Civilian Surgeと呼ばれた)と歩調を合わせるように、多数の日本人専門家、技術者が現地へ派遣された。

別の視点から見れば、アフガニスタン支援は援助する人員(日本人)の安全確保のための「闘い」であったともいえる。「支援か安全か?」という点は、アフガニスタンに限らず治安・政情が安定しない地域において支援する側へ突き付けられる現実であり、迫られる選択である。リスクを覚悟せね

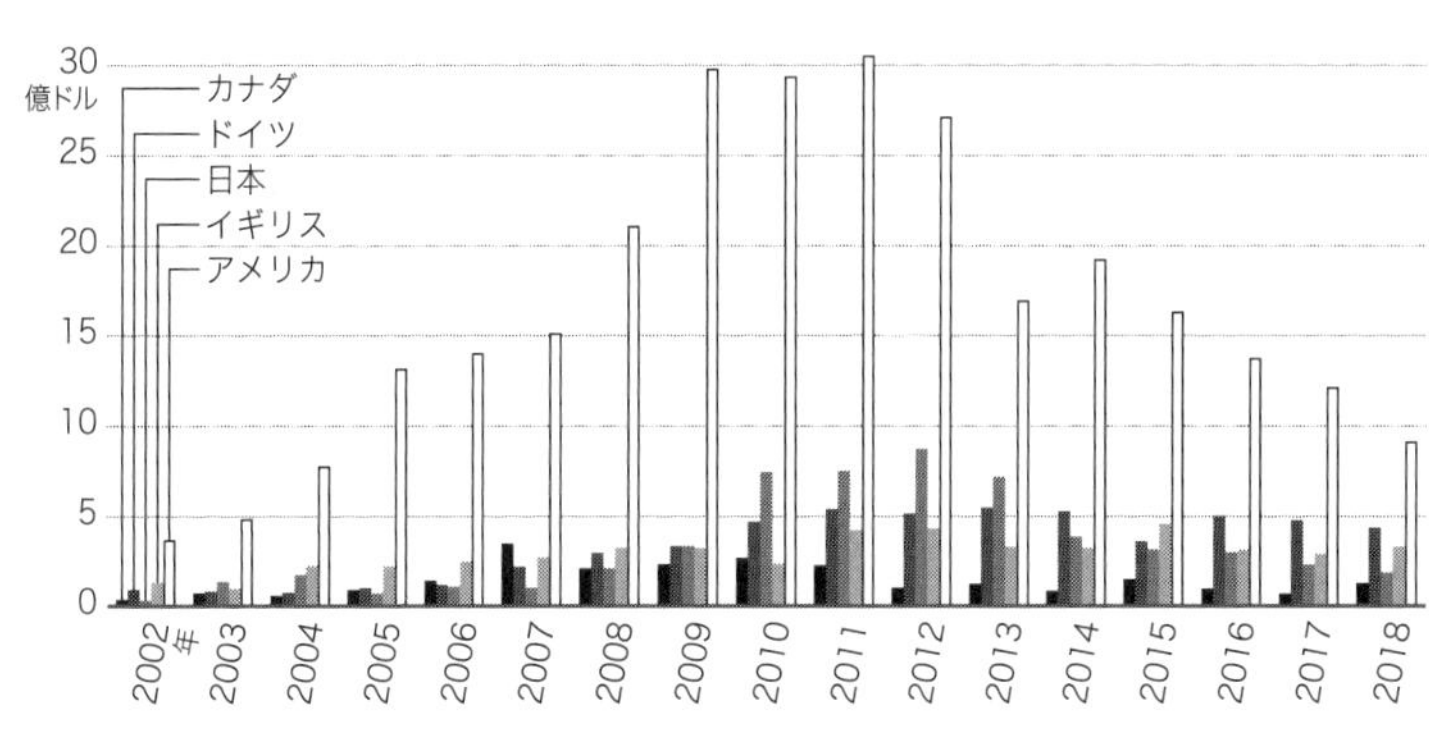

主要国の対アフガニスタン支援の推移（支払い金額ベース）
（OECD　DACデータベースから筆者作成）

ば支援は届かない、しかし、リスクをとることは人命に関わる。例えば、2019年11月に亡くなったペシャワール会の中村哲氏は、危険と背中合わせのアフガニスタンでの活動を「虎穴に入らずんば虎児を得ず」と表現した。

元来、日本の国際協力（特に人を派遣する技術協力）は、身の安全が確保されない場所へは行かないとされてきたが、9・11後のアフガニスタンはその転換点でもあった。当初、治安は落ち着いたと思われたアフガニスタンは、2005年頃から反政府勢力などによる攻撃が頻発し、2007年8月には外務省は安全情報の危険度で最高レベルの4である退避勧告を発出し（2021年7月現在でも継続中）、その際、多くの日本のNGOは現地での事業を中断あるいは隣国のパキスタンから実施することを余儀なくされた。

政府機関による援助は、警備強化などさまざまな治安対策を施すことで継続されたが、地方はおろか首都カーブル市内の移動も制限され、また現地に派遣される人数へも厳しい制限が課された。そのような場合、現地での指導や事務処理をアフガニスタン人スタッフに委ねる「遠隔」実施は事業を継

続する有効な手段ではある。しかし、直接的なコミュニケーションの不足によって、さまざまなトラブルが起こり困難が伴うものでもあった。

おそらくあまり注目されたことがない以上のような側面は、過去20年間の日本の対アフガニスタン支援で得られた貴重な経験と教訓である。近年、治安への懸念や関心の低下から、各国ともアフガニスタン支援（額）は減少傾向にある（前ページ図）。しかし、将来アフガニスタンへの協力が本格的に再開することがあれば、あるいはそのほかの治安が不安定な地における支援にとっても、「アフガニスタン」は活かされるべき貴重な教訓である。

（嶋田晴行）

65

文化遺産の継承

★命を懸けて引き継ぐ歴史★

国立博物館員の命をかけたコレクションの保護

１９７９年の旧ソビエトによるアフガニスタン侵攻に端を発した長引く内戦の結果、国立博物館の建物はことごとく破壊され、約70％の収蔵物が破壊や略奪に遭った。２００１年タリバンに代わり新政権に移行して以降、博物館に過去存在した中央アジアのコレクション1万点のうち、多くの収蔵物が海外から返還されている。私が初めて博物館を訪れた２００２年7月当時はまだ戦争の傷跡が生々しく、博物館の2階は屋根が破壊され所どころに柱が残るだけで、その建物は内戦時にロケット弾を受け文字通り瀕死の重傷を負っていた。被害は建物だけではなかった。館内を案内してくれたマスーディ（前館長）によると、タリバンが斧や木槌を持って突然現れ、博物館員の目の前で収蔵品を次から次へと破壊していったという。訪れた収蔵庫で大切に保管されていた木箱を開けると、これ以上粉々になりえない状態の破片と化した多数の石像が声にはならない悲鳴を上げていた。

木箱の一つには、縦50センチメートルほどの仏頭が完璧な状態で、綿のなかにしっかり保存されていた。聞いてみると、タ

上・下／タリバンによって破壊された石像の断片（© 長岡正哲／ユネスコ）

リバン政権時代にひとりの博物館員が自転車の後部に紐で括り付け自宅に持ち帰り、密かに隠し持っていたのだという。タリバンに見つかれば、その仏頭が破壊されるのはもちろんのこと、その博物館員の命までも危険な目に遭う恐れもあった。

タリバンの手によって次々と破壊されていく様を、何の抵抗もできずただ呆然と見守るだけの博物館員。自らの命をかけて守らなければならなかったのは、貴重な国の美術品というだけではなかったはずだ。自分たちの祖先から引きつがれてきた「文化」「歴史」を今現在守り、未来に伝えていくという使命感がそうさせたのではないか。平和な日本にいる私たちが今、そのように命を懸けても守らなければならない状況を想像するのは難しい。自分たちの文化を護ってきたアフガン人は今日も博物館で働いている。

破壊されたバーミヤン大仏の今後

629年に玄奘三蔵が訪れたバーミヤンは、2～9世紀にバーミヤン王国として栄えた。かつて立像仏としては世界最大であった東西両大仏をはじめ、千以上にも及ぶ石窟のなかには貴重な仏教壁画が長く混迷が続いたアフガニスタンの歴史を生き延び、今なお静かにバーミヤン渓谷を見下ろしている。

２００1年3月、東西両大仏をはじめバーミヤンの多くの文化遺産がタリバンによって破壊された。その衝撃映像がテレビで報道されてから既に20年の歳月が流れた。両大仏が破壊されたとされる3月11日、地元政府と住民の共同事業として文化財の保護と恒久的な国の平和を希求する記念式典がバーミヤンで毎年開催されている。２０１８年3月11日にも西大仏の後背に位置する仏龕（ぶつがん）内でこの式典は開催され、２５０人を超える地元住民が集った。私もユネスコの代表としてこの事業に参加した。

バーミヤンの文化遺産の保護とアフガニスタンの平和維持をどのように実現させるか。式典ではバーミヤン知事や地元ＮＧＯの若者らがそれぞれの立場から、集まった多くの市民に訴えかけた。バーミヤンの考古学的価値がある文化遺跡はもちろん、世界遺産の価値を有するバーミヤン渓谷に広がる文化的景観の保護は急務だ。この数年で多くの農地が宅地や幹線道路に変わり、村の中心に位置するマーケットも急速に拡大している。２００5年には９００件あった村の商店の数は、現在まで２５００件以上にまで膨れ上がり、村の無秩序開発が現在も進む。

大仏破壊に端を発する平和を希求する記念式典では、東西両大仏がどのように破壊されたかを伝える劇も上演された。大仏がいよいよ破壊される様子を地元の役者らが演じているとき、私は２０１４年にバーミヤンで会った村人のことを思い出さずにはいられなかった。彼はタリバンによって大仏破壊工作を強いられた23人のうちのひとりで、現在も唯一バーミヤンに住み続けている。彼の家に招かれた私に、当時の壮絶な話を彼は訥々と語ってくれた。

子ども6人を含む家族8人でバーミヤンで当時平和に暮らしていたが、タリバンによって捕らえられ4ヵ月間拘束された後、彼は大仏爆破の準備のため24日間休みなく強制労働を強いられた。爆発物の運搬のほか、大仏頭頂部から一本の縄で吊るされながら、石像にドリルで穴を空け、ダイナマイトを仕掛けることを命じられた。その工作に従事していた村人のひとりがこの蛮行を非難すると、彼の目の前で即座に銃殺された。ダイナマイトを仕掛ける作業のため縄で吊られた状態で心臓発作を起こし亡くなった村人もいた。作業の間、棒で体を殴打され続け、常に死が目の前にあったという。現在空洞になっている仏龕を見るたび、当時の壮絶な記憶が蘇ると同時に、悔しい気持ちが沸き起こると話す彼に無邪気な幼い子どもたちがまとわりついていた。大仏が再建されれば、彼は救われるという反面、またタリバンによって大仏破壊工作が起こるのではないかと心配する。

ユネスコは2017年9月、アフガニスタン政府と海外の文化財保護専門家らとともに、大仏再建の国際会議を東京で開催した。これまで大仏再建についての活発な議論はされていなかったが、東大仏龕の保護が完了した2011年から、学際的な議論を進める素地ができつつあった。そのためアフガニスタン政府の要請に答える形で、2014年の世界遺産委員会で、大仏再建を学術的に検討し、広く一般に議論を進めるよう勧告がなされた。

大仏の再建には、技術論や文化財の真正性の問題が立ちはだかるだけでなく、関連する国際条約との整合性や、大仏再建がアフガニスタンの治安情勢に与える影響、またイスラム教国で仏像を再建することの合理性の議論などさまざまな課題がある。元ユネスコ親善大使の故平山郁夫氏は、広島の原爆ドームやポーランドのアウシュビッツ、奴隷貿易の拠点となったセネガルのゴレ島のように、大仏を再建せず空洞の仏龕の状態を保つことで、人類の負の遺産として後世に遺し、人類がおこなった蛮行を二度と繰り返してはならないという強いメッセージを残すべきだと語っておられた。一方、シリアやイラクなどの中東では、テロリストによる文化財の破壊が横行し、それらを略奪、転売することで新たなテロの資金源が生み出されている。

破壊され空洞となった大仏龕の前で毎年おこなわれるアフガニスタンの国技ブズカシ（© レザ・モハマディ／ユネスコ）

大仏再建の技術的議論や文化財修復倫理に終始してきたこれまでの再建議論は、現在新たな局面を迎えている。破壊されたバーミヤンの大仏の表面の部材は現在ほとんど残っていないが、新しい部材を使ってでも破壊された文化財を再建することで、アフガン人のアイデンティティーや誇り、記憶や歴史を再び取り戻し、ひいては国の再建に寄与するのであれば、人権の尊重や平和構築の観点から許されてしかるべきという考え方も生まれている。

“A nation stays alive when its culture stays alive”

国立博物館にこう刻印された石板が建てられている。戦禍を生き延びた文化遺産をどのように後世に遺すかが課題となっている。

（長岡正哲）

コラム11

アフガニスタン、旅の歌・歌の旅

森本　晋

　アフガニスタンへの7回の渡航で、私の旅ノートには365首の短歌が書き留められている。多くは遺跡の調査で訪れたバーミヤンでのもので、仏教石窟だけではなく、山々や草花にも多くの感銘を受けた。この特別の地で言葉が私にやって来てくれた、歌を作ったというよりも歌が自ら形作られたのである。

　バーミヤンへの道のりは遠く、アフガニスタン国内ではカーブルが中継地となる。これほど多くの人が暮らす街にも不安はのしかかっている。

　鳥の音を時折乱す爆音の
　　軍用ヘリ飛ぶカーブルの朝

　小型機で向かうバーミヤンの谷は緑、丘陵は茶色。地に降り立って眺める遠くの山は紺色で白い雪を頂く、この色の取り合わせは美しい。それは人を招く光景なのか、人を拒絶する世界なのか。

　茶灰白青へと続ける階層の
　　行きて行きつくことは可能や

　谷の緑は、ポプラの列、じゃがいもと麦の畑。水はカレーズによって農地に導かれる。水のないところに緑はない。

　カレーズの音は止むなしポプラ葉は
　　小さくゆるゆるひるがえりけり

　ゆれてきたジャガイモ葉波東より
　　風が到達体押される

　畑では人びとが働き、驢馬が荷物を運ぶ。羊や山羊の群れが通り過ぎる。

コラム11

アフガニスタン、旅の歌・歌の旅

十三度厳しき声でいななける
　ロバの叫びを間近にて聞く

ヤギヒツジ何語を話すかまじり群れ
　草食みながらつどい合いたり

地雷に気を付けながら遺跡探しの踏査をする、そここに戦争の跡も残る。

石窟からバーミヤン谷を望む

心地良き風には罪はなけれども
　地雷の谷より吹き出で来たる

風うれし爪先で蹴る薬莢と
　対比鋭く心騒げり

風の強弱が谷の風景を彩っている。ときには優しく、ときには狂暴に。

風涼し壁画洞窟清掃の
　ほこり運びて流れ去るなり

たちまちに砂の流れて立ち昇り
　谷半分の幅で流れる

初夏や秋だけではなく、初冬のバーミヤンを経験できたこともうれしかった。もっとも、寒いなかでの調査や生活には困難もあった。

シャフリゴルゴラ

ロバの休憩

カレーズとポプラ

聖者廟色づきし木々の数増えて
　この地暮らしもひと月近し

雪白く大仏壁の前被う
　美しくあり厳しくもあり

背に感ず薪ストーブの暖かさ
　居眠りさそうこの心地よさ

　海抜2500メートルという高地ゆえに空が美しく、太陽の暈や幻日、彩雲など大気光象がよくみられた。

天界に近きこの地であればこそ
　大気光象我に現わる

　快晴の夜はそれほど多くはなかったが、機会を逃さず宿舎の屋上に寝そべって星を眺める。緯度は日本と変わらないので、珍しい星が見えるわけではないけれど。宿舎からは東大仏がちょうど真北に当たり、北極星が見えている。大仏の頭上を中心に星辰がめぐる。

　星々の重さ感じるこの夜空
　　もう少しだけ眺めていよう

　秋深み夜空美し銀河立ち
　　名知る星座も知らぬ星らも

日の出と日の入りを何度眺めたことだろう。そういう時間を持つことができたことも幸せなこと。

　描き出す言葉も知らずデジカメも
　　しまいてこの眼で日没を見る

バーミヤンの西方には、薄茶色の山あいに宝石のような湖がある。石灰分を含む水が作る不思議な地形。土と向き合う調査の日々のなかにあって、小旅行はキラキラとした時間。

　空の青より濃き青色満ち満ちる
　　奇跡の湖よバンデアミール

歴史も自然も人びとの暮らしも、愛おしく思い出す。考古学調査の地図・図面・報告文と写真は記録として世にとどめられ、私的な感動は歌として刻まれている。

IX

アフガニスタンはどこへ向かうのか

66

統合か、分裂か

★再生への模索★

２００1年9月の同時多発テロをきっかけに、その首謀者オサマ・ビンラディンを匿うタリバン政権に対するアメリカをはじめとする連合国軍と北部同盟の攻撃が10月から開始され、11月に北部同盟がカーブルを制圧してタリバン政権は崩壊した。10年以上続いた内戦の間ほとんど関心を無くしていた国際社会は、アフガニスタン復興に動き出した。11月、国連によるボン会議が開催され、北部同盟のほか、１９７３年のサウル革命で廃位されてローマで暮らしていたザーヒル・シャー元国王を支持してロヤ・ジルガ（国民大会議）による新政権樹立を主張するローマ・グループ、ローマ・グループと同じ主張を掲げながらイランの支援を受けているキプロス・グループ、さらにパキスタンに移住していたパシュトゥン人によるペシャワル・グループ等が集まり、新政権樹立に向けた協議が始まった。協議は難航したものの、ハーミド・カルザイを議長とする暫定行政機構による暫定政権発足やロヤ・ジルガ（国民大会議）開催、国際治安支援部隊（ＩＳＡＦ）創設、国連アフガニスタン支援ミッション（ＵＮＡＭＡ）設置などを決めたボン合意が成立した。カルザイはインドやスイスに学んだ後にパキスタンに移住し、対

第66章
統合か、分裂か

ソビエト戦争時はムジャディディ派に属したが、その後1992年のムジャヒディン政権樹立時にラバニ大統領の下で外務次官に就任した。1994年にラバニと決別、1996年のタリバン政権樹立時には国連代表となった。2001年の9・11事件以降はアメリカとの協力関係のもとタリバン掃討に協力し、新たな指導者としてその名が浮上した。さまざまなグループとの接点を持つカルザイであったが、ウズベク人との接点が少なかったこともあってか、大統領就任時からウズベク人やトルクメン人の民族衣装であるチャパンを羽織って登場した。

2001年12月末には暫定行政機構が発足し、カルザイが首相に任命された。2002年1月には東京でアフガニスタン復興支援会議が開催され、日本が2年で5億ドルを拠出したほか、各国による支援額は30億ドルを超えた。4月にザーヒル・シャーが国父として帰国し、6月にはロヤ・ジルガ（国民大会議）が招集されて大統領選挙が実施され、カルザイが圧倒的な勝利を収めて暫定政府の大統領に就任、アフガニスタン・イスラム移行政府が成立した。暫定政府の閣僚29名のうち北部同盟は19ポストを占め、国王支持派は8ポストとなった。

2004年1月に新憲法が発布され、暫定政権は正式政権へと移行した。これに続く10月の大統領選挙でカルザイが大統領となり、翌2005年9月には下院選挙や州議会選挙が実施されて国家統治機構が整備された。

国家の復興プロセスが進む一方で、南部を拠点とするタリバンによるテロ事件が続発、特に2006年以降は活発化した。これにより国際治安部隊は2010年に13万人にまで増派され、タリバンとアルカイダの掃討作戦を続けた。タリバンは国際治安部隊の撤退を要求し、2009年8月の第2回大統領選挙では選挙妨害となるテロ活動をおこなった。アルカイダは、それ自体のテロ活動を潜めたものの、感化された「アルカイダ系」と呼ばれる集団によるテロ活動が世界各地で散発的に発生した。こうした集団はアルカイダ系を名乗ることで自らの暴力を正当化し、その一方で、対テロ戦争を進める側も、アルカイダ系であれば彼らへの攻撃を正当化した。この頃から、無人攻撃機ドローンによるアメリカ軍の空爆が始まった。

２００９年の選挙ではカルザイへの対立候補として元北部同盟の外相を務めたアブドラ・アブドラが、２００７年にラバニが党首となった野党同盟「国民戦線」から立候補した。選挙結果はカルザイが過半数を獲得したものの多くの不正が発覚、アブドラは次点となった決選投票をボイコットしたが、11月に決戦投票が実施され、カルザイ再選が確定した。この時期、アフガニスタンは政治的腐敗に関して世界で最下位となっていた。ラバニ党首は政府とタリバンとの交渉を担当する高等和平評議会議長を２０１０年から務めていたが、２０１１年９月に自爆テロで亡くなった。ラバニの長男サラーフッディーン元駐トルコ大使は亡父の跡をついで和平評議会議長となり、タリバンとの交渉を担った。

タリバンとの交渉が続くなか、２０１１年５月にオサマ・ビンラディンがパキスタン国内でアメリカ軍によって殺害され、アルカイダは弱体化した。２０１２年には国際治安支援部隊からアフガニスタン政府への治安権限の移譲が開始された。２０１４年に第３回大統領選挙が実施され、アメリカで学んだ後大学や世界銀行に勤めていたアシュラフ・ガニが大統領に選出された。アブドラは首相の格を持つ行政長官に就任し、野党との調整がなされた。野党との権力の分配は1年半遅れて実施された２０１９年の大統領選挙後にも引きつがれ、ガニが再選を果たしたものの、アブドラも大統領就任宣誓をおこなって混乱が生じたために、2020年5月まで交渉が続き、結局また権限を分散することで合意が成立、アブドラがタリバンとの交渉を務める和平評議会議長となった。

アルカイダの活動が低下した一方、新たに起こった「イスラム国（IS）」がアフガニスタンへ進出し、タリバンの一部がこれに転向した。2015年、政府とタリバンの交渉のもと、タリバンはカタールのドーハに事務所を設置し、ここで和平交渉が開始されるようになった。タリバン初代代表ムラー・ムハンマド・オマルは2013年にパキスタンのカラチ市内の病院で死亡し、代表の座をついだアフタル・ムハンマド・マンスールは2016年にアメリカ軍の空爆で死亡、ハイバットゥッラー・アーフンザーダが代表となった。

2020年2月末、アメリカとタリバンの間で、アメリカ軍やNATO軍の撤退や捕虜交換、タリバンやアルカイダによるテロ活動の停止などを盛り込んだ和平合意が成立した。その後アメリカは段階的に駐留軍を削減し、2021年9月11日の完全撤退を目指している。国際治安支援部隊の死者数は2020年1月の時点で3500人にのぼり、うちアメリカ軍兵士の死者数は2500人にのぼる。一方アフガニスタン人の死者数は過去10年で10万人を上回った。9・11からの対テロ戦争は20年を迎え、多大な犠牲が続くなか、完全な和平の糸口はまだ見えていない。

（山根 聡）

67

アフガニスタンをめぐる利権

―★他国の国益・利権をめぐる思惑に振り回されるアフガニスタン★―

アフガニスタンの近現代史は、その地政学的重要性ゆえに、国益と利権の拡大と確保に奔走する大国や近隣諸国に翻弄された歴史でもある。その第1章は、19世紀に大英帝国と帝政ロシアとの間で展開された「グレート・ゲーム」であり、第2章は、冷戦時代の1979年12月末に、ソビエト軍がアフガニスタンに侵攻したのを端緒とする対ソ聖戦である。

1989年2月のソビエト軍完全撤退で対ソ聖戦は実質的に終焉し、ソビエトばかりか、聖戦士ムジャヒディンを支援したアメリカもアフガニスタンから姿を消した。この空白に登場したのが、隣国パキスタンである。パキスタンは、東側で仇敵インドと対峙しており、独立以来の夢は、西側のアフガニスタンに親パキスタン政権を樹立して、東西からの挟撃を回避することである。パキスタンが支援するタリバンは、南部から急速に勢力を拡大し、1996年9月にカーブルを、1998年8月にマザーレ・シャリフを占領して、内部抗争に明け暮れていたムジャヒディン政権を、北東部の一角に追い詰めた。インドのアフガニスタンへの影響力が実質的に排除された状況となり、パキスタンの夢は実現に近づいていた。しかし、タリバン政権の国際的承認はまったく進展せず、ムジャヒディン政権との内戦が継続する膠着状態に陥ったなかで21世紀を迎えた。

２００1年9月11日にアメリカのニューヨークで発生した同時多発テロは、アフガニスタンをめぐる情勢を一変させた。タリバン政権は崩壊し、２００1年12月下旬に、新たな政権への橋渡しをする暫定行政機構が、翌年6月には移行政権が樹立され、２００４年1月に新憲法が承認された。同憲法にもとづき、10月には大統領選挙が実施され、初代大統領にカルザイが選出された。新たに船出したアフガニスタンで絶大な存在感を示していたのは、タリバン政権を軍事力で崩壊に追い込んだアメリカである。新憲法で規定された政体は、アメリカの大統領制に倣ったものである。

新政権での主要勢力の一つは、パキスタンが支援するタリバンに対して粘り強く抵抗していた旧ムジャヒディン政権のメンバーである。同政権への支援を継続していた諸国や、イスラム過激主義の浸透を危惧していた諸国も、パキスタンが退場した新生アフガニスタンに素早い反応を見せた。その代表的な近隣諸国としては、インド、イラン、中国の3ヵ国が含まれよう。

インドは、正式政権発足に先立ち、３機の航空機と合計４００両のバスの供与を即座に実施した。その支援のなかには、インフラ整備ばかりでなく、ロシア製攻撃ヘリの供与といった軍事支援も含まれている。インドの大型インフラ支援には、南西部のイラン国境と幹線道路とを接続するザランジ・デラーラーム道路の建設、新議会議事堂の建設、西部ヘラート州でのダム建設などがある。インドによる同道路建設の意図は、イランのチャーバハール港とアフガニスタンを結ぶイラン・アフガン経済回廊（ＩＡＥＣ）の整備である。インドは、陸路によるパキスタン経由の物資輸送を、パキスタンに拒まれている。インドにとって、アフガニスタンと中央アジアに繋がるパキスタン迂回交易路の確保が不可欠であり、同回廊整備で投資を進めている。アフガニスタンもＩＡＥＣの整備に異存はない。アフガニスタンが有する唯一の海への出口は、パキスタン経由の経路しかなかった。そのため、長年、パキスタンによる国境封鎖に泣かされてきた歴史を持っている。

暫定行政機構樹立と同時に大使館を再開させたイランは、アメリカと緊張関係が継続し、厳しい経済環境下にあり、チャーバハール港とＩＡＥＣ整備へのインドの動きは歓迎である。アフガニスタンやインドによる同港を利用した中継貿易を促進するさまざまな施策を実施している。アジア開発銀行は、アフガニスタンの中継貿易の70%は、既にイラン経由に移っているとしている。さらに、イランは、２０１８年には、パキスタンに代わって、アフガニスタンにとって最大の貿易相手国にもなった。アフガニスタンとの関係強化に向けて、西部のヘラートに繋がる鉄道を建設している最中である。

イスラム過激主義の国内浸透を警戒する中国も、素早い出足をみせ、２０１３年春には新装中国大使館が姿を見せていた。中国は、イランのチャーバハール港と国境を挟んで80キロメートル程度東にあるパキスタンのグワーダルに２００３年から港湾を整備してきていた。中国内陸部と同港とを接続させる中パ経済回廊（ＣＰＥＣ）の整備を積極的に推進している。中国が提案する一帯一路構想のなかで、ＣＰＥＣは重要な南北幹線の一つを構成している。パキスタンが、インド主導のＩＡＥＣに対抗するためにＣＰＥＣを利用しようとしても不思議ではない。ＣＰＥＣのアフガニスタンへの拡大で、中央アジア諸国が身近な存在となる。ただ、アフガニスタンは、パキスタンがインド産品のパキスタン経由輸送を認めた場合に限り、ＣＰＥＣに参加するとの立場を堅持しており、アフガニスタンへの

CPEC拡大へ道は平坦ではなさそうである。

さて、これらの3ヵ国は経済的利権の獲得にも積極的である。アメリカ地質調査所の調査によれば、アフガニスタンには1兆ドルの鉱物資源が埋蔵されているという。投資リスクが大きいにも関わらず、中国は銅鉱山と油田の採掘権を、インドは鉄鉱石鉱山の採掘権を既に獲得している。また、イランは国境付近の鉄鉱石鉱山に興味を示している。しかしながら、いずれも治安悪化などさまざまな問題に直面しており、その先ゆきには不透明感が漂っている。

２０２０年2月末に、アメリカとタリバンとは和平協定に調印し、外国部隊の撤退が実現する見通しになった。中国とイランはタリバンとの接点を既に確保し、アフガニスタンの今後の推移に対応できるように身構えている。インドはタリバンとの有力な接点を有していない。インドにとっての最悪シナリオは、タリバンが現アフガニスタン政府を武力で席巻し、パキスタンの影響力が全面的に復活するような事態といえる。さらに、アメリカのイラン制裁で、インドのイランへの投資が順調に推移していないとされている。その隙間に中国はイランとの長期の巨額投資協定に調印した。インドが20年間かけて培ってきた有形・無形の財産が、一瞬にして水泡に帰す可能性さえある。外国部隊撤退後のアフガニスタンを舞台に、各国の国益・利権をめぐるせめぎ合いが激しさを増す可能性がある。

（柴田和重）

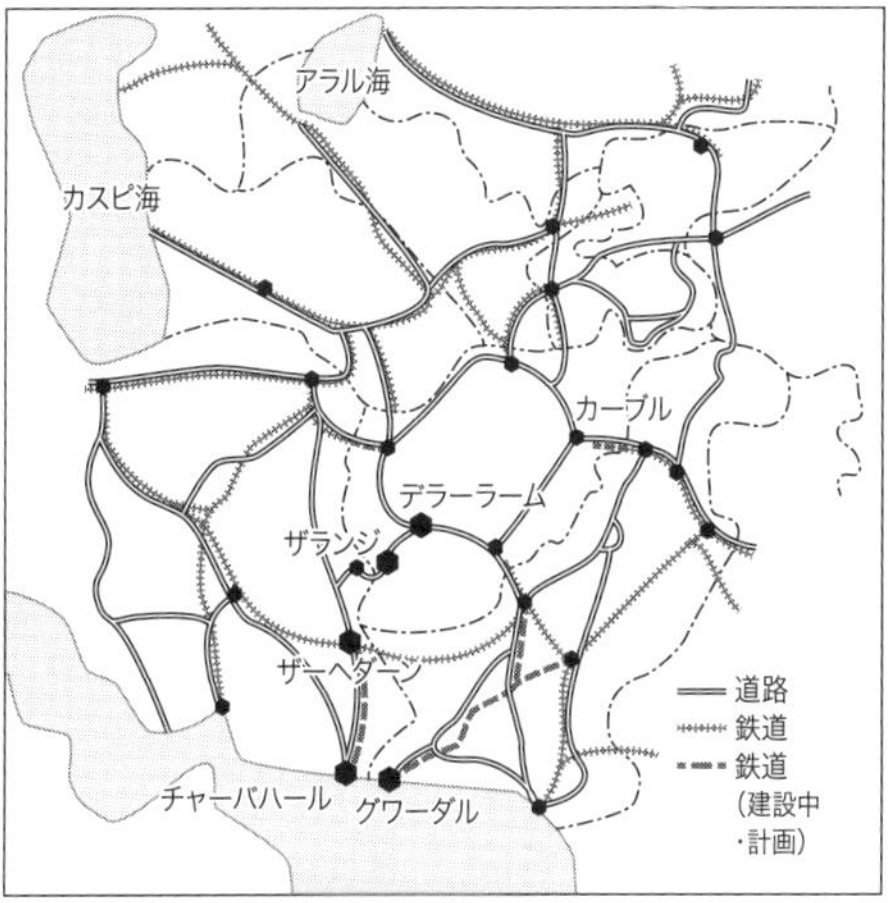

チャーバハール・グワーダル（筆者作成）

68

テロはなぜ起こるのか？

★もうひとつのサウジアラビアの「輸出品」★

テロの定義

テロとは何か？　その定義は難しい。一方にとってのテロは、他方にとっては正当な抵抗運動である場合も多い。テロは単なる殺人や破壊行為とは、もちろん違う。そこに政治的な動機がなければ、テロとは呼ばない。しかし、国家がおこなう武力の行使は、政治的な意図があって起こるが、通常は戦争と呼ばれ、テロとは呼ばれない。テロをどう定義すべきか。

ここでは、民間人に対する政治的な意図を有する比較的に小規模な暴力をテロと定義しよう。とすると、民間人とは誰かという議論になる。武装している民間人は、民間人という定義に収まるのかという疑問も出てくる。

さらに、小規模がどのくらいの規模かという議論が出てくる。定義の問題は難しい。多くの定義は妥協の産物である。テロとは民間人を標的とした小規模な暴力の行使であるとの定義も、そうした妥協点に成立している。

なんちゃってイスラムの退潮

さて、テロはなぜ起きるのか。テロとされる事象は世界各地で多数発生している。つい最近まで北アイルランドはテロの温床であった。カトリック教徒とプロテスタント教徒の間の、またカトリック教徒によるイギリスの警察などを標的とした攻撃が起こっていた。こうした事象でも、警察官を戦闘員と定義すればテロにならないし、民間人と分類すればテロとなる。イギリスの警察の場合、銃を携帯しない場合もかつては多かったので、定義問題はますます複雑である。

ここでは、アフガニスタンを中心にイスラム世界でのテロに限定して話を進めたい。2021年夏にタリバンが20年ぶりに首都カーブルに入り権力を奪回したが、テロは収まっていない。たとえばISK（「イスラム国」ホラサン州）という組織が、出国を求める人々で混雑するカーブル空港周辺で8月末に自爆テロを起こし多くのアフガニスタン市民を殺傷した。このISKは、これ以前にも病院やシーア派の宗教施設に対するテロを行ってきた。

こうしたイスラム教徒によるテロの多発の背景の一つに、ここでは焦点を当てよう。イスラム教徒によるイスラム教徒に対する、そしてイスラム以外の宗教の信徒に対してのテロが、最近になって増えてきた。具体的にはISによるヤジーディー教徒の殺害や奴隷化といった事例である。また、ISによる世界各地でのテロも、そうである。あるいは、アフガニスタンでのスーフィ（イスラム神秘主義）教団の施設に対するテロなども、ある時期以降に多発するようになった。ある時期とはいつか。そしてなぜなのか。

サウジアラビアの石油以外の輸出品

まず、なぜなのかという方から解説すると、これはサウジアラビア発のイスラム解釈であるワッハーブ派の影響の拡大が背景にある。サウジアラビアは石油の輸出国として知られているが、それ以外にも厳格なイスラム解釈を輸出してきた。それでは、なぜ厳格な解釈の輸出が起こったのか。なぜワッハーブ派の影響が拡大したのか。それは1970年代の石油危機で増大した収入を使ってサウジアラビアの宗教界が世界に自国のイスラム解釈を輸出し始めたからである。輸出は、世界各地に同国の資金で建設されたマドラサやモスクなどを通じておこなわれた。奨学金を出して学生を教育し、あるいはサウジアラビアに留学させるなどの手段でワッハーブ派的なイスラム解釈が広められた。

この解釈が国教であるサウジアラビアではキリスト教やユダヤ教などの異教の布教は許されていないし、シーア派は差別と弾圧の対象とされてきた。この世界観がイスラム世界全体に広がることで、ほかの宗教そしてほかの宗派に属する人びとへのテロが広がり始めた。

その例としてインドネシアを指摘できるだろうか。インドネシアはイスラム世界の周辺にあり、世界最大のイスラム教徒数の国である。しかし、イスラムは土着の民間信仰や先住の宗教であるヒンドゥー教などの上に薄く被さるように広がっていた。決して厳格には実践されてこなかった。日本のアフリカ研究者がアフリカのイスラムの実践のやわらかさを表現するのに使った言葉を借りれば「田舎イスラム」であった。最近の若い人びとの言葉で言及すれば「なんちゃってイスラム」的な要素を多分に含んでいた。

そうした状況をよく示す逸話がある。一時期、ビンタン・ビール社がジャカルタで開かれていたコーランの朗誦大会のスポンサーだったという。アルコールを禁ずるイスラムの教えからすると、ふさわしくないとアラブ諸国の外交団から指摘があった。その結果、スポンサーを同社は降りたという。こうしたエピソードは、かつての同国のイスラムの「おおらかさ」をよく示している。

第68章
テロはなぜ起こるのか？

ところが近年、サウジアラビア的な厳格なイスラム実践を求める動きが高まっている。インドネシアのイスラムは変化してきた。この変化に多くの識者が言及している。そのひとりはアメリカのバラク・オバマ元大統領である。オバマは幼年期をインドネシアで過ごしている。大統領としてのインドネシア訪問の感想として、イスラムの厳格化をオバマは指摘している。そして同国でテロが起きている。異端視されるアフマディーヤ教徒などが、キリスト教徒とともに標的にされている。

同じようにパキスタンもイスラム世界の周辺にある。そのイスラムも、緩やかな表情を見せていた。例を挙げよう。パキスタンでも伝統的にスーフィ教団が多くの信徒を集めてきた。ワッハーブ派が敵視するイスラムの流れである。例を続けよう。同国の建国の父ムハンマド・アリー・ジンナーは、イギリス留学の影響もありソーセージを食べていたし、ウイスキーをたしなんでいた。現在のパキスタンでは、指導者がおおっぴらに豚肉やアルコールを口にするという状況は想像しにくい。

パキスタンのイスラムも急進化してきた。多くの要因があるだろうが、その一因は、やはりサウジアラビアの影響である。同国の資金によるモスクやマドラサの建設があった。特に、パキスタンの場合には、1979年のソビエト軍のアフガニスタン侵攻以来、対ソ戦の前線基地となり、サウジアラビアをはじめ世界から武器と資金とオサマ・ビンラディンなどの急進派が流入した。そして、同国に難民として流入していたアフガニスタンの人びとの間にも、急進的なイスラムが浸透した。

サウジアラビアでの改革にイスラム世界全体が注目している。その理由の一つは、同国の宗教界の穏健化が、世界各地でのイスラムの名のもとでのテロの減少に寄与するのではないかとの期待があるからだ。

（高橋和夫）

69

新たなアフガニスタンをめざして

★新生アフガニスタンに立ちはだかる高い壁★

２０１８年7月、アメリカはアフガニスタン戦争終結をめざして、タリバンとの直接和平交渉を開始した。アフガニスタン和解担当特使に任命されたのは、アフガニスタン系アメリカ人ザルマイ・ハリルザドである。タリバンの外交事務所があるカタールのドーハで、10月から直接交渉が開始された。紆余曲折を経た２０２０年2月29日、アメリカ・タリバン和平協定が調印に至り、14ヵ月以内の外国部隊の完全撤退が取り決められ、新生アフガニスタンへの道が開かれた。

振り返ってみると、アフガニスタン再建への動きは、20年ほど前にもあった。２００１年11月のタリバン政権崩壊後、欧米の軍事支援と国際社会の開発支援で、荒廃した国土復興への歩みが始まった。２００４年1月に新憲法が承認され、アフガニスタン・イスラム共和国の初代大統領選挙が同年10月に実施された。米アジア財団がアフガニスタンで２００４年に実施した世論調査では、将来を楽観視する「アフガニスタンは好ましい方向に向かっている」との回答が65％を占め、悲観的な回答を数倍上回っていた。平和で安定したアフガニスタン復興への期待感が溢れていた証であろう。

第69章

新たなアフガニスタンをめざして

しかし、この期待は裏切られた。タリバンは、政権崩壊直後のショック状態から息を吹き返し、軍事行動を強化していった。さらに、経済復興は遅々として進まず、失業率は高止まりのまま推移するとともに、アフガニスタンの「風土病」ともいわれる汚職が蔓延り、人びとの暮らしを苦しめ続けていた。現状に失望した多くの者が、危険を顧みずにイラン経由で欧州をめざし、母国を脱出していった。

非政府機関の調査分析では、タリバンの反政府活動拡大を可能にしたのは、パシュトゥン主体の単一民族組織から多民族複合組織への脱皮であると指摘している。その裏には、パキスタンが関わっている。タリバンの母校であるパキスタンのデーオバンド系神学校には、非パシュトゥン居住地域からの多くの若者も学んでいる。神学生は寄宿舎で共同生活を営み、学費と生活費が免除されている。経済的に恵まれない家庭の子息が、神学校で学ぶ道を選択しても不思議ではない。タリバンは、神学校でイスラム過激思想に染まった非パシュトゥン神学生を組織的に勧誘し、主に北部や西部の非パシュトゥン居住地域に戦闘員や行政官として送り込んで、タリバンの土着化を推進した。その結果、タジクやウズベクが数的に優位な北東部や北西部の地域に、橋頭堡を確保することに成功した。2015年の世論調査で、母国の将来を悲観視する回答が57%、楽観的な回答が37%となり、初めて傾向が逆転した。それ以後も同傾向が継続している。悲観的な理由として、回答者の70%強は治安悪化を選択している。2001年以降の国土再建への試みは、タリバンの勢力拡大が主因となって期待外れに終わった。

2020年2月のアメリカ・タリバン和平協定締結で、持続的な安全・安心実現への期待感が再度高まった。アメリカは、14ヵ月以内の外国部隊完全撤退を約束し、タリバンは、アメリカや欧州諸国に安全保障上の脅威を及ぼす団体や個人との関係断絶を誓約した。さらに、アフガニスタン政府とタリバンの双方による「捕虜」交換を条件に、政府とタリバンの直接和平協議の開始も取り決められた。直接協議への期待感が高まる一方、和平実現の危うさばかりか、和平協定崩壊の可能性さえ指摘されている。タリバンがイスラム過激集団との関係を現在も維持しているとの国連などの報告や、タリバン内での和平支持派と軍事優先派の対立を示唆する報道もある。

期待と懸念が交錯する直接協議への一般庶民の見解に関する世論調査結果が公表された。カーブルの独立系シンクタンクが、8月上旬に、34州を対象に携帯電話を使用した世論調査を実施し、5千人弱から得た回答を分析した。直接協議での優先協議事項（複数回答）では、79％が平和・安全、28％が人権、21％が経済開発と回答。直接協議で合意される好ましい統治形態では、75％が共和制、7％が首長国制、6％が両形態の混合体と回答。憲法に関しては、32％が現行憲法を維持すべき、25％は維持すべきでない、32％が維持も改正が必要と回答。タリバン戦闘員の処遇では、45％は治安機関への統合、42％は武装解除、5％は現状維持と回答。一般庶民は、平和・安全の実現を強く願っており、政治面では現体制の大幅変更には消極的で、タリバンによる現体制受入が好ましいと考えているといえよう。

さて、アフガニスタンの将来に重要な直接協議は、和平協定調印から半年余り経過した9月12日から、ドーハでやっと始まった。これまでの経緯を踏まえれば、短期間で妥結に至る可能性は低いように思われる。それを裏付けるように、少人数で構成の接触グループが、正式協議の議題や前提条件などの基本的問題を協議しているが、9月末段階で合意に至っていない。直接協議をさらに複雑化さ

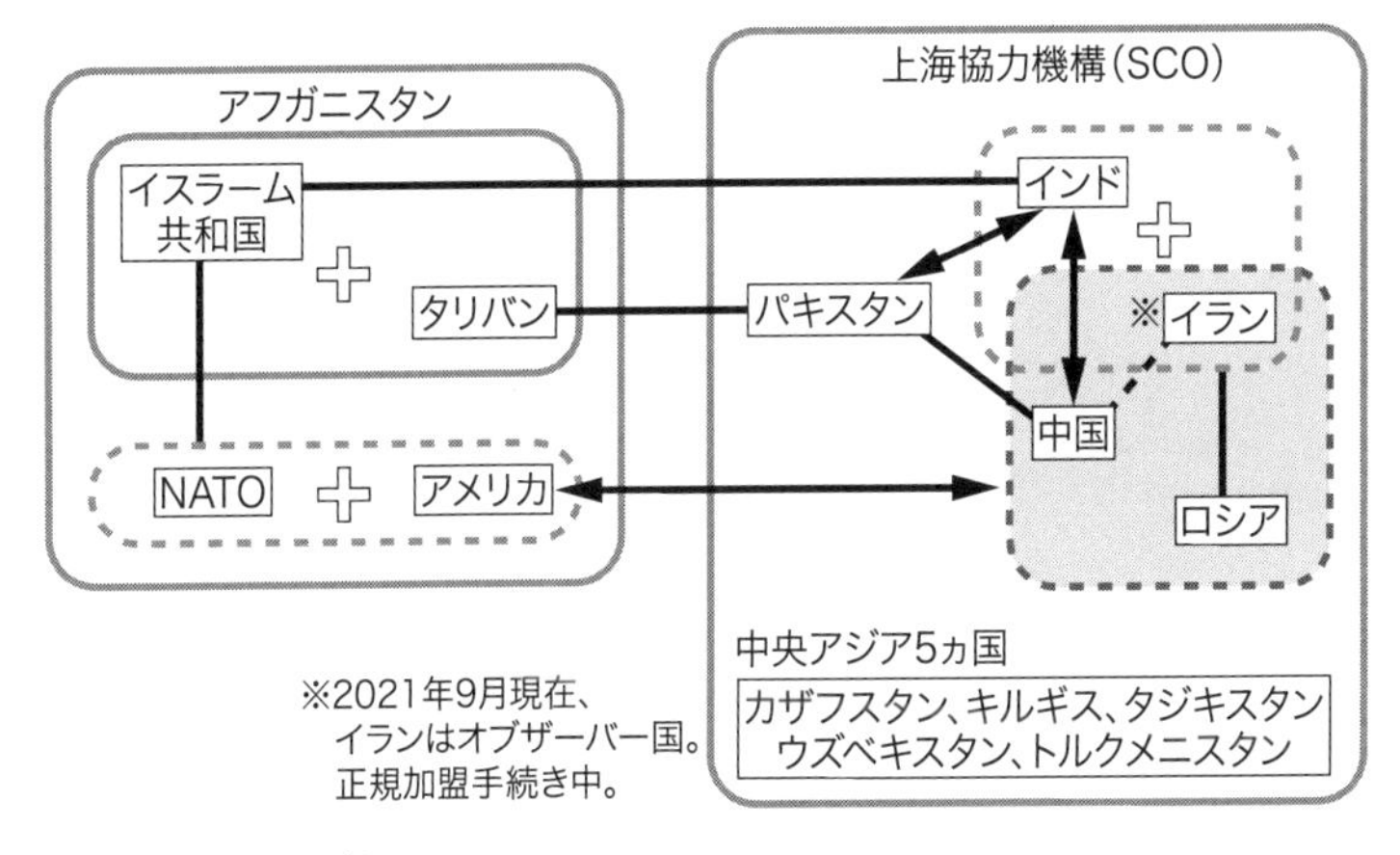

各国関係図（筆者作成）

せる存在が周辺国であろう。厳しく対峙するインドとパキスタンは、アフガニスタン政府とタリバンのそれぞれを支援し、その後方には大国のロシアと中国が控えている。さらに、西隣には、アフガニスタンに強い影響力をもつイランが存在している。中国・ロシアおよびイランのアメリカとの関係は冷却化しており、それぞれの思惑が直接協議のなかで交錯することになる。世論調査で示唆された庶民の願いがかなうのかどうか、すなわち、最終的な政治的決着が如何なるものになるのか、そして、それが持続的な安全・安心の実現につながるのかどうかは、予断を許さないといわざるを得ない。直接協議が空転するなか、外国部隊が完全撤退し、最悪の軍事的決着に至ってしまう可能性も否定できない。

さらに、政治決着で和平が実現しても、経済的に安定した生活が得られる保証はない。世界銀行によれば、アフガニスタンは歳出の約75％を外国支援に依存しており、歴史的に財政面での問題を抱え続けている。財政自立化への厳しい現実を見据えた施策が必要になる。雇用創出が期待できる産業の育成が当然必要であり、その産業育成から期待通りの成果を得るには、全土での安全・安心の実現と蔓延する汚職の一掃や教育の充実による人材開発などの社会改革が必須条件となろう。克服していくべきハードルは高い。

トランプ政権を引き継いだバイデン政権は、アメリカ・タリバン和平協定の見直しを実施し、最終的には、2021年8月末での米軍撤退の完了を表明した。その撤退完了時期が迫る中で、直接和平協議は行き詰まり状態のままであり、タリバンは全土で攻勢を強めて支配地域を拡大している。アフガニスタンの現状は、平和を願う多くの庶民の思いとは裏腹に、予想し得る中で最悪の状況に向かっているように思われる。安全で平和な社会への脱皮には、まだまだ紆余曲折が待ち構えていそうである。切に願わずにはいられないのは、持続的な平和の中で成長した戦争を知らない世代がアフガニスタンの屋台骨を支えている平凡で落ち着いた社会の実現である。

（柴田和重）

70

明日への希望

★アフガニスタン人との絆★

1988年から1992年までイランのテヘラン大学に留学していた私（山内）は、最初の頃、大学の寮に住んでおり、そこにふたりのアフガニスタン人がいた。名前は忘れてしまったが、それが私とアフガニスタンとの初めての出会いであった。ふたりとも同じテヘラン大学に留学していた学生で、奇しくもバーミヤンの出身であった。彼らの卒業も間近になった頃、軽い気持ちで、卒業したらどうするつもりなのかと尋ねたところ、ふたりはバーミヤンに戻って故国と故郷の人たちのために戦うつもりだと穏やかな口調で答えていた。卒業を機に彼らは寮を去り、それきり二度と会うこともなかった。ずっと後になって、バーミヤンで文化遺産の保護活動に携わることとなった私はそのふたりの学生を探そうとして人に聞いてみたものの、ふたりの消息は杳として知れなかった。多くの人が死傷した長い内戦のなかで、既に命を失って久しかったのかもしれない。隣国のイランに長らく住んでいたにもかかわらず、アフガニスタンについての私の当時の関心は薄く、難民、そして建設労働者として働くアフガニスタン人がいることは知ってはいたものの、当然ながら、自分自身がアフガニスタンに行くことになろうとは夢にも思っていなかった。

イランから帰国後、平山郁夫先生の「シルクロード研究所」に勤めていた私は、ある日、平山先生に呼ばれ、情報文化省とユネスコが首都カーブルで開催する「アフガニスタン文化遺産復興国際セミナー」に出席するので同行するようにと告げられた。平山先生ご夫妻に同行して、アフガニスタンの地に初めて足を踏み入れることになったのは2002年5月のことであった。空港に降り立ち、カーブルの町を見たときの印象はまさに衝撃的であった。車に乗って町に入ると、道の両側の煉瓦造りの建物が見渡す限り一面、すべてぺしゃんこに潰れ、瓦礫の山となっていたのである。わずか半年前までこの国でおこなわれていた戦闘の凄まじさをまざまざと思い知らされた瞬間であった。例えは悪いかもしれないが、どこからか現れた巨人が建物をすべて踏み潰し、忽然と去って行ってしまったかのような奇妙な感覚に襲われた。それと同時に、一体どうすれば、このカーブルが、そしてアフガニスタンが復興できるのだろうかと感じたのを今でも覚えている。

国際セミナーに先立ち、戦闘のさなかに破壊されてしまった国立博物館を訪れることとなった。にこやかに迎えてくれたのはマスーディ（前館長）、博物館の正面入り口には“A Nation stays alive when its culture stays alive”と記された横断幕が掲げられていた。日本語では「文化が生き残れば、国もまた生き残るであろう」と訳されているが、ダリー語では「自らの文化を生き続けさせる限り、国は生き続ける」と記されており、文化、そして国に対するアフガニスタン人の強い思いが込められたものであった。「アフガニスタンは文明の十字路である」といわれることが多い。「文明の十字路」という言葉は美しい響きを感じさせるが、博物館に掲げられた一文は、さまざまな民族がゆき交い、

第70章
明日への希望

いくつも王国が登場しては消え、常に周辺の政治権力の影響を受け続けてきたこの土地に住み、そして生き抜いてきた人たちのたくましさを感じさせるものであった。

２００２年９月以降、私たちはバーミヤンの文化遺産の保護活動に携わるようになった。バーミヤンにも、アフガニスタンにも行ったことがない世代の研究者がこのような活動をおこなうことができたのは、かつて京都大学や名古屋大学、成城大学といった日本の大学と日本の研究者がおこなった研究の成果があったればこそである。１９７９年のソビエト軍の侵攻以降、２００１年まで続いた戦闘は実に20余年にもわたるものであり、アフガニスタン研究にとっては大きな断絶であったが、バーミヤンという舞台が再び登場したことで、世代を越えて繋がることが可能となった。それとともに、私たちの活動の大きな励みとなったのは、ともに活動したドイツ人やイタリア人のチーム、そして何よりもアフガニスタン人の研究者や地元バーミヤンの住民たちの協力である。２００３年に「バーミヤン渓谷の文化的景観と古代遺跡群」としてユネスコ世界遺産に登録され、文化遺産の保護が優先されたことでインフラ整備や地域開発が滞り、不平や不満が募るなかでありながらも協力してくれたのはバーミヤンの人たちであった。今思えばつかの間の平和な時代であったのかもしれないが、この時に築いた信頼関係や友好関係は、今に至るまで続く、私たちとアフガニスタン、そしてバーミヤンの人たちを繋ぐ絆となっている。

残念なことに、２０１３年を最後に、バーミヤン、そしてアフガニスタンに行くことができない状況が続いている。治安の悪化がその主な理由である。２０１９年にはペシャワール会の中村哲医師が銃撃されて死亡するという痛ましい事件も起こった。こうした厳しい状況にはあるものの、その間、

2016年には日本で特別展「黄金のアフガニスタン――守りぬかれたシルクロードの秘宝」、そして「素心 バーミヤン大仏天井壁画」が開催され、またそれを機に日本において保管されていたアフガニスタンの流出文化財も返還されることとなった。平山先生の願いが実ったときでもあった。また、文化庁の文化遺産国際貢献事業の一環としてアフガニスタン若手専門家の人材育成や技術移転、住友財団などの支援を受けたアフガニスタンのメス・アイナク遺跡から出土した壁画の保存修復も実施されている。さらには、2019年に日本のODAの一環として「バーミヤンにおける世界遺産の持続可能な管理計画（ユネスコ連携）」の実施が決定され、2021年には実質的な活動が開始されることになる。

日本とアフガニスタンの外交関係は、1930年11月19日に署名された修好条約を機に始まった。2021年は日本とアフガニスタンの外交樹立90周年に当たる。1971年6月には、当時は皇太子同妃両殿下であった上皇上皇后両陛下がアフガニスタンを訪れ、バーミヤンを視察されたこともある。20余年という戦争による断絶もありながら、日本とアフガニスタンは90年もの長く、深い関係を築いてきた。その一方で、現時点では、治安が不安定なためにアフガニスタンを訪れることが難しい状況にあるのも事実である。

本書は、平和な時代にアフガニスタンを訪れ、その国と人に魅了された人たち、そして、それを知らない人たちによって生み出されており、それぞれの時代や状況で出会った人と人の繋がり、そして思いが書き記されている。これこそが遠く離れた二つの国を結び付けているものであり、日本とアフガニスタンの明日への希望と繋ぐ鍵となろう。

（山内和也）

幻想の未来

コラム12　前田耕作

アフガニスタンは先史以来数千年に渉って千変万化の歴史と文化を織り上げてきた。近代国家としてのアフガニスタンは、既に千数百年に渉ってイスラムを奉じる敬虔な国であったが、新たに「アジアの十字路」に位置することを自覚的に捉え、それゆえに産み出され、織り成された多彩な歴史・文化を基層とする国造りをめざした。

アマヌラ・ハーンの夢は幻となって消え去ったが、他国の支配をはねのけたアフガニスタンは独立国家として先進諸国のさまざまな干渉をはねのけて、世界史の一角に揺るぎのない位置を占めるに至った。インド駐在武官であった谷寿夫（ひさお）がカーブルを訪れたのはアマヌラ・ハーンの治世4年目の1922（大正11）年のことであった。アフガニスタンを訪れた最初の日本人で、『阿富汗斯担国視察報告』（1922年12月）を残している。この報告のなかに「仏国人フーセ夫妻（古仏学者にして近く同国古仏発掘のことに従事せんとす）」との記述が見える。「フーセ夫妻」とは既に『ガンダーラのギリシア的仏教美術』（1905年）の著作で令名を馳せていた仏像研究者アルフレッド・フーシェとその夫人ウジェニー・バザン＝フーシェであることはいうまでもない。彼らは谷がカーブルに入る3ヵ月前、9月に「アフガニスタンに於ける考古学的発掘の特権授与に関わる協定文書」に署名したばかりであった。おそらく谷はフーシェ夫妻に逢うことはなかっただろう。彼らは11月、既にカーブルを発ち、バーミヤンとバルフを訪れる旅に出ていたからである。

谷がアマヌラ・ハーンに謁見したとき、王は「日本と国交を開きたいのだが、日本はあまり関心がないようだ」といわれたという。192

5年5月、貴族院議長官舎でおこなわれた「アフガニスタンの近況」と題された講演会の一節である。事実谷は外務大臣マフムード・タルズィーから両国の間で親善関係を樹立したい旨の書簡を預かっていたのである。

　この年の秋10月、田鍋安之助が入り、国王に謁見し、大正天皇宛の親書を託される。田鍋が帰路をカーブルからバーミヤンを経てバルフに至り、アム・ダリアを渡る道程をとったのは、谷からフーシェの率いるフランス考古学隊の活動を聞いていたからであろう。バーミヤン滞在のときに田鍋が残した一句がある。「我宿は千年昔の御仏前」。我が宿とは、谷を挟んでバーミヤンの東大仏と向き合う丘の上に建てられた木造の古宿のことであろうか。

　私が1964年に逗留したときも、バーミヤンにはこの国営の旅籠しかなかった。谷を流れる川と吹き抜ける風の音が聞こえるこの宿で、ほの暗いランプのゆらめく光りを頼りに毎夜フランス隊の最初の報告書『バーミヤンの仏教古址』（1928年）の翻訳に取り組み、訳了したことは忘れ難く、『巨像の風景』に書き留めた。

　田鍋安之助の後、バーミヤンを訪れたのは尾高鮮之助であった。1933年4月にバーミヤンに入り、「コダック社製のシートフィルム（9×12センチメートル）」をもってゆき、多くの貴重な写真を撮った。『印度日記』に掲載されたバーミヤンの写真はそのうちの11カットである。尾高が宿泊した場所は、「ガヴァナーハウス」と記され、土造の平屋が写されている。田鍋安之助が泊まった宿もここだったかもしれない。尾高がバーミヤンで撮影した写真は、実際はもっと多く、他の乾板フィルムとともに東京文化財研究所に残され保管されているにちがいない。尾高は旅行の途次、上海でシネコダックも購入しているので、それも携えていたと思われる。

　2001年3月、タリバンによって爆破された二体の大仏は、西伝した仏教の記念碑的象徴であったが、イスラム諸国の説得を無視し、人類共通の文化遺産に対する敬意を見失った行為によって破壊された。文化も宗教もひとしく「幻想」といい放ったフロイトの内意に満ちた痛切な言葉が身に沁みる。しかし、私たちはこの「幻想」に未来を賭ける。イスラム共和国アフガニスタンが、「無戦火」という「幻想」を手元に引き寄せたとき、あの比類なく多元な文化もまた色とりどりに甦るにちがいない。そしてあらゆる国の人びとがアフガニスタンをめざす旅に出るだろう。

補論　アフガニスタン情勢の変化

２０２１年8月15日、急速に勢力を拡大したタリバンは首都カーブルを制圧した。アシュラフ・ガニ大統領は飛行機でアラブ首長国連邦に脱出し、政権は崩壊した。

20年前、九・一一同時多発テロに端を発した対テロ戦争でタリバン政権が崩壊すると、タリバンは南部を拠点に反政府活動や選挙妨害、国際治安支援部隊への攻撃を繰り返していた。カルザイ政権とタリバンは２０１０年に和平交渉を開始したが、交渉は結実しなかった。タリバンは２０１１年にアメリカとの交渉を開始、２０１３年にカタールに事務所を開いた。

長年の交渉の結果、２０２０年2月、トランプ政権とタリバンとの間で、米軍の撤退と、アフガニスタンをテロの温床としないことなどを条件とする合意文書が交わされ、米軍の撤退が始まった。九・一一事件から20年を迎える２０２１年8月末に米軍の完全撤退が目論まれていた矢先、タリバンは無血開城の形で、いとも簡単に首都を制圧した。タリバンの代表は２０１６年に就任したハイバトゥッラ・アフンザダだが、実質的な指導者はカタールでアメリカとの合意文書を交わしたアブドゥルガニ・バラーダルであった。バラーダルは首都制圧後にカタールかカンダハール経由でカーブルに入った。

タリバンの急速な勢力拡大は、拠点である南部のみならず、カーブルを取り囲むように西部や北部を制圧する形で進んだ。アメリカは、70万人ものアフガニスタン国軍が首都を守るとの観測を示したが、国軍が戦闘することはなかった。故アフマド・シャー・マスードの故地で、マスードの息子アフマド・マスードが指揮を執るパンジシェール渓谷などではタリバンに対抗する動きも見られるが、マスードは戦闘を回避し、対話による対立の解消を目指す姿勢を見せた。

タリバンの指導者もまた、敵対勢力や汚職の疑いのあった人物などに対し恩赦を行うと述べて、戦闘の回避を表明した。タリバン指導層はカーブルでカルザイ元大統領やアブドラ・アブドラ行政長官らと会談し、政権移譲を含む今後についての協議を行うとともに、テレビで女性キャスターとの対話の模様を放映したり、女性の社会進出について、イスラーム法の範囲内で許可する旨を繰り返し述べた。

タリバン指導層のこうした発言とは裏腹に、タリバン兵士らは銃を片手に町中を徘徊し、発砲事件も起こった。また、タリバン指導層が恩赦や女性の社会進出の許容を掲げつつも、米軍に加担していた人物や女性への圧力は続き、市中は大混乱となった。国外へ脱出しようとする人々はカーブル空港に殺到し、死者が出る騒ぎとなった。

１９９６年と２０２１年のタリバンの首都制圧の違いは、前者の場合、内戦から治安回復を訴えて決起したタリバンを、一時的ながら支持した人々がいたのに対し、後者の場合、治安を悪化させていたのがタリバンである点である。前者の場合、首都制圧後も内戦が続いたことや、人権抑圧的な政策が市民をタリバンから離反させた。２０２１年の首都制圧について、市民が圧政を恐れたのはこの過去の記憶のためであった。タリバン主導部が融和的な態度を示すものの、兵士らの統率ができていないことが、タリバンに対する印象を悪化させている。

国際社会でもタリバンをめぐる対応が分かれた。カナダやドイツはタリバン政権を認めないと断じたが、中国やロシアは見守る姿勢をとった。中国は、タリバンが席巻する1か月前の7月末にバラーダルを含むタリバン代表団を天津に招き、アフガニスタンの安定について意見交換を行い、バラーダルは中国を友好国として称賛した。中国は、2011年にウサーマ・ビン゠ラーディンがパキスタンで殺害されて以降、アメリカがパキスタンやアフガニスタンへの関心を低下させた機会にこの地域に進出し、一帯一路やCPEC（中パ経済回廊）計画によって道路や発電所建設などパキスタンでのインフラ整備を進め、アフガニスタンへの通商路の延長計画をアフガニスタン政府に投げかけていた。タリバンが政権を樹立し、中国の一帯一路構想の傘下に入ると、それまでインドと接近していたアフガニスタン政府との対立を繰り返していたパキスタンにとっては好機となり、中国やパキスタンと対立するインドにとっては、対アフガニスタン外交政策の練り直しを迫られることとなる。

米軍撤退がタリバンの首都制圧を招いたという意見から、アメリカ国内では米軍駐留の延長を求める意見も出たが、タリバンもまた米軍の駐留に反対し、米軍の撤退は進められた。ただ、バラーダルがカタールからアフガニスタン入りした際に米軍機を提供したり、首都制圧直後に中央情報局長官がカーブル入りしてタリバン等と面会するなど、アメリカもまたアフガニスタンにおける影響力を維持する動きを示した。かくして、冷戦時代に米ソがアフガニスタン政府との関係構築を図ったように、アメリカと中国がこの国を舞台に影響力を競う状況となっている。

（山根 聡）

あとがき

アフガニスタンの和平の行方はなお混迷のうちにあって、望まれる地平はまだ見えてこない。いっぽう世界もまたなおコロナ禍の渦中にあり、まだ明るい展望はどこからも開けてきていない。

こうした険しい世界閉塞の状況の中にあるが、今年２０２１年は、わが国とアフガニスタンが修好条約を結び、その公布（１９３１年７月）をしてから90周年の記念すべき年に当たる。

困難な時代であるからこそ、長年戦火に苦しみあらがうアフガニスタンを主題にした記録を残そうと、『アフガニスタンを知るための70章』の出版を明石書店へ申し出て快諾をえ、関根正男、前田耕作、山内和也が企画し、項目を作成し、作業を進めた。最初に執筆を依頼した方々の協力によっていっそうの勇気をいただき、いまここにアフガニスタンに関する画期的な一本を産み出すことができました。改めてこの企画に加わって下さったすべての方々に深くお礼申し上げたい。

また、最終的な編集作業の柱となった用語の統一、長母音等の扱い方の整理など難題の処理に多大な力を注いでくださった加藤まゆみさんにも心からお礼申し上げます。とりわけイラン系言語の長母音の取り扱いには苦慮しましたが、どこまでも読者に読みやすく、記憶に留めやすく、を基準にして取捨しましたこと、ご寛恕下さいますようお願いいたします。

本書出版に惜しまない協力を頂いた明石書店社長の大江道雅さん、編集作業の指揮を執って下さった長島遥さんに深甚の感謝の意を表します。

最後に、本書の出版にさまざまな形で激励を頂いたアフガニスタンを愛する方々、アフガニスタンに関心を持たれている方々、消えない戦火に心痛めておられる方々、世界史の一週で独自の灯をともし続けているこの国にほのかな関心を寄せられている方々、まだアフガニスタンを知らない方々、そのすべての方々に新しく編み上げられた一書を手渡せる機会を頂けたことを感謝申し上げたい。

2021年8月

編集者一同

追記

コロナ禍がいよいよ勢いを増すなか基本的な編集作業は8月に終わったが、そのときアフガニスタンに迫りつつあった情勢の変化に憂慮を重ねていた。国内事情を優先したアメリカ軍の撤退の期限が近づくと、政権の崩壊はほとんど一瞬のできごとであった。タリバンが政治の主導権を握ってアフガニスタンの未来はどうなるのか、いまはまだ混沌としてその行方を見定めることはできない。単純で合理的な敬神はムハンマドの教えたものであったが、決して寛容を失うことはなかった。タリバンがいかなる政策を打ち出すのか、人々とともに、アフガニスタンの文化的遺産である多様性をどのように包摂し、イスラームの明澄に繋げてゆくのか。非道はムハンマドがもっとも厳しく批判したものである。アフガニスタンのこれからの行方に私たちはまなざしを注ぎつづけるだろう。

資料2　アフガニスタンと日本の交流・年譜

年次	アフガニスタン・世界の出来事	日本の動き
2010(平成22)	ファテミ駐日大使	歌手のウスタード・グルザマーン来日、十和田・名古屋・東中野で公演（グルザマーンが鎌倉訪問、案内・暮田愛）
2011(平成23)	ビンラディン殺害	高橋礼一郎・駐ア大使
2012(平成24)	「アフガニスタン支援国際会議」を東京で開催 メセ・アイナク遺跡危機	高橋博史・駐ア大使
2013(平成25)	タリバンのオマル死去（2年後判明）	日本の無償資金協力で「アフガン・日本感染症病院」完成
2014(平成26)	大統領にガニを選出、アブドラが行政長官の挙国一致政府 国際治安支援部隊がアフガニスタン政府に治安権を渡す	
2015(平成27)	ハルン・アミン元駐日大使が死去	
2016(平成28)		「黄金のアフガニスタン」展　(九州国立博物館、東京国立博物館) 「アフガニスタン特別企画展」（東京藝術大学） 「アフガニスタン流出文化財」母国に帰還 鈴鹿光次・駐ア大使
2017(平成29)	米、トランプが大統領に バシール・モハバット駐日大使	
2019（令和1）	大統領選挙でガニが再選	中村哲医師が、ナンガルハール州で殺害される
2020（令和2）	タリバンと米が「和平協定」に調印 ドーハで政府とタリバンの和平協議開始（9月）	コロナ・ウイルス世界で蔓延 岡田隆・駐ア大使
2021（令和3）	タリバンが首都カーブル制圧(8月15日) 外国軍の撤退完了（8月30日） タリバンが全土制圧を発表（9月6日)、暫定内閣を発表（9月7日）	東京オリンピック・パラリンピック 日本・アフガニスタン国交樹立90周年〈終りの彼方　バーミヤン青の弥勒復元展〉（東京藝術大学美術館）

年次	アフガニスタン・世界の出来事	日本の動き
2001(平成13)	タリバンがバーミヤンの大仏を完全に破壊 マスウードが暗殺される アメリカ・ニューヨークの世界貿易センタービルなどにハイジャック機が突入(9.11同時多発テロ事件) 米英がアフガニスタン空爆を開始 パキスタンがタリバンと断交	「アフガニスタン流出文化財保護日本委員会」(委員長・平山郁夫)設立 雑誌『アイ・ハヌム』(加藤九祚1人雑誌)創刊 第1回「アフガニスタンの会」(代表、敷田耕一郎)
2002(平成14)	『アフガニスタン復興新国際会議』を東京で開催 「アフガニスタン文化遺産復興国債セミナー」をカーブルで開催 ロヤ・ジルガで元首にカルザイを選出 新国旗制定 ジャムのミナレットを世界遺産に登録	「カレーズの会」設立 (代表、レシャード・カレッド) 日本大使館再開 駒野欽一臨時大使着任、後に駐ア大使
2003(平成15)	憲法草案公表 国名「アフガニスタン・イスラーム共和国」に バーミヤン渓谷を世界遺産・危機遺産に登録	「アフガニスタン　悠久の歴史展」(東京藝術大学美術館) ユネスコ日本信託基金によるバーミヤン遺跡の保護・修復事業始まる
2004(平成16)	カルザイを大統領に選出 ハルン・アミン駐日大使	奥田紀宏・駐ア大使 「アフガニスタン文化研究所」設立 (所長、前田耕作) 「名古屋アリアナ平和基金」設立 (代表、横山時代)
2005(平成17)	アフガニスタン総選挙 アフガニスタンで「おしん」放送開始	龍谷大学アフガニスタン仏教遺跡学術調査 イスタリフの陶工13人来日、各地で陶芸を学ぶ
2006(平成18)	新国歌発表	小菅淳一・駐ア大使
2008(平成20)		佐藤英夫・駐ア大使
2009(平成21)	ハキミ駐日大使	広木重之・駐ア大使

資料2　アフガニスタンと日本の交流・年譜

年次	アフガニスタン・世界の出来事	日本の動き
1977（昭和52）		北田初代公使死去、前田利一大使
1978（昭和53）	人民民主党が政権を握る	日本の援助でカラーテレビの放送開始
	『アフガニスタン人民共和国』となる	
1979（昭和54）	アミンが実権を握る 人気歌手のアフマド・ザーヒルが暗殺される ティリア・テペの発掘 ソ連の侵攻	ソ連軍にアフガニスタン侵攻に対して「アフガニスタンを愛する会」を結成
1980（昭和55）		前田大使に帰朝命令
1982（昭和57）		和光大学に初めて「アフガニスタンの歴史と文化」の講座を設置
1988（昭和63）	ソ連軍撤退始まる（89年2月完了）	カメラマンの南条直子、地雷で死去
1989（平成1）	ソ連軍撤退完了	
1992（平成4）	米ソ武器供与停止 ナジブラ政権崩壊 ムジャヒディンが首都を無血制圧	
1994（平成6）		「宝塚・アフガニスタン友好協会」設立（代表、西垣敬子）
1996（平成8）	タリバンがカーブルに入城	
1997（平成9）	国名を『アフガニスタン・イスラム首長国』に変更 パキスタンがタリバン政権を承認	
1998（平成10）	タリバンがバーミヤン大仏を破壊 米、アフガニスタンとスーダンに報復攻撃 サウジアラビア、タリバンと外交関係凍結	
1999（平成11）		第1回「アフガン研究会」開催　（縄田鉄男主宰）

年次	アフガニスタン・世界の出来事	日本の動き
1956(昭和31)	アフガニスタンが大使館開設、マジッド・ハーン大使	映画『カラコルム』公開
1958(昭和33)		仲内憲治大使。アジア大会が東京で開催
1959(昭和34)		勝藤猛カーブル大学留学
1960(昭和35)		縄田鉄男カーブル大学留学
		京大学士山岳会が最高峰ノシャック山(7490m)に初登頂
1961(昭和36)	アフガニスタン、パキスタンと断交	広瀬節男大使
1963(昭和38)		「アフガニスタン古代美術展」(日経新聞主催)
1964(昭和39)	サーラング峠が完成 ザーヒル・シャーがアイ・ハヌムを発見	真崎秀樹大使 海外渡航解禁(持ち出し500ドル限度) 第1次名古屋大学アフガニスタン学術調査隊 東京オリンピック
1966(昭和41)	タラキら機関誌『ハルク(人民)』を発行	
1967(昭和42)		「兼高かおる世界の旅」でアフガニスタンを3回放映
1968(昭和43)	カルマル機関紙『パルチャム(旗)』を発行	
1969(昭和44)	ザーヒル国王訪日	第二次名古屋大学アフガニスタン学術調査隊
1970(昭和45)	アフマド・シャー皇太子夫妻訪日	大阪万国博覧会
1971(昭和46)		皇太子・美智子皇太子妃アフガニスタン訪問 『ハルブーザ』(古曳正夫主宰)創刊(368号まで発行) 映画『ホースメン』公開
1973(昭和48)	ダウドが政権を奪取、共和制に	山田淳治大使
1975(昭和50)		『月刊シルクロード』創刊 (1981年2月56号で終刊)
1976(昭和51)		「日本・アフガニスタン協会」設立(会報「日本・アフガニスタン協会」発行)

資料2　アフガニスタンと日本の交流・年譜

年次	アフガニスタン・世界の出来事	日本の動き
1929（昭和4）	アマヌラ・ハーン失脚 ハビブラ・ハーン（タジク人）が政権を握る ナーディル・ハーンが即位	村田昌三がヘラートに入る
1930（昭和5）	日本アフガニスタン修好条約の調印（批准は1931年）	
1931（昭和6）		高垣信造、柔道指導で入国
1932（昭和7）		尾高鮮之助、学術調査で入国
1933（昭和8）	駐日アフガニスタン公使館開設 初代公使のタルズィーが着任 ナーディル・シャーが暗殺される	日本国際連盟脱退
1934（昭和9）	ザーヒル・シャーが国王に即位 アフガニスタン国際連盟に加入	駐アフガニスタン公使館開設 北田正元初代公使が着任 「日本アフガニスタン倶楽部」の設立 尾崎三雄農業指導で入国
1936（昭和11）	留学生6名が訪日	
1938（昭和13）		守屋和郎公使
1939（昭和14）	スル・ファカル・ハーン公使着任	
1941（昭和16）	アフガニスタン経済使節団が来日	小林亀久雄公使 「日本アフガニスタンクラブ」が「アフガニスタン協会」に改称
1942（昭和17）		七田基玄公使
1943（昭和18）	留学生6名がシベリア経由で帰国	
1946（昭和21）	日本公使館員引き揚げでパキスタンの国境までアフガン軍が護衛する	
1947（昭和22）	パキスタン、インド独立	
1951（昭和26）		日本、29カ国と国交回復（アフガニスタンとも）
1954（昭和29）		岩村忍によるモゴール調査
1955（昭和30）		日本が大使館開設、三浦和一大使 『京大カラコラム・ヒンズークシ探検隊』の調査

資料2　アフガニスタンと日本の交流・年譜（関根正男　作成）

年次	アフガニスタン・世界の出来事	日本の動き
6 世紀頃		奈良県の藤ノ木古墳出土の冠がティリア・テペの冠に通じるものとわかる
7 世紀頃		大阪府の阿武山古墳から出土した金モールがティリヤ・テペ出土のものと同じ技法とわかる
8 世紀頃		ラピスラズリ、『大唐西域記』が日本に伝わる　（正倉院の「紺玉帯」、「平螺鈿背円鏡」にラピスを使用）
1747（延享 4）	アフマド・シャー・ドゥッラーニーを王に選出	
1845（弘化 2）	ドースト・ムハンマド王の時代	米船が浦賀に入港通商を求める。英船が長崎に 箕作省吾が『坤輿図識』でアフガニスタンに初めて言及
19 世紀末	カーブル博物館の前身に、日本の衝立、象牙付き花瓶、機織り機械、マッチ製造機があった。また、駕籠が「ジャパン」と呼ばれ、嫁入りに使われていた	
1887（明治 10）	アブドゥルラフマン王の時代	「大阪朝日新聞」がバーミヤンの西大仏を図入りで紹介
1896（明治 29）		福島安正がアフガニスタン入国はかるもかなわず
1905（明治 38）	ハビブラ王の時代	日露戦争講和条約
1907（明治 40）		アイユーブ・ハーンが初来日
1919（大正 8）	アマヌラ・ハーン即位 英国より独立かちとる	
1922（大正 11）	フランスと 30 年間の発掘独占協定を結ぶ	谷寿夫が、初めてアフガニスタンに入る
1925（大正 14）		田鍋安之助が日本人二人目のアフガニスタン入国
1928（昭和 3）	日本・アフガニスタン基本修好条約の調印	

虎山ニルファ『アフガニスタンの少女、日本に生きる』草思社、2005年
カレッド、レシャード・F『知ってほしいアフガニスタン ── 戦禍はなぜ止まないか』高文研、2009年

9. 言語をまなぶには

公用語は、ダリー語とパシュトー語である。ダリー語は、ペルシア語と文法は同じで（発音と単語に違いがある）、ペルシア語を学んでも良い。
縄田鉄男『ダリー語文法入門』大学書林、1990年
中村公則『らくらくペルシャ語』国際語学社、2005年
嶋岡尚子『旅の指さし会話帳　ダリー語』情報センター出版局、2003年
縄田鉄男『パシュトー語基礎1500語』大学書林、1982年

10. どんな文献・資料があるかを知るには

現在は、インターネットの普及で、次のような方法によって入手が可能。

古書については、WEBの「日本の古本屋」で探せる。検索は「アフガニスタン」と「アフガン」。（「アマゾン」で探す場合、絶版本には高価な値段がついているので注意が必要）

つぎに、国会図書館の利用で、アフガニスタンに関する文献・雑誌などが収集されている。これも、検索は「アフガニスタン」と「アフガン」。図書館利用登録をすれば、自宅からインターネットでコピーを依頼できるが枚数制限はある。

国会図書館を利用する上で欠かせないのが、堀込静香編の『アフガニスタン書誌　明治期〜2003』（金沢文圃閣、2003年）。この書には、2003年までに発行されたアフガニスタンに関する図書、雑誌、紀要などの関連文書の索引が記載され、しかも、雑誌掲載の論文などは該当ページが記載されているので、国会図書館に複写依頼するときに便利。

11. アフガニスタンの日々の出来事を知るには

現在、アフガニスタンに関するホームページはほとんどなくなり、または更新がされていない。筆者が毎日参照しているのが、BBC Persianのアフガニスタンのページで、政治、反政府勢力の攻撃、歴史、女性問題、難民、教育、文化など多様な記事が掲載されている。ペルシア語のページであるが、2014年10月のガニ大統領就任以降について、要約を毎月２回に分けて「アフガニスタン文化研究所」のホームページに掲載しているので参照されたい。

安井浩美『私の大好きな国アフガニスタン』あかね書房、2005年

5. 映像

『カラコルム』東宝、1956年　※1955年の「京大カラコラム・ヒンズークシ探検隊」調査の映画化。キネマ旬報ベスト3位に入る。京都大学学術出版会から発行されたが売り切れ

TBSテレビ『兼高かおる　世界の旅』1967年　※次の3本が、TBSオンデマンドで見られる。「アフガニスタンのスナップ」(ガズニ、マザーレ・シャリフを紹介)、「山あいの王都」(カーブル、ブズカシ)、「神秘の高原」(バーミヤン、バンデ・アミール湖)

ジョン・フランケンハイマー監督『ホースメン』1971年　主演＝オマー・シャリフ、原作＝ジョセフ・ケッセル『騎馬の民』(読売新聞社刊)

セディク・バルマク監督『アフガン零年』2003年　※アフガニスタン人の監督による作品

このほか、「YouTubeで歌手の歌、各州、州都の紹介など、様々な映像が見られる。

インターネットで検索する場合、残念ながら日本語での検索は限界がある。英語、できればダリー語(ペルシア語)で検索すると良い。

6. 写真集・画集

岩波書店編集部・岩波映画製作所編、梅棹忠夫写真『アフガニスタンの旅』岩波書店、1956年

小西正捷『原色写真文庫　アフガニスタン』講談社、1968年

長倉洋海『ワタネ・マン ── 私の国アフガニスタン』偕成社、2002年

平山郁夫、谷岡清『シルクロードの華アフガニスタン ── 平山郁夫画文集』日本経済新聞社、2002年

7. 小説・歌集

ラヒーミー、アティーク(関口涼子訳)『灰と土』インスクリプト、2003年

森本晋『バーミヤーンの歌』金壽堂出版、2019年

8. 在日アフガニスタン人の著作

アーセフィ、G.バハドル『ダリー語』豊文社、1979年

アミン、ハルン『アジアの二つの日出ずる国』在京アフガニスタン大使館、2007年

2. 歴史

フォーヘルサング、ヴィレム（前田耕作・山内和也監訳）『アフガニスタンの歴史と文化』明石書店、2005年

前田耕作、山根聡『アフガニスタン史』河出書房新社、2002年

渡辺光一『アフガニスタン ── 戦乱の現代史』岩波書店、2003年

ラシッド、アハメド『タリバン ── イスラム原理主義の戦士たち』講談社、2000年

前田耕作監修、関根正男編著『日本・アフガニスタン関係全史』明石書店、2006年

小荒井理恵『アフガニスタン復興への教育支援 ── 子どもたちに生きる希望を』明石書店、2011年

3. 遺跡

前田耕作『アフガニスタンの仏教遺跡バーミヤン』晶文社、2002年

宮治昭『バーミヤーン、遙かなり ── 失われた仏教美術の世界』NHK出版、2002年

樋口隆康『アフガニスタン遺跡と秘宝 ── 文明の十字路の五千年』NHK出版、2003年

井上隆史『アフガニスタン　さまよえる国宝』NHK出版、2003年

前田耕作、越前隆『写真集　バーミヤーン遺跡』毎日新聞社、2002年

東京文化財研究所『アフガニスタン文化遺産調査資料集』（第1巻～第5巻）明石書店、2005～2011年

九州国立博物館、東京国立博物館、産経新聞社編『黄金のアフガニスタン ── 守りぬかれたシルクロードの秘宝』産経新聞社、2016年

4. 生活（アフガニスタン人の生活、習慣などがうかがえる）

尾崎三雄、尾崎節子『日本人が見た '30年代のアフガン』石風社、2003年
※尾崎と同時代にアフガニスタン入りした日本人の動向もよくわかる。

岩村忍『アフガニスタン紀行』朝日新聞社、1955年　※後に朝日文庫（1992年）、教養文庫（1978年）。

梅棹忠夫『モゴール族探検記』岩波書店、1956年

大野盛雄『アフガニスタンの農村から』岩波書店、1971年

松浪健四郎『アフガン褐色の日々』中央公論社、1983年（2001年改版）

佐々木徹『アフガンの四季』中央公論社、1981年

資料1　アフガニスタンを知るための文献・映像
★インターネット時代の情報収集について★

(関根正男　作成)

我々一般人（専門家を含めて）がアフガニスタンに行けなくなって40年以上経過した。"アフガニスタンを知る"には、やはり現地に行って、砂ぼこりを浴びて高地を車で走り、村人と片言のダリー語で話したり、美味しい果物を食べたり、素晴らしい星空を見たり……、すればよいのだが、残念ながら現状それは叶わない夢である。

筆者もソ連侵攻以来、アフガニスタンについて広く深く知ろうと情報収集を始めたが、その経験からアフガニスタンを知る、理解するための"情報入手"について紹介したい。

ウインドウズ95の登場で、インターネットで情報を集めることが可能になったが、まだ、情報サービスは不十分であった。パソコンの能力も低く、転送スピードも遅いという課題もあった。しかし、現在ではYouTubeのような映像サービスも加わった。これまでの主役であった新聞はアフガニスタンに関する情報は極めて少なくなり、図書・雑誌・週刊誌でも、タリバン崩壊後は復興に関する著作が発行されたが、最近はあまり目につかない状況である。支援団体も現地に入れない状況もある。

考えてみると、この40年を超える"アフガニスタン戦争"は、日本の研究者（考古学者、人類学者、音楽者、動物・植物学者……）の研究の停滞だけでなく、すべての分野で後継者の育成という点で大きな課題を抱えたといえる。

このような現状ではあるが、"アフガニスタンを知るための情報"について紹介したい。

1. アフガニスタン全般

デュプリ、ナンシー・ハッチ（日本・アフガニスタン協会訳）『アフガニスタン ── 歴史と文化の旅』日本・アフガニスタン協会、1974年

Jujiro編纂室『アフガニスタンガイドブック ── シルクロードと深夜特急の十字路』三一書房、2005年

メアリー・M. ロジャース（竹信悦夫訳）『目で見る世界の国々　59　アフガニスタン』国土社、2002年

執筆者紹介

松井　健（まつい・たけし）［24］
東京大学名誉教授。

松尾敬子（まつお・けいこ）［16、57］
国際連合人口基金職員、元国際連合人間居住計画職員。

松田徳太郎（まつだ・とくたろう）［巻頭地図］
オクサス学会会員、アフガニスタン文化研究所会員。

宮本亮一（みやもと・りょういち）［8］
東京大学附属図書館アジア研究図書館上廣倫理財団寄付研究部門特任研究員。

村山和之（むらやま・かずゆき）［22］
中央大学兼任講師。

森國次郎（もりくに・じろう）［49］
アフガニスタン文化研究所会員。

森本　晋（もりもと・すすむ）［コラム11］
公益財団法人ユネスコ・アジア文化センター文化遺産保護協力事務所所長。

安井浩美（やすい・ひろみ）［18、コラム3、19、20、21、26］
共同通信カブール支局通信員。

安仲卓二（やすなか・たくじ）［コラム2、42、46］
株式会社包代表取締役。

＊**山内和也**（やまうち・かずや）［32、40、70］
編著者紹介を参照。

山田利行（やまだ・としゆき）［44］
山田利行研究室室長、アフガニスタン文化研究所会員。

山根　聡（やまね・そう）［3、11、66、補論］
大阪大学言語文化研究科教授。

横山時代（よこやま・ときよ）［50］
名古屋アリアナ平和基金代表。

登利谷正人（とりや・まさと）［4、10、コラム1、14、25、37］
東京外国語大学世界言語社会教育センター講師。

長岡正哲（ながおか・まさのり）［コラム6、65］
ユネスコ・プノンペン事務所文化部主任。

長倉洋海（ながくら・ひろみ）［12、62］
写真家。

中道貞子（なかみち・ていこ）［61］
奈良女子大学国際交流センター客員センター員。

西垣敬子（にしがき・けいこ）［コラム5、43］
宝塚・アフガニスタン友好協会代表。

八尾師誠（はちおし・まこと）［1、9］
東京外国語大学名誉教授。

深見奈緒子（ふかみ・なおこ）［35］
日本学術振興会カイロ研究連絡センター センター長。

福田幸正（ふくだ・ゆきまさ）［13］
株式会社グローバル・グループ21ジャパン シニア・コンサルタント、公益財団法人国際通貨研究所客員研究員、上智大学非常勤講師。

藤田千代子（ふじた・ちよこ）［63］
ペシャワール会理事、PMS 支援室長、PMS 総院長補佐。

保坂英輝（ほさか・ひでき）［60］
国際連合麻薬・犯罪事務所プロジェクト・コーディネーター。

本多海太郎（ほんだ・かいたろう）［34、47］
玄奘福舎主宰。

＊**前田耕作**（まえだ・こうさく）［6、28、31、コラム12］
編著者紹介を参照。

前田たつひこ（まえだ・たつひこ）［7、29］
公益財団法人平山郁夫シルクロード美術館企画室長。

執筆者紹介

樫野　亘（かしの・わたる）［60］
国連薬物・犯罪事務所プログラムオフィサー。

清末愛砂（きよすえ・あいさ）［58］
室蘭工業大学大学院工学研究科教授。

小荒井理恵（こあらい・りえ）［51］
公益社団法人シャンティ国際ボランティア会 元アフガニスタン事業アドバイザー。

古曳正夫（こびき・まさお）［コラム7］
オクサス学会元副会長。『ハルブーザ』主宰。

紺野誠二（こんの・せいじ）［56］
特定非営利活動法人難民を助ける会プログラムコーディネーター（地雷問題担当）。

酒井成司（さかい・せいじ）［コラム10］
日本鱗翅学会会員。

柴田和重（しばた・かずしげ）［36、67、69］
アフガンネットワーク幹事。

嶋田晴行（しまだ・はるゆき）［64］
立命館大学国際関係学部教授。

鈴木　均（すずき・ひとし）［23］
日本貿易振興機構アジア経済研究所上席主任研究員。

関口広隆（せきぐち・ひろたか）［59］
公益社団法人日本ユネスコ協会連盟事務局次長。

関根正男（せきね・まさお）［17、コラム4、39、41、45、48、52、資料1、資料2］
アフガニスタン文化研究所会員。

高橋和夫（たかはし・かずお）［68］
放送大学名誉教授。

ちゃるぱーさ（佐藤圭一、やぎちさと）［27］
アフガニスタン音楽ユニット。

土谷遙子（つちや・はるこ）［38、コラム8］
元上智大学教授。

〈編者紹介〉

前田耕作（まえだ・こうさく）
アフガニスタン文化研究所所長。
1957年名古屋大学文学部卒業。1975年より和光大学教授（アジア文化史・思想史）。2003年和光大学退職、名誉教授。東京藝術大学・帝京大学客員教授。
1964年名古屋大学アフガニスタン学術調査団一員として初めてバーミヤンを訪れ、以来アフガニスタンほか、西アジア、中央アジア、南アジアの古代遺跡の実地調査を行う。現在は主にアフガニスタンに関する文化研究を進めると共に、2003年7月から開始されたユネスコ日本信託基金に基づくバーミヤン遺跡の保存・修復の事業に参加している。

山内和也（やまうち・かずや）
帝京大学文化財研究所教授。
1984年早稲田大学第一文学部（東洋史専攻）卒業。1988年早稲田大学大学院文学研究科修了。1992年テヘラーン大学人文学部大学院修了。
シルクロード研究所研究員、独立行政法人国立文化財機構東京文化財研究所文化遺産国際協力センター地域環境研究室室長を経て現職。
専門はイラン、中央アジアの考古学。現在、アフガニスタンのバーミヤン遺跡の調査研究、保存修復事業に従事。

〈執筆者紹介〉（五十音順。＊は監修者・編著者。［ ］内は担当章）

青木健太（あおき・けんた）［15］
公益財団法人中東調査会研究員。

稲葉　穣（いなば・みのる）［30］
京都大学人文科学研究所教授。

井上隆史（いのうえ・たかし）［53、54］
東京藝術大学特任教授。

入澤　崇（いりさわ・たかし）［コラム9］
龍谷大学学長。

岩井俊平（いわい・しゅんぺい）［2、5、33、55］
龍谷大学龍谷ミュージアム准教授。

エリア・スタディーズ　185

アフガニスタンを知るための 70 章

2021 年 9 月 30 日　　初版第 1 刷発行

編著者　前田耕作
　　　　山内和也
発行者　大江道雅
発行所　株式会社 明石書店
〒101-0021 東京都千代田区外神田 6-9-5
電　話　03-5818-1171
FAX　03-5818-1174
振　替　00100-7-24505
https://www.akashi.co.jp/
装　幀　明石書店デザイン室
印刷／製本　日経印刷株式会社

（定価はカバーに表示してあります）　ISBN978-4-7503-5243-5

エリア・スタディーズ

1 現代アメリカ社会を知るための60章
明石紀雄、川島浩平 編著

2 イタリアを知るための62章【第2版】
村上義和 編著

3 イギリスを旅する35章
辻野功 編著

4 モンゴルを知るための65章【第2版】
金岡秀郎 著

5 パリ・フランスを知るための44章
梅本洋一、大里俊晴、木下長宏 編著

6 現代韓国を知るための60章【第2版】
石坂浩一、福島みのり 編著

7 オーストラリアを知るための58章【第3版】
越智道雄 著

8 現代中国を知るための52章【第6版】
藤野彰 編著

9 ネパールを知るための60章
日本ネパール協会 編

10 アメリカの歴史を知るための63章【第3版】
富田虎男、鵜月裕典、佐藤円 編著

11 現代フィリピンを知るための61章【第2版】
大野拓司、寺田勇文 編著

12 ポルトガルを知るための55章【第2版】
村上義和、池俊介 編著

13 北欧を知るための43章
武田龍夫 著

14 ブラジルを知るための56章【第2版】
アンジェロ・イシ 著

15 ドイツを知るための60章
早川東三、工藤幹巳 編著

16 ポーランドを知るための60章
渡辺克義 編著

17 シンガポールを知るための65章【第5版】
田村慶子 編著

18 現代ドイツを知るための67章【第3版】
浜本隆志、髙橋憲 編著

19 ウィーン・オーストリアを知るための57章【第2版】
広瀬佳一、今井顕 編著

20 ハンガリーを知るための60章【第2版】 ドナウの宝石
羽場久美子 編著

21 現代ロシアを知るための60章【第2版】
下斗米伸夫、島田博 編著

22 21世紀アメリカ社会を知るための67章
明石紀雄 監修 赤尾千波、大類久恵、小塩和人、落合明子、川島浩平、高野泰 編

23 スペインを知るための60章
野々山真輝帆 著

24 キューバを知るための52章
後藤政子、樋口聡 編著

25 カナダを知るための60章
綾部恒雄、飯野正子 編著

26 中央アジアを知るための60章【第2版】
宇山智彦 編著

27 チェコとスロヴァキアを知るための56章【第2版】
薩摩秀登 編著

28 現代ドイツの社会・文化を知るための48章
田村光彰、村上和光、岩淵正明 編著

29 インドを知るための50章
重松伸司、三田昌彦 編著

30 タイを知るための72章【第2版】
綾部真雄 編著

31 パキスタンを知るための60章
広瀬崇子、山根聡、小田尚也 編著

32 バングラデシュを知るための66章【第3版】
大橋正明、村山真弓、日下部尚徳、安達淳哉 編著

33 イギリスを知るための65章【第2版】
近藤久雄、細川祐子、阿部美春 編著

34 現代台湾を知るための60章【第2版】
亜洲奈みづほ 著

35 ペルーを知るための66章【第2版】
細谷広美 編著

36 マラウィを知るための45章【第2版】
栗田和明 著

37 コスタリカを知るための60章【第2版】
国本伊代 編著

38 チベットを知るための50章
石濱裕美子 編著

エリア・スタディーズ

39 **現代ベトナムを知るための60章【第2版】**
今井昭夫、岩井美佐紀 編著

40 **インドネシアを知るための50章**
村井吉敬、佐伯奈津子 編著

41 **エルサルバドル、ホンジュラス、ニカラグアを知るための45章**
田中高 編著

42 **パナマを知るための70章【第2版】**
国本伊代 編著

43 **イランを知るための65章**
岡田恵美子、北原圭一、鈴木珠里 編著

44 **アイルランドを知るための70章【第3版】**
海老島均、山下理恵子 編著

45 **メキシコを知るための60章**
吉田栄人 編著

46 **中国の暮らしと文化を知るための40章**
東洋文化研究会 編

47 **現代ブータンを知るための60章【第2版】**
平山修一 著

48 **バルカンを知るための66章【第2版】**
柴宜弘 編著

49 **現代イタリアを知るための44章**
村上義和 編著

50 **アルゼンチンを知るための54章**
アルベルト松本 著

51 **ミクロネシアを知るための60章【第2版】**
印東道子 編著

52 **アメリカのヒスパニック＝ラティーノ社会を知るための55章**
大泉光一、牛島万 編著

53 **北朝鮮を知るための55章【第2版】**
石坂浩一 編著

54 **ボリビアを知るための73章【第2版】**
真鍋周三 編著

55 **コーカサスを知るための60章**
北川誠一、前田弘毅、廣瀬陽子、吉村貴之 編著

56 **カンボジアを知るための62章【第2版】**
上田広美、岡田知子 編著

57 **エクアドルを知るための60章【第2版】**
新木秀和 編著

58 **タンザニアを知るための60章【第2版】**
栗田和明、根本利通 編著

59 **リビアを知るための60章【第2版】**
塩尻和子 編著

60 **東ティモールを知るための50章**
山田満 編著

61 **グアテマラを知るための67章【第2版】**
桜井三枝子 編著

62 **オランダを知るための60章**
長坂寿久 著

63 **モロッコを知るための65章**
私市正年、佐藤健太郎 編著

64 **サウジアラビアを知るための63章【第2版】**
中村覚 編著

65 **韓国の歴史を知るための66章**
金両基 編著

66 **ルーマニアを知るための60章**
六鹿茂夫 編著

67 **現代インドを知るための60章**
広瀬崇子、近藤正規、井上恭子、南埜猛 編著

68 **エチオピアを知るための50章**
岡倉登志 編著

69 **フィンランドを知るための44章**
百瀬宏、石野裕子 編著

70 **ニュージーランドを知るための63章**
青柳まちこ 編著

71 **ベルギーを知るための52章**
小川秀樹 編著

72 **ケベックを知るための54章**
小畑精和、竹中豊 編著

73 **アルジェリアを知るための62章**
私市正年 編著

74 **アルメニアを知るための65章**
中島偉晴、メラニア・バグダサリヤン 編著

75 **スウェーデンを知るための60章**
村井誠人 編著

76 **デンマークを知るための68章**
村井誠人 編著

77 **最新ドイツ事情を知るための50章**
浜本隆志、柳原初樹 著

エリア・スタディーズ

78 **セネガルとカーボベルデを知るための60章**
小川了 編著

79 **南アフリカを知るための60章**
峯陽一 編著

80 **エルサルバドルを知るための55章**
細野昭雄、田中高 編著

81 **チュニジアを知るための60章**
鷹木恵子 編著

82 **南太平洋を知るための58章** メラネシア ポリネシア
吉岡政德、石森大知 編著

83 **現代カナダを知るための60章【第2版】**
飯野正子、竹中豊 総監修 日本カナダ学会 編

84 **現代フランス社会を知るための62章**
三浦信孝、西山教行 編著

85 **ラオスを知るための60章**
菊池陽子、鈴木玲子、阿部健一 編著

86 **パラグアイを知るための50章**
田島久歳、武田和久 編著

87 **中国の歴史を知るための60章**
並木頼壽、杉山文彦 編著

88 **スペインのガリシアを知るための50章**
坂東省次、桑原真夫、浅香武和 編著

89 **アラブ首長国連邦（UAE）を知るための60章**
細井長 編著

90 **コロンビアを知るための60章**
二村久則 編著

91 **現代メキシコを知るための70章【第2版】**
国本伊代 編著

92 **ガーナを知るための47章**
高根務、山田肖子 編著

93 **ウガンダを知るための53章**
吉田昌夫、白石壮一郎 編著

94 **ケルトを旅する52章** イギリス・アイルランド
永田喜文 著

95 **トルコを知るための53章**
大村幸弘、永田雄三、内藤正典 編著

96 **イタリアを旅する24章**
内田俊秀 編著

97 **大統領選からアメリカを知るための57章**
越智道雄 著

98 **現代バスクを知るための50章**
萩尾生、吉田浩美 編著

99 **ボツワナを知るための52章**
池谷和信 編著

100 **ロンドンを旅する60章**
川成洋、石原孝哉 編著

101 **ケニアを知るための55章**
松田素二、津田みわ 編著

102 **ニューヨークからアメリカを知るための76章**
越智道雄 著

103 **カリフォルニアからアメリカを知るための54章**
越智道雄 著

104 **イスラエルを知るための62章【第2版】**
立山良司 編著

105 **グアム・サイパン・マリアナ諸島を知るための54章**
中山京子 編著

106 **中国のムスリムを知るための60章**
中国ムスリム研究会 編

107 **現代エジプトを知るための60章**
鈴木恵美 編著

108 **カーストから現代インドを知るための30章**
金基淑 編著

109 **カナダを旅する37章**
飯野正子、竹中豊 編著

110 **アンダルシアを知るための53章**
立石博高、塩見千加子 編著

111 **エストニアを知るための59章**
小森宏美 編著

112 **韓国の暮らしと文化を知るための70章**
舘野晳 編著

113 **現代インドネシアを知るための60章**
村井吉敬、佐伯奈津子、間瀬朋子 編著

114 **ハワイを知るための60章**
山本真鳥、山田亨 編著

115 **現代イラクを知るための60章**
酒井啓子、吉岡明子、山尾大 編著

116 **現代スペインを知るための60章**
坂東省次 編著

エリア・スタディーズ

117 スリランカを知るための58章　杉本良男、高桑史子、鈴木晋介 編著
118 マダガスカルを知るための62章　飯田卓、深澤秀夫、森山工 編著
119 新時代アメリカ社会を知るための60章　明石紀雄 監修　大類久恵、落合明子、赤尾千波 編著
120 現代アラブを知るための56章　松本弘 編著
121 クロアチアを知るための60章　柴宜弘、石田信一 編著
122 ドミニカ共和国を知るための60章　国本伊代 編著
123 シリア・レバノンを知るための64章　黒木英充 編著
124 EU(欧州連合)を知るための63章　羽場久美子 編著
125 ミャンマーを知るための60章　田村克己、松田正彦 編著
126 カタルーニャを知るための50章　立石博高、奥野良知 編著
127 ホンジュラスを知るための60章　桜井三枝子、中原篤史 編著
128 スイスを知るための60章　スイス文学研究会 編
129 東南アジアを知るための50章　今井昭夫 編集代表　東京外国語大学東南アジア課程 編
130 メソアメリカを知るための58章　井上幸孝 編著
131 マドリードとカスティーリャを知るための60章　川成洋、下山静香 編著
132 ノルウェーを知るための60章　大島美穂、岡本健志 編著
133 現代モンゴルを知るための50章　小長谷有紀、前川愛 編著
134 カザフスタンを知るための60章　宇山智彦、藤本透子 編著
135 内モンゴルを知るための60章　ボルジギン・ブレンサイン 編著　赤坂恒明 編集協力
136 スコットランドを知るための65章　木村正俊 編著
137 セルビアを知るための60章　柴宜弘、山崎信一 編著
138 マリを知るための58章　竹沢尚一郎 編著
139 ASEANを知るための50章　黒柳米司、金子芳樹、吉野文雄 編著
140 アイスランド・グリーンランド・北極を知るための65章　小澤実、中丸禎子、高橋美野梨 編著
141 ナミビアを知るための53章　水野一晴、永原陽子 編著
142 香港を知るための60章　吉川雅之、倉田徹 編著
143 タスマニアを旅する60章　宮本忠 著
144 パレスチナを知るための60章　臼杵陽、鈴木啓之 編著
145 ラトヴィアを知るための47章　志摩園子 編著
146 ニカラグアを知るための55章　田中高 編著
147 台湾を知るための60章　赤松美和子、若松大祐 編著
148 テュルクを知るための61章　小松久男 編著
149 アメリカ先住民を知るための62章　阿部珠理 編著
150 イギリスの歴史を知るための50章　川成洋 編著
151 ドイツの歴史を知るための50章　森井裕一 編著
152 ロシアの歴史を知るための50章　下斗米伸夫 編著
153 スペインの歴史を知るための50章　立石博高、内村俊太 編著
154 フィリピンを知るための64章　大野拓司、鈴木伸隆、日下渉 編著
155 バルト海を旅する40章　7つの島の物語　小柏葉子 著

イスラーム・シンボル事典

マレク・シェベル 著
前田耕作、甲子雅代 監修
小川菜穂子、ヘレンハルメ美穂、松永りえ 訳
株式会社 リベル 翻訳協力

■A5判／上製／444頁 ◎9200円

『コーラン』やムハンマドの言行録『ハディース』そしてイスラーム教徒の日常生活の中に見られる様々な象徴（シンボル）を語句ごとに解説した事典。イスラーム文化全体に張り巡らされた象徴の体系を、簡潔かつ深く読み解く、フランスのイスラーム学の知の結晶。

● 内容構成 ●

掲載項目（一部抜粋）

アブラハム　幾何学　慈愛　太陽
アラビア文字　イエス　モーセ　タシュビーフ
イスラーム芸術　カアバ神殿　音楽　アッラーの偏在
バスマラ　「ラッパイカ」　数秘学　ウマイヤ朝
シャハーダ　世俗主義　巡礼　雌牛
シーア派　マシュハド　予定説　葡萄酒
コーラン　マシュリク　礼拝　ヴェール
新月　マフディー思想　安息日　ワリー
火獄　結婚　文字の学
ファワーティフ　蜂蜜　蛇

アフガニスタンのハザーラ人 迫害を超え歴史の未来をひらく民
世界人権問題叢書 77　サイエド・アスカル・ムーサヴィー 著　前田耕作、山内和也 監訳　◎6000円

アフガニスタンを想う 往還半世紀
前田耕作 著　◎2800円

アフガニスタンの歴史と文化
世界歴史叢書　ヴィレム・フォーヘルサング 著　前田耕作、山内和也 監訳　◎7800円

近代アフガニスタンの国家形成 歴史叙述と第二次アフガン戦争前後の政治動向
世界歴史叢書　登利谷正人 著　◎4800円

現代アフガニスタン史 国家建設の矛盾と可能性
世界歴史叢書　嶋田晴行 著　◎3800円

アフガニスタン復興への教育支援 子どもたちに生きる希望を
小荒井理恵 著　◎2400円

イスラーム文明とは何か 現代科学技術と文化の礎
塩尻和子 著　◎2500円

中東・イスラーム世界の歴史・宗教・政治 多様なアプローチが織りなす地域研究の現在
髙岡豊、白谷望、溝渕正季 編著　◎3600円

〈価格は本体価格です〉